Tempo de regresso

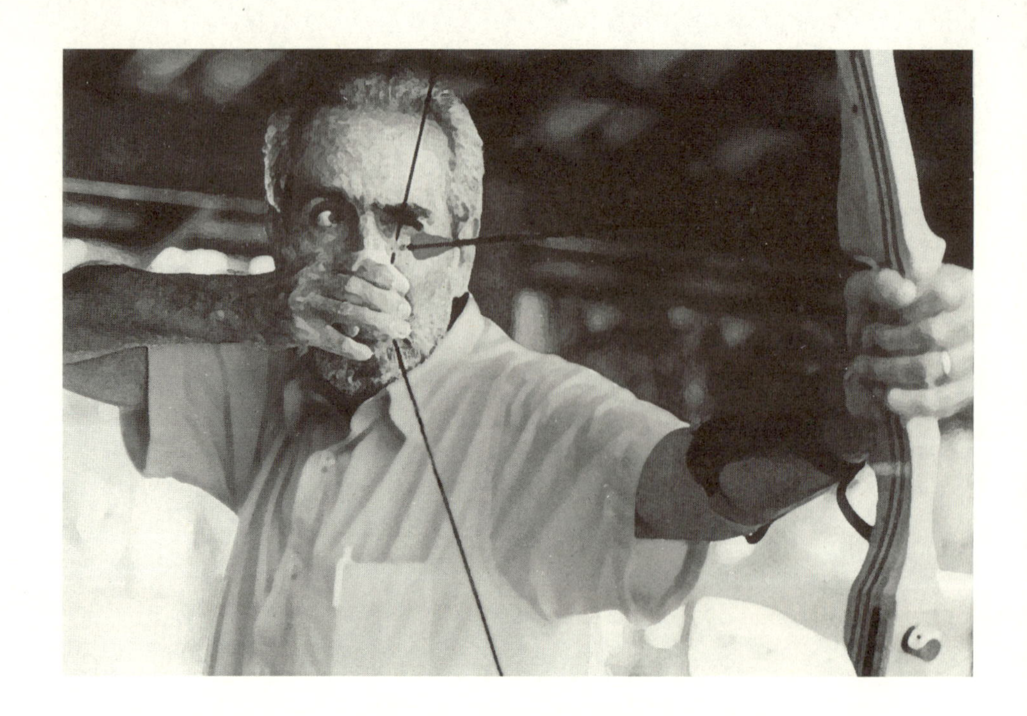

O Arqueiro

Geraldo Jordão Pereira (1938-2008) começou sua carreira aos 17 anos, quando foi trabalhar com seu pai, o célebre editor José Olympio, publicando obras marcantes como *O menino do dedo verde*, de Maurice Druon, e *Minha vida*, de Charles Chaplin.

Em 1976, fundou a Editora Salamandra com o propósito de formar uma nova geração de leitores e acabou criando um dos catálogos infantis mais premiados do Brasil. Em 1992, fugindo de sua linha editorial, lançou *Muitas vidas, muitos mestres*, de Brian Weiss, livro que deu origem à Editora Sextante.

Fã de histórias de suspense, Geraldo descobriu *O Código Da Vinci* antes mesmo de ele ser lançado nos Estados Unidos. A aposta em ficção, que não era o foco da Sextante, foi certeira: o título se transformou em um dos maiores fenômenos editoriais de todos os tempos.

Mas não foi só aos livros que se dedicou. Com seu desejo de ajudar o próximo, Geraldo desenvolveu diversos projetos sociais que se tornaram sua grande paixão.

Com a missão de publicar histórias empolgantes, tornar os livros cada vez mais acessíveis e despertar o amor pela leitura, a Editora Arqueiro é uma homenagem a esta figura extraordinária, capaz de enxergar mais além, mirar nas coisas verdadeiramente importantes e não perder o idealismo e a esperança diante dos desafios e contratempos da vida.

KRISTIN
HANNAH

Tempo de regresso

ARQUEIRO

tradução: Mariana Serpa

preparo de originais: Beatriz D'Oliveira

revisão: Alice Dias e Suelen Lopes

diagramação: Abreu's System

capa: Rafael Nobre

imagem de capa: © Getty Images/ iStockphoto

impressão e acabamento: Associação Religiosa Imprensa da Fé

CIP-BRASIL. CATALOGAÇÃO NA PUBLICAÇÃO
SINDICATO NACIONAL DOS EDITORES DE LIVROS, RJ

H219t Hannah, Kristin
Tempo de regresso / Kristin Hannah; tradução de Mariana Serpa.
São Paulo: Arqueiro, 2019.
336 p.; 16 x 23 cm.

Tradução de: Between sisters
ISBN 978-85-306-0004-4

1. Ficção americana. I. Serpa, Mariana. II. Título.

19-57489 CDD: 813
CDU: 82-3(73)

Editora Arqueiro Ltda.
Rua Funchal, 538 – conjuntos 52 e 54 – Vila Olímpia
04551-060 – São Paulo – SP
Tel.: (11) 3868-4492 – Fax: (11) 3862-5818
E-mail: atendimento@editoraarqueiro.com.br
www.editoraarqueiro.com.br

Para minha irmã, Laura.

Para meu pai, Laurence.

E, como sempre, para Benjamin e Tucker.

Amo todos vocês.

"Não vemos as coisas como elas são;
vemos como nós somos."

– ANAÏS NIN

"Se o amor é a resposta,
pode por favor repetir a pergunta?"

– LILY TOMLIN

CARO LEITOR

Olá, seja bem-vindo! Escrevo esta carta sob o sol do Havaí – muito, muito longe das imensas árvores e dos picos montanhosos que permeiam a paisagem deste livro. Adoro os dois lugares, por diferentes razões. O Havaí, pelo sol e pelo som das ondas; já o oeste de Washington é meu lar e amo sua paz, esplendor e beleza. Sempre tenho esperança de que, ao mergulhar no meu mundo, cada leitor passe a enxergar a costa norte do Pacífico com outros olhos.

Se este for seu primeiro contato com meu trabalho, espero que goste. Quando eu descubro um novo autor, procuro saber se há outras obras por aí que eu possa apreciar. Nesse espírito, apresento *Tempo de regresso*. Assim como meus trabalhos mais recentes, este é um romance sobre mulheres em conflito e crise, que aprendem a enfrentar as dificuldades modernas confiando em si mesmas, nos amigos e na família. Quanto mais o tempo passa, mais compreendo quanto preciso de outras mulheres. Por isso, acho, insisto em escrever sobre nossas relações. O que faríamos sem nossas irmãs e amigas? Se você gostou de Kate e Tully de *Amigas para sempre*, tenho certeza de que vai gostar de conhecer Meghann e Claire.

E acho que também vai encontrar algo inesperado: um pouco de humor. Embora o livro aborde questões difíceis, que geram ótimos debates em clubes de leitura – como abandono, afastamento, perda de um amor, problemas de saúde e duas irmãs que nunca aprenderam de fato a ser uma família –, espero que esta história seja capaz de provocar não apenas lágrimas, mas também sorrisos.

Tomara que você goste de passar algumas horas no belo canto do mundo que eu chamo de lar, com duas de minhas personagens favoritas. Com sorte, ao final do livro você vai estar com vontade de telefonar para a sua irmã ou o seu irmão.

Com amor,
Kristin Hannah

UM

A Dra. Harriet Bloom aguardava pacientemente uma resposta.

Meghann Dontess se recostou na cadeira e encarou as próprias mãos. Estava precisando de uma manicure. Já tinha passado da hora.

– Eu tento não pensar demais, Harriet. Você sabe. Acho que me impede de aproveitar a vida.

– É por isso que você vem aqui toda semana há quatro anos? Porque aproveita demais a vida?

– Melhor nem sugerir isso. Põe em dúvida sua habilidade como psiquiatra. Talvez eu fosse totalmente normal quando te conheci, e na verdade é você que está *me enlouquecendo*.

– Você está usando humor para não tocar na questão principal, como sempre.

– Não exagera. Nem foi engraçado.

Harriet não sorriu.

– Eu quase nunca te acho engraçada.

– Lá se vai o meu sonho de ser comediante.

– Vamos falar sobre o dia em que você e Claire foram separadas.

Meghann se remexeu na cadeira, incomodada. Justamente quando precisava de uma resposta afiada, teve um branco. Ela sabia o que Harriet queria, e Harriet estava ciente de que ela sabia. Se Meghann não respondesse, a psiquiatra repetiria a pergunta.

– Separadas. Uma boa palavra, simples. Objetiva. Eu até gosto, mas esse assunto está encerrado.

– É curioso você manter uma relação com a sua mãe, mas se afastar da sua irmã.

Meghann deu de ombros.

– Mamãe é atriz. Eu sou advogada. Nós duas gostamos de fingir.

– Como assim?

– Você já viu alguma entrevista dela?

– Não.

– Ela sempre fala que a gente teve uma vida humilde, sofrida, mas cheia de amor. E a gente finge que é verdade.

– Vocês moravam em Bakersfield quando essa farsa de vida sofrida, mas cheia de amor acabou, não é?

Meghann permaneceu em silêncio. Harriet a conduzira de volta ao assunto doloroso como se ela fosse um ratinho em um labirinto.

– Claire tinha 9 anos – prosseguiu Harriet. – Tinha perdido vários dentes de leite, se não me falha a memória, e ia mal em matemática.

– Já chega.

Meghann agarrou os braços finos da cadeira de madeira.

Harriet a encarou. Sob as sobrancelhas escuras e grossas, seu olhar era firme. Os óculos de aro redondo aumentavam seus olhos.

– Não foge, Meg. Estamos progredindo.

– Se a gente progredir mais, vou precisar de uma ambulância. A gente devia falar sobre o meu trabalho. É para isso que eu venho aqui, sabia? A Vara de Família está parecendo uma panela de pressão. Ontem apareceu um pai caloteiro pilotando uma Ferrari e jurando que estava sem grana. Um babaca. Não queria pagar a escola da filha. Para o azar dele, eu o filmei chegando.

– Por que você paga essas consultas se não quer conversar sobre a raiz dos seus problemas?

– Eu tenho questões, não problemas. E não faz sentido ficar remexendo o passado. Eu tinha 16 anos quando isso tudo aconteceu. Agora já estou com 42. Está na hora de superar. Eu fiz a coisa certa. Não importa mais.

– Então por que você continua tendo o mesmo pesadelo?

Ela remexeu no bracelete de prata David Yurman em seu pulso.

– Eu também tenho pesadelos com aranhas usando óculos escuros da Oakley. Mas sobre isso você nunca pergunta. Ah, e semana passada eu sonhei que estava presa numa sala de vidro com o chão todo feito de bacon. Eu ouvia um pessoal chorando, mas não conseguia encontrar a chave. Quer falar sobre esse sonho?

– Muito bem, vamos falar sobre esse sonho. Sensação de isolamento. Consciência de que alguém está incomodado com as suas atitudes ou sentindo a sua falta. Quem estava chorando?

– Merda.

Meghann devia ter previsto. Afinal de contas, tivera aulas de psicologia na faculdade. Sem mencionar que fora considerada uma criança prodígio.

Ela olhou para seu relógio de ouro e platina.

– Que pena, Harriet. A consulta acabou. Acho que vamos ter que resolver as minhas neuroses ridículas na semana que vem.

Ela se levantou e alisou a calça do terninho Armani azul-marinho. Não que estivesse amarrotada.

Harriet tirou os óculos devagar.

Meghann cruzou os braços em um gesto instintivo de autoproteção.

– Lá vem.

– Você gosta da sua vida, Meghann?

Por essa ela não esperava.

– Claro que gosto. Sou a melhor advogada especialista em divórcios do estado. Moro...

– Sozinha...

– Num apartamento incrível em cima do Mercado Público e tenho um Porsche novinho na garagem.

– Amigos?

– Falo com a Elizabeth toda quinta à noite.

– Família?

Talvez estivesse na hora de trocar de psiquiatra. Harriet já conhecia todos os pontos fracos de Meghann.

– Minha mãe passou uma semana comigo no ano passado. Talvez ela repita a visita a tempo de assistirmos à colonização de Marte, que deve ser transmitida pela MTV.

– E a Claire?

– Eu e a minha irmã temos nossos problemas, admito, mas não é nada de mais. Apenas somos muito ocupadas para nos encontrar.

Harriet não disse nada e Meghann se apressou em preencher o silêncio:

– Tudo bem, ela me tira do sério, desperdiçando a própria vida. É inteligente o suficiente para fazer o que quiser, mas continua naquela hospedaria ridícula que eles chamam de resort.

– Com o pai dela.

– Eu não quero falar da minha irmã. E *definitivamente* não quero falar do pai dela.

Harriet bateu com a caneta na mesa.

– Ok, que tal esta: nos últimos tempos, quando você dormiu mais de uma vez com o mesmo homem?

– Você é a única que acha isso *ruim*. Eu gosto de variar.

– Assim como gosta de homens mais jovens, não é? Homens que não querem compromisso. Você dá o fora neles antes que eles deem o fora em você.

– Eu vou repetir: dormir com caras jovens e gostosos que não querem compromisso não é uma coisa ruim. Eu não quero uma casinha afastada, com cerquinha de madeira. Não quero uma família, mas gosto de sexo.

– E da solidão, você gosta?

– Eu não sou solitária – respondeu Meghann, em tom obstinado. – Sou independente. E os homens não gostam de mulheres fortes.

– Homens fortes gostam.

– Então é melhor eu começar a procurar nas academias, em vez de nos bares.

– Mulheres fortes enfrentam os próprios medos. Falam sobre as escolhas difíceis que tiveram que fazer na vida.

Meghann se retraiu.

– Desculpa, Harriet, eu preciso ir. Até semana que vem.

E saiu do consultório.

Era um lindo dia de junho. Início do verão. No resto do país, as pessoas estavam tomando banho de mar, fazendo churrascos e organizando piqueniques à beira da piscina. Ali, na boa e velha Seattle, todos seguiam conferindo metodicamente suas agendas e resmungando que era *junho, que saco.*

Havia uns poucos turistas na rua naquela manhã; dava para reconhecê-los pelos guarda-chuvas enfiados debaixo do braço.

Meghann enfim soltou o ar, atravessando a rua movimentada e adentrando o gramado do parque à beira do lago. Foi saudada por um gigantesco totem. Atrás dele, uma dúzia de gaivotas dava voos rasantes, buscando migalhas de comida.

Ela passou por um banco do parque onde um homem estava encolhido sob um cobertor de jornais amarelados. À frente, a enseada azul-escura se estendia ao longo do horizonte claro. Ela queria tirar algum consolo daquela vista; às vezes conseguia. Naquele dia, porém, sua mente estava presa em outro tempo, outro lugar.

Se fechasse os olhos – o que não ousou fazer –, se recordaria de tudo: de discar o número de telefone; da conversa tensa e desesperada com um homem desconhecido; do trajeto silencioso rumo àquela cidadezinha de bosta mais ao norte. E, o pior de tudo, das lágrimas que enxugou do rosto vermelho da irmã ao dizer: *Estou indo embora, Claire.*

Ela se segurou à amurada. A Dra. Bloom estava enganada. Falar sobre aquela escolha dolorosa e sobre os anos de solidão que se seguiram não ajudava Meghann em nada.

Seu passado não era um conjunto de lembranças a serem resolvidas; mais parecia uma gigantesca mala com as rodinhas quebradas. Meghann se dera conta disso havia muito tempo. Tudo o que podia fazer era seguir arrastando aquela imensa bagagem.

Todos os anos, em novembro, o imponente rio Skykomish ameaçava ultrapassar suas margens lamacentas. O risco de inundação era cíclico. Em uma dança tão antiga quanto o mundo, os moradores das cidades ribeirinhas observavam e aguardavam, com os sacos de areia a postos para conter o avanço das águas. Suas lembranças perpassavam gerações. Todo mundo tinha uma história para contar sobre o dia em que a água inundou a casa de alguém, ou subiu até o alto da escadaria da granja, ou encheu a esquina da Spring com a Azalea Street. Quem morava nas áreas mais planas e seguras assistia ao noticiário da noite e balançava a cabeça, comentando sobre o absurdo de fazendeiros viverem junto à várzea.

Quando o rio enfim começava a baixar, um suspiro coletivo de alívio percorria a cidade. Emmett Mulvaney, o farmacêutico que assistia religiosamente ao Canal do Tempo na única televisão de tela grande de Hayden, captava informações muitíssimo sutis, que até os meteorologistas experientes de Seattle deixavam passar. Contava sua avaliação ao xerife Dick Parks, que repassava à secretária, Martha. A notícia se espalhava mais rápido do que alguém atravessando a cidade de carro: *Este ano vai correr tudo bem. O perigo já passou.* E, de fato, 24 horas depois da previsão de Emmett, os meteorologistas confirmavam.

Nesse ano não foi diferente, mas agora, em um lindo dia de verão, era fácil esquecer aqueles meses tensos em que os aguaceiros enlouqueciam toda a comunidade.

Claire Cavenaugh estava à beira do rio, as botas surradas cobertas de lama quase até o tornozelo. A seu lado jazia um cortador de grama sem bateria.

Ela sorriu, passando a mão enluvada pela testa suada. Era inacreditável o trabalhão que dava organizar o resort para o verão.

Resort.

Era assim que seu pai se referia àqueles 6 hectares. Sam Cavenaugh encontrara o terreno quase quarenta anos antes, na época em que Hayden nada mais era que uma parada de abastecimento na subida para Stevens Pass. Comprou o terreno por uma mixaria e se acomodou na decrépita casa de fazenda que existia lá. Deu ao lugar o nome de River's Edge Resort e começou a sonhar com uma vida livre dos capacetes de construção, protetores de ouvido e noites em claro na fábrica de papel em Everett.

No início, ele trabalhava nos fins de semana e depois do expediente. Começou com uma serra elétrica, uma picape e uma planta rascunhada em um guardanapo de papel. Desbastou áreas para acampamento, limpou uns cem anos de arbustos crescidos, construiu à mão cada um dos chalés de pinheiro à beira do rio. Agora, o River's Edge era uma próspera empresa familiar. Havia oito chalés ao todo, cada um com dois lindos quartinhos, um banheiro e um deque de frente para o rio.

Nos últimos anos, eles haviam construído uma piscina e uma sala de jogos. Havia planos de fazer um campo de minigolfe e uma lavanderia. Era o tipo de lugar para onde as famílias retornavam, ano após ano, para passar suas preciosas férias.

Claire ainda recordava a primeira vez que vira aquele lugar. As imensas árvores e o rio cor de prata tinham parecido um paraíso para uma garota criada em um trailer na área mais pobre da cidade. As lembranças de sua infância, antes do River's Edge, eram nebulosas: uma cidade horrível depois da outra; apartamentos mais feios ainda, em prédios decrépitos. E a mãe sempre fugindo de alguma coisa. Ellie havia se casado diversas vezes, mas Claire não conseguia recordar um homem sequer que tivesse durado mais do que uma caixinha de leite. Era de Meghann que Claire se lembrava. A irmã mais velha que cuidava de tudo... e que um dia foi embora, deixando Claire para trás.

Agora, tantos anos depois, quase não havia conexão entre as duas irmãs. Elas se falavam por telefone algumas vezes ao ano. Nos piores dias, comentavam apenas sobre o clima. Então, invariavelmente, Meg recebia "outra ligação" e desligava. A irmã adorava mostrar quanto era bem-sucedida. Meghann passava muito tempo resmungando sobre como Claire se contentava com pouco. "Vivendo nessa hospedaria idiota, limpando a bagunça dos outros" era o discurso habitual. Todo Natal, sem exceção, ela se oferecia para pagar a faculdade de Claire.

Como se ler *Beowulf* fosse melhorar sua vida.

Claire passara anos desejando que fossem amigas, além de irmãs, mas Meghann não estava interessada, e as coisas sempre eram feitas do jeito dela. Tinham exatamente a relação que Meghann queria: eram apenas conhecidas cordiais, que dividiam um laço de sangue e uma péssima infância.

Claire se abaixou para pegar o cortador de grama e cruzou com dificuldade o terreno esponjoso, notando várias coisas a fazer antes do dia da abertura. Rosas que precisavam ser aparadas, musgo a ser raspado do telhado, mofo nos parapeitos das varandas. E ainda tinha que cortar a grama. O longo e úmido inverno se transformara em uma primavera surpreendentemente límpida, e a grama batia nos joelhos de Claire. Ela lembrou que precisava pedir a George, o faz-tudo, para limpar as canoas e os caiaques naquela tarde.

Ela jogou o cortador de grama na caçamba da picape com um baque que sacudiu a base enferrujada.

– Oi, querida. Está indo à cidade?

Ao se virar, ela viu o pai na varanda da recepção. Usava um macacão velho, manchado de marrom no peito por conta de alguma troca de óleo já esquecida, e uma camisa de flanela.

Ele puxou um lenço vermelho do bolso e limpou a testa, caminhando em direção a Claire.

– Estou consertando aquele freezer. Não precisamos comprar um novo.

Não havia um aparelho que seu pai não conseguisse consertar, mas mesmo assim Claire pesquisaria preços.

– Precisa de alguma coisa da cidade?

– O Smitty tem uma encomenda para mim. Você pode pegar?

– Pode deixar. E pede para o George começar a limpar as canoas quando ele chegar, ok?

– Vou botar na lista.

– E pede à Rita para esfregar o teto do chalé 6. Deu muito mofo no inverno.

Ela fechou a caçamba da picape.

– Você vai jantar em casa?

– Hoje, não. A Ali tem um joguinho de beisebol no Riverfront Park, lembra? Às cinco.

– Ah, claro. Vou aparecer lá.

Claire assentiu, sabendo que ele iria. Seu pai jamais perdera um evento da vida da neta.

– Tchau, pai.

Ela agarrou a maçaneta da picape e deu um puxão forte. A porta se escancarou com um guincho. Claire se segurou no volante e se içou para dentro.

Seu pai fechou a porta do carro.

– Vai com cuidado. Fica de olho naquela curva depois do poste.

Ela sorriu. Fazia quase duas décadas que recebia o mesmo alerta.

– Eu te amo, pai.

– Também te amo. Agora vai buscar a minha neta. Se voltarem logo, ainda dá tempo de a gente ver *Bob Esponja* antes do jogo.

DOIS

A face direita do prédio de escritórios ficava de frente para a enseada de Puget. Janelas que iam do chão ao teto emolduravam a bela vista banhada de azul. À distância, via-se a saliência esverdeada de Bainbridge Island. À noite, era possível perceber umas poucas luzes em meio à escuridão; à claridade do dia, porém, a ilha parecia deserta. Somente a balsa branca, atracando no cais de hora em hora, indicava que alguém morava ali.

Meghann estava sentada sozinha a uma mesa comprida e abaulada. A lustrosa superfície de cerejeira e ébano simbolizava elegância e dinheiro. Principalmente dinheiro. Uma mesa daquelas era feita sob encomenda, projetada com exclusividade; o mesmo podia ser dito das poltronas revestidas de camurça. Quando alguém se sentava àquela mesa e contemplava a vista, não restavam dúvidas: o dono daquele escritório era muitíssimo bem-sucedido.

Era verdade. Meghann conquistara cada objetivo que se impusera. No início da faculdade, era uma adolescente assustada e solitária que ousava sonhar com uma vida melhor. Agora, tinha conseguido. Era uma das advogadas mais brilhantes e respeitadas da cidade. Tinha um apartamento caríssimo no centro de Seattle (muito diferente do trailer caindo aos pedaços que fora sua "casa" na infância), e ninguém dependia dela.

Consultou o relógio. Eram 16h20.

A cliente estava atrasada.

Era de se pensar que as pessoas seriam mais pontuais, já que ela cobrava acima de 300 dólares por hora.

– Sra. Dontess? – chamou uma voz pelo interfone.

– Oi, Rhona.

– Sua irmã, Claire, está na linha um.

– Pode passar. E me avisa assim que a May Monroe chegar.

– Sim, senhora.

Ela apertou o botão do fone de ouvido e se forçou a soar animada:

– Claire, que bom que você ligou.

– O telefone também serve para ligar e não só para receber ligações, sabia? Enfim... Como estão as coisas aí na Dinheirolândia?

– Tudo bem. E em Hayden? Todo mundo ainda esperando o rio transbordar?

– O perigo já passou este ano.

– Ah.

Meghann olhou pela janela. Abaixo, à esquerda, imensos guindastes laranja carregavam contêineres multicoloridos para um navio petroleiro. Ela não fazia ideia do que dizer à irmã. Tinham um passado em comum, mas nada além disso.

– Então, como vai a minha linda sobrinha? Ela gostou do skate?

– Amou – respondeu Claire, com uma risada. – Mas sério, Meg, um dia você vai ter que pedir ajuda a um vendedor. Meninas de 5 anos não têm coordenação motora para andar de skate.

– Você tinha. Quando a gente morava em Needles. Foi o ano que eu te ensinei a andar de bicicleta sem rodinha.

Meg se arrependeu na mesma hora. Sempre doía lembrar o passado. Durante muitos anos, Claire fora mais uma filha do que uma irmã para Meghann. Sem dúvida, Meg havia sido mais mãe para Claire do que a mãe verdadeira.

– Compra um filme da Disney da próxima vez. Não precisa gastar tanto. Ela fica feliz com uma Polly.

Meghann nem imaginava o que era isso. Um silêncio constrangedor se abateu entre as duas. Ela olhou o relógio de pulso, então falaram ao mesmo tempo:

– O que você está...?

– A Alison está animada com o primeiro ano...?

Meghann apertou os lábios. Ela se obrigou a parar de falar, pois sabia que Claire odiava ser interrompida. E odiava ainda mais quando Meg monopolizava a conversa.

– Está – respondeu Claire. – Ali está doida para passar o dia todo na escola. O jardim de infância nem terminou e ela já quer voltar às aulas. Não para de falar nisso. Às vezes parece que estou tentando segurar um rabo de cometa. Ela não para nunca, se remexe até dormindo.

Você era igualzinha, Meghann ia dizer, então se conteve. Era doloroso lembrar; ela desejou poder afastar a memória.

– Então, como vai o trabalho?

– Tudo bem. E a hospedaria?

– O resort. A gente reabre daqui a umas duas semanas. Os Jeffersons vão fazer uma reunião de família aqui, com cerca de vinte pessoas.

– Uma semana sem celular, nem sinal de tevê? Por que me veio à cabeça a música de *Amargo pesadelo*?

– Algumas famílias gostam de passar tempo juntas – disse Claire num tom áspero de mágoa.

– Desculpa. Você tem razão. Eu sei que você ama esse lugar. Escuta – disse ela, como se tivesse acabado de ter a ideia –, por que vocês não pegam um dinheiro emprestado comigo e constroem um spazinho aí na propriedade? Ia fervilhar de gente para fazer *body wrap*.

Claire suspirou fundo.

– Caramba, Meg. Você sempre tem que dar um jeito de jogar na minha cara que é bem-sucedida, e eu não.

– Não foi isso que eu quis dizer. É só que... eu sei que não dá para expandir um negócio sem capital.

– Eu não quero o seu dinheiro, Meg. *Nós* não queremos.

E lá estava: a lembrança de que Meg era *eu*, e Claire era *nós*.

– Desculpa se falei besteira. Só quero ajudar.

– Eu não sou mais aquela garotinha que precisa ser protegida pela irmã mais velha.

– O Sam sempre te protegeu muito bem. – Meg percebeu um traço de amargura na própria voz.

– Pois é.

Claire fez uma pausa e respirou. Meghann sabia o que a irmã estava fazendo: recompondo-se, retornando a um terreno seguro.

– Estou indo para o lago Chelan – disse ela, por fim.

– A viagem anual com as suas amigas – respondeu Meghann, grata por mudarem de assunto. – Como é que vocês chamam o grupo mesmo? As Azuladas?

– É.

– Vão voltar àquele mesmo lugar?

– Como em todo verão, desde a época da escola.

Meghann se perguntou como seria ter um grupo de amigas tão próximas. Se fosse outro tipo de pessoa, talvez sentisse inveja. Do jeito que era, não tinha tempo para passear com um bando de mulheres. E nem imaginava manter amizade com alguma colega de escola.

– Bom, divirta-se.

– Ah, com certeza. Este ano, a Charlotte...

O interfone tocou.

– Sra. Dontess? A Sra. Monroe chegou.

Graças a Deus. Uma desculpa para desligar. Quando começava a falar sobre as amigas, Claire não parava nunca.

– Droga. Desculpa, Claire, eu tenho que ir.

– Ah, claro. Eu sei como você adora me ouvir falar das minhas amigas sem ensino superior.

– Não é isso. Uma cliente acabou de chegar.

– Sei, claro. Tchau.

– Tchau.

Meghann desligou no exato instante em que a secretária entrou na sala com May Monroe.

Meghann tirou o fone de ouvido e jogou-o sobre a mesa com um estalido.

– Olá, May – disse ela, caminhando depressa em direção à cliente. – Obrigada, Rhona. Não repasse nenhuma ligação, por favor.

A secretária assentiu, saiu da sala e fechou a porta.

May Monroe estava diante de uma pintura a óleo colorida, um original de Nechita intitulado *Verdadeiro amor*. Meghann sempre amara a ironia: naquela sala, o amor verdadeiro morria todos os dias.

May usava um vestido de jérsei e sapatos que tinham saído de moda havia pelo menos cinco anos. Os cabelos, em um tom loiro-champanhe, caíam suavemente sobre os ombros, em um corte simples e fácil de cuidar. A aliança era singela, de ouro.

Olhando para ela, ninguém imaginaria que seu marido dirigia um Mercedes preto e frequentava o clube de golfe Broadmoor. Estava claro que fazia anos que May não gastava dinheiro consigo mesma. Pelo menos não desde que começara a trabalhar como louca em um restaurante local para pagar a faculdade de odontologia do marido. Embora fosse poucos anos mais velha que Meghann, May ostentava marcas da tristeza: imensas olheiras escuras.

– Por favor, May, pode se sentar.

May avançou apressada, feito uma marionete controlada por outra pessoa, e se sentou em uma das confortáveis poltronas de camurça.

Meghann assumiu seu lugar de costume, à cabeceira da mesa. Havia diversas pastas de papel pardo espalhadas à sua frente, com post-its rosa-choque colados nas bordas da papelada. Meghann tamborilou sobre a pilha de papel, imaginando qual seria a melhor abordagem. Ao longo dos anos, aprendera que as reações às más notícias eram tão variadas quanto as más notícias em si. Seu instinto alertava que May Monroe era frágil, que apesar de estar no meio de um processo de separação, ainda não tinha aceitado o inevitável. Embora já fizesse meses que os papéis do divórcio haviam sido preenchidos, May ainda não acreditava que o marido iria até o fim.

Depois daquela reunião, ela ia acreditar.

Meghann a encarou.

– Como eu disse no nosso último encontro, May, contratei um detetive particular para averiguar as transações financeiras do seu marido.

– Foi perda de tempo, né?

Por mais que aquela cena se repetisse naquele escritório, era sempre difícil.

– Não exatamente.

May a encarou por um longo tempo, então se levantou e foi até a máquina de café sobre a prateleira de cerejeira.

– Entendi – respondeu a mulher, de costas para Meghann. – O que você descobriu?

– Ele tem mais de 600 mil dólares em uma conta nas ilhas Cayman. Sete meses atrás, ele recolheu quase todo o patrimônio líquido da sua casa. Talvez você tenha achado que estava assinando documentos de refinanciamento.

May se virou. Segurava uma xícara e um pires de café. A porcelana trepidou em suas mãos trêmulas enquanto ela voltava à mesa de reuniões.

– As taxas tinham baixado.

– O que baixou foi o dinheiro. Foi todo para a mão dele.

– Ai, meu Deus – sussurrou ela.

Meghann assistiu ao mundo de May desmoronar. Ficou claro nos olhos verdes da mulher que um brilho se esvaiu de dentro dela. Era o mesmo momento que muitas mulheres enfrentavam: a compreensão de que seus maridos eram praticamente estranhos e de que seus sonhos eram apenas sonhos.

– E tem mais – prosseguiu Meghann, tentando ser gentil, mas sabendo quão profunda seria a ferida. – Ele vendeu o consultório para o sócio, Theodore Blevin, por 1 dólar.

– Por que ele faria isso? Vale mui...

– Para que você não ficasse com a metade a que tem direito.

Ao ouvir isso, as pernas de May falharam. Ela desabou na cadeira. A xícara e o pires bateram na mesa com estrépito. O café transbordou sobre a borda de porcelana e fez uma pocinha na madeira. No mesmo instante, May começou a limpar a bagunça com o guardanapo.

– Desculpe.

Meghann tocou o braço da cliente.

– Não peça desculpas. – Ela se levantou, pegou uns guardanapos e secou tudo. – Eu sinto muito, May. Não importa quantas vezes eu veja esse tipo de coisa, até hoje me enoja.

Ela pôs a mão no ombro de May e deu-lhe um tempo para pensar.

– Alguma de suas descobertas explica por que ele fez isso comigo?

Meghann desejou não saber responder. Às vezes uma pergunta era melhor do que uma resposta. Ela estendeu a mão para as pastas e puxou uma fotografia em preto e branco. Com muita delicadeza, como se estivesse tocando um explosivo em vez de papel, empurrou a foto para May.

– O nome dela é Ashleigh.

– Ashleigh Stoker. Agora entendi por que ele sempre se oferecia para buscar a Sarah nas aulas de piano.

Meghann assentiu. Era sempre pior quando a esposa conhecia a amante, mesmo que superficialmente.

– Aqui no estado de Washington não é preciso embasamento ou comprovação de dolo para o divórcio, então a traição dele não tem importância.

May ergueu os olhos. Tinha a expressão atordoada de uma vítima de acidente.

– Não tem importância? – Ela fechou os olhos. – Eu sou uma idiota. – As palavras foram pouco mais que um suspiro.

– Não. Você é uma mulher honesta e confiável, que aguentou um babaca egocêntrico cursar dez anos de faculdade para que *ele* melhorasse de vida.

– Era para que *nós* melhorássemos de vida.

– Claro que era. – Meg segurou a mão de May. – Você acreditou num homem que dizia que te amava. Agora ele está contando que você seja a antiga May, boa e permissiva, a mulher que põe a família em primeiro lugar e facilita a vida do Dr. Dale Monroe.

May pareceu confusa, talvez um pouco assustada. Meghann entendia; mulheres como ela já haviam abandonado a ideia de causar problemas.

Tudo bem. Essa tarefa era mesmo dos advogados.

– E o que a gente vai fazer? Eu não quero magoar as crianças.

– Foi ele que magoou as crianças, May. Ele roubou dinheiro dos seus filhos. E de você.

– Mas ele é um bom pai.

– Então ele não vai querer que os filhos passem necessidade. Se ainda restar um resquício de decência, ele vai entregar metade dos bens sem brigar. Se ele fizer isso, vai ser moleza.

No fundo, May sabia a verdade de que Meghann já desconfiava: um homem daquele tipo não gostava de dividir.

– E se ele não entregar?

– Vamos fazer com que ele entregue.

– Ele vai ficar nervoso.

Meghann se inclinou para ela.

– É você que tem que ficar nervosa, May. Esse homem mentiu para você, te traiu e te roubou.

– Mas também é o pai dos meus filhos – respondeu May, com uma calma que deixou Meghann furiosa. – Eu não quero que a coisa fique feia. Quero que ele... saiba que pode voltar para casa.

Ah, May...

Meghann escolheu as palavras com muito cuidado.

– Vamos apenas ser justas. Eu não quero que ninguém se machuque, mas você não pode se ferrar e ser depenada por esse homem. Ponto final. Ele é um ortodontista muito, muito rico. Você devia estar usando Armani e dirigindo um Porsche.

– Eu nunca quis usar Armani.

– E talvez nunca queira, mas o meu trabalho é garantir que você tenha essa opção. Eu sei que agora isso parece frio e calculista, mas acredite: quando você estiver exausta por criar seus filhos sozinha e vir o Dr. Sorriso andando de Porsche novo e dançando a noite toda com a professorinha de piano de 26 anos, vai ficar feliz por poder bancar todos os seus desejos. Confie em mim.

May a encarou. Uma ruguinha de sofrimento franziu sua boca.

– Tudo bem.

– Eu não vou mais deixar ele te fazer mal.

– Acha que uma papelada e uma pilha de dinheiro no banco vão me proteger? – Ela suspirou. – Está certo, Sra. Dontess, faça o que for preciso para proteger o futuro dos meus filhos, mas não vamos fingir que você pode acabar com o meu sofrimento, ok? Já está doendo tanto que mal consigo respirar, e estamos só começando.

Ao longo do gramado, uma fileira de moinhos de vento pontilhava o horizonte sem nuvens. As lâminas grossas de metal giravam em um ritmo lento e cadenciado. Às vezes, quando o tempo estava perfeito, era possível ouvir o zum--zum-zum rangente de cada rotação.

Naquele dia, estava quente demais; ninguém conseguia ouvir nada além das batidas do próprio coração.

Joe Wyatt estava parado em frente ao armazém, na laje de concreto que fazia as vezes de varanda, segurando uma lata de Coca-Cola quente que sobrara do almoço.

Encarou os campos ao longe, desejando percorrer as longas fileiras por entre as árvores, respirando o doce aroma da terra e dos frutos.

Lá embaixo talvez estivesse soprando uma brisa; um mísero ventinho já aliviaria o calor sufocante. De onde estava, sentia apenas o sol escaldante açoitando o armazém de metal. O suor deixava sua testa lustrosa e encharcava a pele sob a camiseta.

O calor estava irritante, e era só a segunda semana de junho. Joe não via condições de encarar o verão em Yakima Valley. Era hora de se mudar outra vez.

Pensar nisso o deixava exausto.

Perguntou-se de novo por quanto tempo conseguiria fazer aquilo, seguir pulando de cidade em cidade. A solidão o esgotava, transformando-o em um homem abatido; infelizmente, a outra opção era pior.

Houve uma época – parecia muito distante agora – em que Joe sonhara encontrar o lugar certo; que chegaria a alguma cidade e pensaria *é aqui*, então ousaria alugar um apartamento em vez de se hospedar em algum quarto sujo de hotel.

Já não tinha esses sonhos. Não era mais tão ingênuo. Quando passava uma semana dormindo no mesmo quarto, começava a recordar coisas. Os pesadelos voltavam. A única proteção que encontrara fora mergulhar no desconhecido. Se um colchão nunca fosse "dele", se um quarto continuasse estranho, às vezes era possível dormir por mais de duas horas. Mas quando se acomodava, ficava confortável e dormia por mais tempo, fatalmente sonhava com Diana.

Até aí tudo bem. Doía, claro, pois ver o rosto dela – mesmo em sonhos – o enchia de uma dor que dominava seu corpo, mas ao mesmo tempo havia um prazer, uma doce lembrança de como era a vida antes, do amor que um dia fora capaz de sentir. Os sonhos podiam parar por aí, com recordações de Diana sentada na grama verde do campus da faculdade, ou enroscada a ele na grande cama da casa em Bainbridge Island.

Ele nunca tinha essa sorte. Os sonhos doces sempre azedavam, estragavam. E com frequência ele acordava sussurrando "me desculpa".

A única forma de sobreviver era seguir em frente e nunca criar raízes.

Todos aqueles anos errantes o haviam ensinado a ser invisível. Quando um homem cortava o cabelo, se vestia bem e tinha um emprego, as pessoas o enxergavam. Paravam ao lado dele no ponto de ônibus, puxavam conversa em cidades pequenas.

No entanto, se vivesse largado, de cabelo comprido e desgrenhado, usando uma camiseta velha de motociclismo, jeans surrado e mochila arrebentada, ninguém reparava. E, o mais importante, ninguém o reconhecia.

Atrás dele, uma campainha soou. Com um suspiro, ele adentrou o armazém e, na mesma hora, sentiu uma lufada de ar gélido, vindo do armazenamento de frutas. O suor em seu rosto ficou pegajoso. Ele jogou a lata de Coca-Cola vazia no lixo e saiu outra vez.

Por uma fração de segundo, talvez menos, o calor o agradou; ao retornar ao cais de carregamento, já suava de novo.

– Wyatt – gritou o contramestre –, está pensando o quê, que está num piquenique?

Joe encarou a interminável fileira de carrinhos de carregamento, abarrotados de cerejas recém-colhidas. Observou os outros homens descarregando os caixotes – na maioria mexicanos, que moravam em trailers ou em terrenos áridos e poeirentos, sem esgoto nem água corrente.

– Não, senhor – respondeu ao contramestre de rosto vermelho que claramente sentia prazer em gritar com os trabalhadores. – Não acho que estou num piquenique.

– Que bom. Então vai trabalhar. Vou descontar meia hora do seu pagamento.

Em sua antiga vida, Joe teria agarrado o sujeito pelo colarinho imundo e suado e mostrado a ele como se trata outra pessoa.

Esses dias haviam ficado para trás.

Lentamente, Joe caminhou até o carrinho mais próximo, puxando um par de luvas de lona do bolso traseiro.

Realmente era hora de seguir em frente.

Claire parou diante da pia da cozinha, pensando na conversa que tivera com Meg no dia anterior.

– Mamãe, posso comer mais um waffle?

– Como é que se pede? – perguntou Claire, distraída.

– Mamãe, posso comer mais um waffle, *por favor*?

Claire desviou os olhos da janela e secou as mãos no pano de prato pendurado na porta do forno.

– Claro.

Ela enfiou outro waffle congelado na torradeira. Enquanto aquecia, correu os olhos pela cozinha, procurando mais louças sujas...

E então viu o lugar pelos olhos da irmã.

Não era uma casa ruim, sem dúvida não para os padrões de Hayden. Pequena, sim: três quartinhos apertados no segundo piso, um banheiro em cada andar, uma sala de estar e uma cozinha cujo balcão servia como mesa de jantar. Nos seis anos desde que Claire se mudara para lá, havia pintado as paredes verde-musgo de bege e substituído o velho carpete laranja por um piso de madeira. A mobília, embora quase toda de segunda mão, era reforçada por madeira que ela própria havia colhido e na qual dera acabamento. Seu maior orgulho era um pequeno sofá de dois lugares, feito de madeira havaiana. Não parecia grande coisa na sala de estar, com suas almofadas vermelhas já desbotadas, mas um dia, quando morasse em Kauai, seria de cair o queixo.

A irmã não veria as coisas assim, claro. Meg se formara mais cedo na escola e entrara rápido na faculdade, nunca deixava de mencionar quanto era rica e tinha o descaramento de mandar para a sobrinha presentes de Natal que deixavam no chinelo todos os outros embrulhos sob a árvore.

– Meu waffle ficou pronto.

– Verdade.

Claire tirou o waffle da torradeira, passou manteiga, cortou e botou no prato na frente da filha.

– Prontinho.

Alison imediatamente garfou um pedaço e enfiou na boca, mastigando com seu jeitinho caricato.

Claire não conseguiu evitar um sorriso. Desde que nascera, sua filha exercia esse efeito sobre ela. Encarou a menina, que era sua versão em miniatura. Os mesmos cabelos loiros e finos, a mesma pele clara, o mesmo rosto em formato de coração. Embora Claire não tivesse fotos de si mesma aos 5 anos, imaginava que Alison fosse uma cópia quase perfeita. O pai não deixara nenhuma marca genética na filha.

Bem apropriado, por sinal. No instante em que descobriu a gravidez de Claire, ele deu no pé.

– Você está de pijama, mamãe. A gente vai se atrasar se você não andar logo.

– Tem razão.

Claire pensou em tudo que precisava fazer naquele dia: cortar a grama do quintal dos fundos, recalafetar os chuveiros e as janelas dos banheiros, esfregar a parede embolorada do chalé 3, desentupir a privada do chalé 5 e consertar o galpão das canoas. Ainda era cedo, não passava das oito da manhã, e era o último dia de aula. Na manhã seguinte, elas partiriam para uma semana de descanso e diversão no lago Chelan. Claire esperava conseguir dar conta de tudo a tempo. Olhou em volta.

– Você viu a minha lista de tarefas, Alison?

– Na mesinha da sala.

Claire pegou a lista, balançando a cabeça. Não tinha a menor lembrança de tê-la deixado ali. Às vezes se perguntava como sobreviveria sem Alison.

– Quero fazer aula de balé, mãe. Posso?

Claire sorriu. Pensou – um daqueles pensamentos ligeiros que vinham com uma pontada de dor – que ela também sonhara em ser bailarina um dia. Meghann a encorajara, embora não tivessem dinheiro para as aulas.

Bom, isso não era bem verdade. Tinham dinheiro para as aulas de dança da mãe, mas não para as de Claire.

Certa vez, porém, quando Claire tinha cerca de 6 ou 7 anos, Meghann conseguira umas aulas aos sábados de manhã, com um amigo de escola. Claire jamais se esquecera daquelas manhãs perfeitas.

– Mãe? Balé?

Alison a encarava de cenho franzido, a boca cheia de comida.

– Eu já quis ser bailarina, sabia?

– Não.

– Infelizmente, meus pés são duas lanchas.

A filha deu uma risadinha.

– Lanchas são *enormes*, mãe. Seus pés são só muito grandes.

– Valeu – respondeu Claire, rindo também.

– Se você queria ser bailarina, por que é uma abelhinha operária?

– Abelhinha operária é só como o vovô me chama. Na verdade, eu sou assistente administrativa.

Ela escolhera aquela vida havia muito tempo. Como acontece na maioria de suas decisões, tinha batido o martelo sem prestar muita atenção. Primeiro, levara bomba na Universidade Estadual de Washington – uma das inúmeras baixas da educação superior. Na época não sabia, claro, que Meghann tinha razão. A universidade lhe daria opções. Sem diploma nem sonho, Claire se viu de volta a Hayden. No início, queria ficar cerca de um mês, depois se mudar para Kauai e aprender a surfar, mas então seu pai teve uma crise de bronquite e passou um mês de cama. Claire foi ajudá-lo. Quando o pai já estava bom e pronto para retornar ao trabalho, Claire havia percebido quanto amava aquele lugar. Em relação àquilo e a muitas outras coisas, eram tal pai, tal filha.

Como ele, Claire amava seu trabalho; ficava fora o dia inteiro, debaixo de chuva ou de sol, fazendo o que precisasse ser feito. Ao final de cada tarefa era possível ver os resultados concretos. Algo naqueles incríveis 6 hectares ao longo do rio preenchia sua alma.

Não ficava surpresa que Meghann não entendesse. Sua irmã, que valorizava a instrução e o dinheiro acima de tudo, enxergava aquele lugar como uma perda de tempo.

Claire tentava não se deixar afetar pelo julgamento dela. Sabia que seu emprego não era grandioso; apenas gerenciava alguns chalés em uma hospedaria, mas nunca se sentia um fracasso, e jamais sentira que sua vida era uma decepção.

Exceto quando falava com a irmã.

TRÊS

Cerca de 24 horas depois, Claire estava pronta para sair de férias. Deu uma última conferida na pequena casa em busca de qualquer coisa esquecida ou por fazer, mas estava tudo nos conformes. Janelas trancadas, louça lavada, comidas perecíveis retiradas da geladeira. Estava ajeitando a cortina do boxe quando ouviu passos na sala.

– Pelo amor de Deus, o que você ainda está fazendo aqui? – disse uma voz familiar.

Com um sorriso, ela saiu do minúsculo banheiro.

Seu pai estava no meio da sala. Grande, de ombros largos, fazia todos os cômodos parecerem menores. Sua personalidade, no entanto, era a coisa mais expansiva que havia nele.

Claire conhecera o pai aos 9 anos. Era pequena para a idade e tão tímida que só falava com Meghann. Quando o viu entrar no trailer, seu pai parecera gigantesco. *Bom*, dissera ele, baixando os olhos para ela, *você deve ser a minha filha, Claire. É a menina mais linda que eu já vi. Vamos para casa.*

Casa.

Era a palavra pela qual ela tanto esperara, com a qual sonhara. Claire levara anos – e muitas lágrimas – para perceber que ele não tinha oferecido a mesma acolhida a Meghann. Quando enfim compreendeu o erro, já não dava mais tempo de corrigi-lo.

– Oi, pai. Eu estava conferindo se estava tudo certo para você.

Ele abriu um sorriso alvo.

– Você sabe muito bem que eu não vou ficar aqui. Eu *gosto* do meu trailer. Ninguém precisa de tanto espaço. Eu tenho a minha geladeira e a minha tevê. Não preciso de mais nada.

Eles vinham tendo aquela discussão desde que Claire voltara a morar na propriedade e o pai lhe cedera a casa. Jurava de pés juntos que o trailer escondido entre as árvores tinha espaço suficiente para um homem solteiro de 56 anos.

– Ah, não, pai...

– Deixa disso e vem aqui dar um abraço no seu velho.

Claire obedeceu.

Os braços grandes e fortes dele a envolveram, fazendo-a se sentir amada e protegida. Ele tinha um leve aroma de desinfetante, o que a fez se lembrar de que o banheiro estava precisando de conserto.

– Vou sair em uma hora – disse ela. – A privada do chalé...

Ele girou a filha e a empurrou delicadamente em direção à porta.

– Pode ir. Este lugar não vai desmoronar sem você. Eu conserto a bendita privada. E *não vou* me esquecer de pegar o cano de PVC que você encomendou nem de empilhar a lenha do abrigo. Se você me lembrar disso mais uma vez, vai levar um tapa. Desculpa, mas é assim que funciona.

Claire não pôde conter um sorriso. Havia mencionado o tal cano para o pai pelo menos seis vezes.

– Tudo bem.

Ele a segurou pelos ombros e a fez parar um momento para encará-lo.

– Fique o tempo que quiser. Sério. Fique três semanas. Eu dou conta deste lugar sozinho. Você merece um descanso.

– *Você* nunca descansa.

– Eu já estou mais pra lá do que pra cá, e não tenho muita vontade de sair. Você só tem 35 anos. Você e a Alison deviam se divertir um pouco. Você é responsável demais.

– Não sei se sou a mãe mais responsável do mundo, mas *vou* me divertir em Chelan. Volto em uma semana. A tempo de receber o grupo dos Jeffersons nos chalés.

Ele deu um tapinha no ombro dela.

– Você sempre faz o que quer, mas não me culpe por tentar. Divirta-se.

– Você também, pai. E leve a Thelma para jantar enquanto eu estiver fora. Para de fugir.

– O que... – disse ele, genuinamente constrangido, fazendo Claire rir.

– Fala sério, pai. A cidade inteira sabe que vocês estão namorando.

– Não estamos namorando.

– Beleza. Estão ficando.

No silêncio que se sucedeu ao comentário, Claire saiu de casa para o dia nublado e cinzento. A garoa caía feito uma cortina em meio às árvores. Havia corvos pousados nas cercas e na fiação de telefone, conversando em grasnidos altos.

– Anda, mamãe! – disse Alison, enfiando a carinha pela janela aberta do carro.

Seu pai correu na frente e beijou a bochecha da neta.

Claire conferiu o porta-malas – outra vez –, então entrou no carro e deu partida.

– Pronta, Ali Kat? Não está esquecendo nada?

Alison se remexeu no assento, agarrando a lancheira das irmãs Olsen.

– Pronta!

Sua baleia de pelúcia, Bluebell, estava ao lado, presa pelo cinto de segurança.

– Vamos para Oz, então – disse Claire, passando a marcha e dando um último adeus ao pai.

Alison imediatamente começou a cantar a música tema de *Barney*:

– Amo você, você me ama...

A menina tinha uma voz forte e alta, tão aguda que todos os poodles do vale provavelmente estavam encolhidos e uivando.

– Anda, mamãe, canta.

Quando chegaram ao topo de Stevens Pass, haviam cantado a música do Barney 42 vezes – seguidas –, além de "O sapo não lava o pé" dezessete vezes. Quando Alison abriu a lancheira, Claire colocou para tocar músicas da Disney no aparelho do carro. O tema de *A pequena sereia* começou.

– Eu quero ser que nem a Ariel – disse Alison. – Quero ter rabo de sereia.

– Mas aí como é que você vai ser bailarina?

Alison a encarou, claramente aborrecida.

– Na *terra* ela tem pés, mãe – retrucou, recostando-se no assento, fechando os olhos e escutando a história da princesa sereia.

Os quilômetros voaram. Logo estavam cruzando a planície árida do leste do estado.

– Já estamos chegando, mamãe? – indagou Alison, chupando um pirulito e quicando no assento. Sua boca estava toda manchada de azul. – Queria chegar logo.

Claire também queria. Amava o acampamento Blue Skies. Ela e as amigas haviam passado férias lá pela primeira vez alguns anos depois de se formarem na escola. No começo, eram um grupo de cinco; o tempo e uma tragédia reduziram o número a quatro. Em um ano ou outro, uma delas não podia ir, mas na maioria das vezes todas se encontravam. No início eram jovens e aventureiras, atraídas pelos rapazes locais. Aos poucos, começaram a levar carrinhos e bebês-conforto, e as férias foram ficando mais tranquilas. Agora que as crianças já tinham idade para nadar e passar mais tempo brincando sozinhas, as meninas – mulheres – haviam reencontrado um pouquinho da antiga liberdade.

– *Mãe*. Você não está prestando atenção.

– Ah. Desculpa, querida.

– Eu disse que a gente vai ficar no chalé de lua de mel esse ano, lembra? – Ela pulou ainda mais no assento. – *Eba!* Com a banheirona. E esse ano eu vou pular do trampolim, não esquece. Você *prometeu.* A Bonnie pulou quando tinha 5 anos. – Alison soltou um suspiro dramático e cruzou os braços. – Eu vou poder pular do trampolim, não vou?

Claire queria contrariar sua natureza superprotetora, mas tendo sido criada em uma casa onde a mãe deixava *tudo*, tinha aprendido muito rapidamente como era fácil se machucar. E isso dava medo.

– Vamos dar uma olhada no trampolim, está bem? E vamos ver como você está nadando. Aí a gente resolve.

– "Vamos ver" sempre quer dizer não. Você *prometeu.*

– Eu não prometi. Me lembro muitíssimo bem, Alison Katherine. A gente estava na água; você estava nas minhas costas, com as pernas enganchadas em mim. Estávamos olhando o Willie e a Bonnie pularem. Você disse "ano que vem eu faço 5 anos". E eu disse "é verdade". E você comentou que a Bonnie tinha 5 anos. E eu comentei que ela já tinha quase 6.

– Eu já tenho quase 6 – retrucou Alison, cruzando os braços. – Vou pular.

– Vamos ver.

– Você não manda em mim.

Claire sempre ria ao ouvir isso. Era a última mania da filha.

– Ah, mando, sim.

Alison virou o rosto para a janela. Ficou em silêncio por um longo tempo... quase dois minutos.

– Semana passada a Marybeth jogou a estátua de barro da Amy na privada – disse ela, por fim.

– Sério? Isso não foi legal.

– Eu sei. A Sra. Schmidt deixou ela de castigo um *tempão.* Você trouxe o meu skate?

– Não, você ainda é muito pequena para andar.

– O Stevie Wain vive andando de skate.

– Não foi esse garoto que caiu, quebrou o nariz e ainda perdeu dois dentes da frente?

– Eram dentes *de leite*, mãe. Ele falou que já estavam moles mesmo. Por que a tia Meg nunca vem visitar a gente?

– Eu já te expliquei, lembra? A tia Meg é tão ocupada que mal tem tempo de respirar.

– O Eliot Zane ficou roxo uma vez que ele não respirou. A ambulância veio pegar ele.

– Eu não quis dizer isso. Só que a Meg é muito ocupada, porque ela ajuda muita gente.

– Ah.

Claire se preparou para a pergunta seguinte. Alison *sempre* tinha mais uma pergunta, e era impossível prever qual seria.

– Já estamos no deserto?

Claire assentiu. A filha sempre chamava a parte leste de Washington de deserto. Era fácil entender por quê. Depois do verde frondoso de Hayden, a paisagem amarela e marrom parecia queimada e desolada. A infinita faixa negra de asfalto se estirava ao longo da pradaria.

– Olha lá o toboágua! – soltou Alison.

Ela se inclinou para a frente e começou a contar em voz alta. Ao chegar em 47, gritou:

– Olha lá o lago!

O Chelan preencheu a vista à esquerda, um imenso lago azul cristalino cravado em uma encosta dourada. Elas seguiram até a ponte que levava à cidade.

Duas décadas antes, aquela cidade tinha menos de três quarteirões de extensão, sem nenhuma loja grande. No decorrer dos anos, porém, a notícia do clima local se espalhou até o oeste, chegando às úmidas cidades costeiras que tanto prezavam seus enormes rododendros e gigantescas samambaias. Pouco a pouco, o povo de Seattle voltou a atenção para o leste. A viagem pelas montanhas rumo às planícies tostadas pelo sol se tornou tradição de verão. Com os turistas veio também o desenvolvimento. Complexos de condomínios brotaram às margens do lago. Quando um lotava, outro era construído, e assim se seguiu até que, na virada do milênio, aquele já era um próspero destino de férias, todo equipado para a criançada – com piscinas, parques aquáticos e aluguel de jet ski.

O carro fez uma curva ao longo da margem do lago. Elas passaram por dezenas de complexos de apartamentos. Então a margem foi ficando novamente desabitada. Elas seguiram em frente. Depois de quase um quilômetro, viram a placa: *Acampamento Blue Skies: próxima saída à esquerda.*

– Olha, mãe, olha!

A placa mostrava duas árvores estilizadas ladeando uma tenda, com uma canoa na frente.

– Chegamos, Ali Kat.

Claire virou à esquerda na estrada de cascalho. Os pneus passaram por imensos buracos que fizeram o carro sacolejar.

Um quilômetro e meio depois, a estrada fez uma curva em U que levou a um campo gramado pontilhado de trailers e *motorhomes*. Elas cruzaram o campo aberto até o meio das árvores, onde alguns chalés se aglomeravam ao longo da margem, e pararam no estacionamento de cascalho.

Claire ajudou Alison a sair da cadeirinha, fechou a porta e virou-se para o lago.

Por uma fração de segundo, Claire voltou a ser uma garotinha de 8 anos parada à margem do lago Winobee usando um belo biquíni cor-de-rosa. Ela se lembrava de cair na água fria, rindo enquanto ia mais para o fundo.

- Não passe da altura dos joelhos, Claire! - gritara Meghann, sentada no deque.

- Pelo amor de Deus, Meggy, deixa de ser uma velha chata - dissera a mãe, censurando a filha mais velha. - Pode ir, docinho! - gritara ela para Claire, fazendo um gesto com o cigarro mentolado Virginia Slims. - Não serve de nada ser tão medrosa.

Então Meghann correra para perto de Claire, segurando sua mão, dizendo a ela que não havia nada de errado em sentir medo.

- Só demonstra bom senso, Clarinha.

Claire se lembrou de olhar para trás e ver a mamãe em seu minúsculo biquíni, com um copo de plástico cheio de vodca na mão.

- Pode ir, docinho. Aproveite a água gelada. Não adianta sentir medo. É melhor se divertir antes de se ferrar.

- O que é se ferrar? - perguntara Claire a Meghann.

- É o que acontece com certas atrizes quando enchem a cara de vodca. Deixa isso pra lá.

Pobre Meg. Sempre se esforçando tanto para fingir que aquela vida era normal. Mas como poderia ser? Às vezes Deus lhe dava uma mãe que tornava o normal impossível. O lado bom eram a diversão e as festas, tão loucas e estrondosas que se tornavam inesquecíveis... O lado ruim eram as coisas que aconteciam quando não tinha ninguém para tomar conta.

- Mãe! - A voz de Alison trouxe Claire de volta para o presente. - Anda logo.

Claire rumou para a antiga casa de fazenda que funcionava como recepção do acampamento. A varanda circular havia sido pintada no último ano, um verde-floresta que combinava com as telhas amarronzadas. Grandes janelas gradeadas se espalhavam pelo primeiro andar; no segundo, onde moravam os donos, as janelas originais haviam sido mantidas.

Entre a casa e o lago havia uma faixa de grama do tamanho de um campo de futebol. Ostentava um parquinho, um campo de croqué, uma quadra de badminton, uma piscina e um galpão de aluguel de barcos. À esquerda ficavam os quatro chalés, cada um com uma varanda circular e janelas que iam do chão ao teto.

Alison correu na frente, subindo as escadas com passinhos quase silenciosos. Puxou a porta de tela, entrou e a deixou se fechar.

Claire sorriu e apressou o passo. Abriu a porta bem a tempo de ouvir Happy Parks dizer:

– ... não pode ser Ali Kat Cavenaugh! Ela é muito menor que você.

Alison deu uma risadinha.

– Eu já vou para o primeiro ano. Sei contar até mil. Quer ouvir? – Ela na mesma hora se pôs a contar. – Um. Dois. Três...

Happy, uma bela mulher grisalha que gerenciava aquele acampamento havia mais de três décadas, sorriu para Claire.

– Cento e um. Cento e dois...

Happy bateu palmas.

– Que maravilha, Ali. Que bom ver vocês de novo, Claire. Como vai a vida no River's Edge?

– Terminamos de construir o chalé novo. Agora são oito. Espero que a economia não nos prejudique. Estão falando que a gasolina vai aumentar.

– Duzentos. Duzentos e um...

– Aqui não tivemos problemas – disse Happy. – Mas somos que nem vocês... recebemos sempre os mesmos hóspedes. Ano após ano. O que me faz lembrar: a Gina já chegou. A Charlotte também. A única que ainda não chegou foi a Karen. E este ano é a sua vez de ficar no chalé de lua de mel.

– É. Da última vez que ficamos no chalé grande, a Alison ainda dormia no bercinho.

– E vamos ter tevê – disse Alison, saltitando. A contagem foi momentaneamente esquecida. – Eu trouxe *um montão* de filmes.

– Só um por dia – lembrou Claire à filha, sabendo que o mantra seria repetido dezenas de vezes na próxima semana.

A menina era capaz de passar literalmente 24 horas por dia vendo *A pequena sereia*.

Atrás delas, a porta de tela se abriu. Um grupo de crianças surgiu, às gargalhadas, seguido de seis adultos.

Happy deslizou uma chave pelo balcão.

– Depois você volta para preencher a papelada. Estou achando que esse é um grupo meio indeciso. Vão querer tirar foto de cada cantinho antes de escolher onde ficar.

Claire entendia. O River's Edge Resort tinha espaço para pouquíssimos hóspedes – dezenove –, e ela distribuía os melhores com muito cuidado. Se gostasse da pessoa, colocava-a perto dos banheiros e do rio. Se não gostasse... bom, a caminhada até os banheiros em uma noite chuvosa podia ser bem longa. Ela deu uma batidinha no antigo balcão de madeira.

– Venha tomar uns drinques com a gente hoje à noite.

– Com vocês? – Happy sorriu. – Não perco por nada.

Claire entregou a chave a Alison.

– Vai lá, Ali Kat. Você está no comando. Pode ir na frente.

Com um gritinho, Ali disparou. Correu pelo saguão cheio em zigue-zague e irrompeu do lado de fora. Desta vez, os pezinhos fizeram bastante barulho nos degraus da varanda.

Claire correu atrás. Assim que pegaram as malas no carro, avançaram pelo gramado, cruzaram o galpão de barcos e se embrenharam nas árvores. O chão era de terra batida, coberto por cem anos de agulhas de pinheiro.

Por fim, chegaram à clareira. Um deque de madeira flutuava na água azul ondulante em um suave balanceio. Bem ao longe, do outro lado do lago, um aglomerado de construções brancas se cravava entre as corcovas douradas do sopé distante das colinas.

– Clarabela!

Claire protegeu os olhos com a mão e olhou em volta. Gina estava perto da margem, acenando.

Mesmo dali, Claire podia ver o tamanho do drinque na mão da amiga.

Aquela seria a semana de relaxamento de Gina. Em geral, ela era a conservadora, o esteio das outras; no entanto, havia assinado o divórcio uns meses antes e estava à deriva. Uma mulher solteira em um mundo de casais. Na semana anterior, seu ex-marido fora morar com uma mulher mais jovem.

– Corre, Ali! – disse Bonnie, a filha de 6 anos de Gina.

Alison largou a mochila do Ursinho Pooh e arrancou as roupas.

– Alison...

Orgulhosa, a menina exibiu o maiô amarelo.

– Eu já estou pronta, mãe.

– Vem cá, querida – disse Gina, pegando um gigantesco tubo de filtro solar.

Em poucos segundos, ela o espalhou na pele de Alison e a liberou.

– Entre só até a altura da barriga – disse Claire, largando as malas ali mesmo, na areia.

– Ai, mãe – resmungou Alison com uma careta, e entrou na água, chapinhando para juntar-se a Bonnie.

Claire se sentou ao lado de Gina na areia dourada.

– Que horas você chegou?

Gina riu.

– Na hora combinada, claro. Essa foi uma coisa que eu aprendi este ano. Sua vida pode desmoronar, tudo pode *explodir*, mas você continua a mesma. Talvez até mais. E eu sou o tipo de mulher pontual.

– Não tem nada de errado com isso.

– O Rex discorda. Sempre disse que eu não era espontânea. Eu achava que ele estava querendo dizer para a gente transar no meio da tarde. Só que na verdade ele queria era pular de paraquedas. – Ela balançou a cabeça e abriu um sorriso amargo para Claire. – Hoje em dia, eu ficaria feliz em jogá-lo de um avião.

– E eu ia sabotar o paraquedas.

Por mais que não fosse engraçado, as duas riram.

– Como está a Bonnie?

– Essa é a parte mais triste. Ela nem parece notar. O Rex já quase não parava em casa mesmo. Mas eu não contei que ele foi morar com outra mulher. Como é que se diz uma coisa dessas a uma criança? – Gina se apoiou em Claire, que a abraçou. – Meu Deus, eu precisava desta semana.

Ficaram em silêncio por algum tempo. O único som era o barulho da água batendo no deque e as gargalhadas estridentes das meninas.

Gina se virou para a amiga.

– Como é que você conseguiu? Viver sozinha todo esse tempo, quero dizer.

Desde que Alison nascera, Claire não pensava muito na própria solidão. Ela vivia sozinha, sim – no sentido de que nunca havia se casado, nem morado com um homem –, mas raramente se sentia solitária. Claro que tinha consciência disso, e às vezes desejava ter alguém com quem compartilhar a vida, mas fizera uma escolha muito tempo atrás: não seria como a mãe.

– O lado bom é que a gente sempre fica com o controle remoto, e ninguém te enche o saco para lavar o carro ou estacionar na vaga perfeita.

– Sério, Claire. Eu preciso de um conselho.

Claire olhou para Alison, com água até a barriga, toda saltitante, cantando aos berros a música do abecedário. A visão lhe causou um aperto no peito. Parecia até que no dia anterior aninhara Ali nos braços. Mas logo a filha estaria pedindo para pôr um piercing na sobrancelha. Claire sabia que a amava demais; era perigoso precisar tanto de outro ser humano, mas nunca conhecera outra forma de amar. Por isso nunca se casara. Homens que amavam suas mulheres incondicionalmente eram raros. Na verdade, Claire se perguntava se esse tipo de amor verdadeiro existia. Essa dúvida era um dos muitos legados da mãe, feito uma doença hereditária. Para sua mãe, a resposta havia sido o divórcio; para Claire, fora nem tentar se casar.

– A gente supera a solidão. E passa a viver pelos filhos – disse baixinho, surpresa com a dor na própria voz.

Havia muita coisa que ela jamais ousara tentar conseguir.

– A Ali não deveria ser tudo na sua vida, Claire.

– Mas você sabe que eu *tentei* me apaixonar. Saí com todos os solteiros de Hayden.

– Não saiu com nenhum mais de uma vez – rebateu Gina, sorrindo. – E o Bert Shubert ainda é apaixonado por você. A Srta. Hauser te acha maluca por dispensá-lo.

– É triste quando um encanador de 53 anos que usa óculos fundo de garrafa e um cavanhaque ruivo é considerado um bom partido só por ser dono de uma loja de ferramentas.

– Pois é. Se algum dia eu falar que estou saindo com o Bert, por favor, me dá um tiro. – Gina riu e, aos poucos, o riso deu lugar às lágrimas. – Ai, que *inferno* – disse ela, inclinando-se para os braços de Claire.

– Vai ficar tudo bem, Gina – sussurrou Claire, afagando as costas da amiga. – Eu prometo.

– Sei lá – respondeu Gina baixinho, e algo em suas palavras, talvez a fragilidade de uma voz que em geral era dura feito aço, fez Claire sentir um vazio por dentro. Sentiu-se sozinha.

Aquilo a fez pensar no dia em que sua própria vida mudara – quando aprendera que o amor tinha prazo de validade, uma data de expiração que poderia acabar de repente e estragar tudo.

Estou indo embora, dissera sua irmã. Até aquele momento, Meg havia sido sua melhor amiga, sua vida. Mais mãe do que a mãe delas jamais fora.

Então Claire também começou a chorar.

– Dá pra entender por que ninguém mais quer ficar ao meu lado – disse Gina, fungando. – Pareço a encarnação do baixo-astral. Dez segundos comigo e a pessoa mais alegre começa a chorar.

Claire secou os olhos. Não havia motivo para chorar pelo passado. Na verdade, era surpreendente que ainda tivesse lágrimas. Pensou que tivesse superado o abandono de Meg havia muito tempo.

– Lembra aquele ano que a Char caiu do deque porque estava chorando tanto que não conseguia enxergar nada?

– Crise de meia-idade do Bob. Ela achou que ele estava transando com a faxineira.

– E acabou que ele estava fazendo tratamento de calvície escondido.

Gina abraçou Claire com mais força.

– Ainda bem que as Azuladas existem. Desde que tive a Bonnie, eu nunca precisei tanto de vocês.

QUATRO

O interfone tocou.

– Jill Summerville chegou.

– Mande entrar.

Meghann se levantou e pegou um novo bloco de anotações e uma caneta do armário logo acima dela. Quando Jill entrou na sala de reuniões, Meg já havia retornado à cadeira e sorria educadamente. Ela se levantou outra vez.

– Oi, Jill. Eu sou Meghann Dontess.

Jill permaneceu junto à porta, nervosa. Era uma bela mulher, magra, com uns 50 anos. Usava um terninho cinza que parecia caro e uma camisa de seda cor de creme.

– Pode se sentar – disse Meghann, indicando a poltrona vazia à esquerda.

– Não sei muito bem se quero me divorciar.

Meghann ouvia isso o tempo todo.

– Podemos conversar um pouco, se quiser. Você pode me contar o que está acontecendo com o seu casamento.

Tensa, Jill sentou-se na poltrona vazia e espalmou as mãos à mesa, como se temesse que a madeira fosse levitar.

– Não está bom – disse ela baixinho. – Sou casada há 26 anos. Mas eu *não aguento mais*. A gente não conversa. Viramos um desses casais que saem para jantar e ficam sentados um na frente do outro em silêncio. Meus pais eram assim. E jurei que nunca seria. Ano que vem faço 50 anos. Está na hora de ter a *minha* vida.

"Recomeçar a vida" era o segundo maior motivo de divórcio; perdia apenas para o "ele está me traindo".

– Todo mundo merece ser feliz – disse Meg, estranhamente distante.

No piloto automático, ela fez uma série de perguntas e repetiu frases prontas para obter informações sólidas e, ao mesmo tempo, inspirar confiança. Meg sabia que estava indo bem. Jill havia começado a relaxar. Vez ou outra, até sorria.

– E em relação aos bens? Você faz alguma ideia do seu patrimônio líquido?

– A Beatrice DeMille falou que você ia perguntar isso. – Ela abriu uma pastinha Fendi, puxou um maço de papéis grampeados e deslizou-os pela mesa. – Meu marido e eu fundamos a Emblazon, uma empresa de internet. Depois vendemos por um valor muito alto. Então, as empresas menores e os imóveis somam um patrimônio líquido em torno de 72 milhões.

Setenta e dois milhões de dólares.

Meghann sustentou o sorriso casual com pura força de vontade, com medo de que seu queixo caísse. Era o maior caso que já pegara. Esperara a vida inteira por um caso como aquele. Era para ser a recompensa por todas as noites passadas em claro, preocupada com clientes que não podiam pagar seus honorários. Seu professor de Direito favorito costumava dizer que a lei era a mesma, a despeito dos zeros. Meg sabia que não: o sistema judicial favorecia mulheres como Jill.

Provavelmente teriam que contratar um assessor de imprensa. Um caso assim costumava atrair a mídia.

Ela devia estar animada com a perspectiva, energizada. Surpreendentemente, sentia-se distraída. Um pouco triste, até. Sabia que Jill, apesar de todos os milhões, era uma mulher à beira da ruína.

Meg pegou o telefone e apertou um botão.

– Rhona, traga a lista de advogados. Seattle. Los Angeles. São Francisco. Nova York e Chicago.

Jill franziu o cenho.

– Mas... – começou ela, parando ao ver a secretária entrar na sala com uma folha de papel.

– Obrigada – disse Meghann, e entregou o papel a Jill. – Esses são os vinte melhores advogados do país.

– Não estou entendendo.

– Depois que você os tiver contatado, eles não vão poder representar o seu marido. Caracteriza conflito de interesses.

Jill correu os olhos pela lista, então os ergueu, devagar.

– Entendi. Estratégia de divórcio.

– É só questão de planejamento. Por garantia.

– Isso é ético?

– Claro. Como cliente, você tem todo o direito de ouvir outras opiniões. Eu vou precisar de um adiantamento, cerca de 25 mil dólares. Vou usar 10 mil para contratar os melhores contadores forenses de Seattle.

Jill a encarou por um longo momento, em silêncio. Por fim, assentiu e se levantou.

– Vou falar com todos da lista. Mas imagino que, se eu a escolher, você vai me representar.

– Claro – respondeu Meghann. E se lembrou de acrescentar, no último instante: – Mas espero que isso não seja necessário.

– Sim – disse Jill. – Dá para ver que você é do tipo otimista.

Meghann suspirou.

– Eu sei que tem gente no país inteiro muito bem casada e feliz. Mas essas pessoas não vêm me procurar. De qualquer jeito, eu espero, honestamente, não te ver de novo.

Jill lhe lançou um olhar triste e compreensivo, e Meghann soube: a decisão podia ainda ser incipiente, carregada de arrependimento, mas já havia sido tomada.

– Continue otimista, então – respondeu Jill, baixinho. – Por nós duas.

– Você está com uma cara péssima.

Largada na cadeira de couro preto, Meghann não se mexeu.

– Então é para isso que eu te pago 200 dólares a hora? Para me insultar? Diz que eu estou fedendo também. Daí meu dinheiro vai realmente valer a pena.

– Por que você me paga?

– Considero uma ação de caridade.

A Dra. Bloom não sorriu. Permaneceu observando – como sempre, imóvel feito um camaleão. Se não fosse pela compaixão em seus olhos escuros, ela poderia facilmente ser confundida com uma estátua. Ao longo dos últimos vinte anos, Meg consultara uma extensa lista de profissionais. Sempre psiquiatras, nunca psicólogos ou terapeutas. Em primeiro lugar, valorizava os anos a mais de ensino superior. Em segundo, e o mais importante, queria falar com quem pudesse prescrever remédios.

Quando estava na casa dos 30, Meg trocava de médico a cada dois anos. Nunca dizia nada de importante, e eles sempre faziam o mesmo.

Então topara com Harriet Bloom, a rainha de pedra que podia passar uma hora inteira em silêncio, receber o cheque e dizer a Meghann que o dinheiro era dela, bem como a escolha entre rasgá-lo ou gastá-lo de maneira sábia.

Harriet havia desvendado alguns pontos importantes de seu passado e deduzido o resto. No último ano, Meghann decidira cortar a relação uma dezena de vezes, mas sempre que de fato começava a fazer isso, entrava em pânico e mudava de ideia.

O silêncio foi ficando mais pesado.

– Ok, eu estou com uma cara péssima. Admito. Não estou dormindo direito. Preciso de mais remédios, aliás.

– Sua última receita deveria durar mais duas semanas.

Meghann não conseguia fazer contato visual.

– Precisei tomar dois comprimidos algumas vezes esta semana. A insônia está acabando comigo.

– Por que você acha que não consegue dormir?

– Por que *você* acha que eu não consigo dormir? A opinião relevante aqui é a sua, não?

A Dra. Bloom a observou. Meghann estava tão imóvel que parecia impossível que seus pulmões estivessem trabalhando.

– É?

– Eu tenho dificuldade de dormir às vezes. É isso. Grande coisa.

– E conta com a ajuda de medicamentos e desconhecidos para passar as noites.

– Eu não fico mais com tantos homens. Mas às vezes... – Ela ergueu os olhos e viu uma triste compreensão na expressão de Harriet. Ficou irritada. – Não me olhe desse jeito.

Harriet se inclinou para a frente, pousando os cotovelos na mesa, e apoiou o queixo nos dedos longos.

– Você usa o sexo para dissipar a solidão. Mas tem algo mais solitário que sexo com desconhecidos?

– Pelo menos eu não me incomodo quando os caras dão no pé.

– Então isso é sobre o Eric de novo.

– Sim, o Eric.

Harriet se recostou outra vez.

– Vocês ficaram menos de um ano casados.

– Não subestime minha dor, Harriet. Ele me matou por dentro.

– Claro que sim. E você revive isso todos os dias no trabalho, quando as mulheres relatam as mesmas histórias tristes. Mas isso não é novidade há muitos anos. Seu problema não é ser magoada de novo. É não sentir nada por ninguém. A questão é que você tem medo, e medo é uma sensação que não combina com a sua necessidade de controle.

Era verdade. Meg estava cansada de viver sozinha, além de apavorada com a ideia de que sua vida seria sempre uma estrada vazia. Parte dela queria assentir, dizer que sim e implorar por uma forma de dissipar esse medo. Essa, no entanto, era uma vozinha fina e aguda perdida entre os berros estrondosos do orgulho. A base de sua vida era a certeza de que o amor não durava. Era melhor ser sozinha e forte do que fraca e desolada.

Ao recuperar a voz, Meghann disse, em um tom seco:

– Eu tive uma semana difícil no escritório. Estou ficando impaciente com as minhas clientes. Acho que não consigo mais sentir pena delas como antes.

Harriet era profissional demais para demonstrar sua decepção com um gesto óbvio, como um suspiro ou uma carranca. Sua única reação foi descruzar os braços. Seus olhos, no entanto, exibiram outra vez aquela incômoda compaixão. Um olhar que dizia "coitada da Meghann, tem tanto medo de intimidade".

– Você sente que suas emoções estão distantes e inacessíveis? Por que acha que isso acontece?

– Como advogada, sou treinada para ver as coisas de forma objetiva.

– Só que nós duas sabemos que os melhores advogados são dotados de compaixão. E você, Meghann, é uma excelente advogada.

Tinham retornado a um terreno seguro, embora pudesse voltar a ficar escorregadio dali a um segundo.

– É isso que estou tentando te dizer. Já não sou tão boa. Eu costumava *ajudar* as pessoas. Até me importava com elas.

– E agora?

– Agora sou um robô calculista que passa o dia repartindo dinheiro e cuspindo acordos. Eu me vejo ruminando sem parar discursos enlatados para mulheres com as vidas desmoronando. Eu costumava ficar muito brava com os maridos. Agora só fico cansada. Não levo na brincadeira... ainda levo muito a sério. Mas... também... não é a vida real. Não para mim.

– Você devia considerar umas férias.

– O quê?

Meghann riu. As duas sabiam que relaxar não era nada fácil.

– Férias. Pessoas normais passam umas semanas no Havaí ou em Aspen.

– Não dá para fugir da própria insatisfação. Isso não é o básico da psicologia?

– Não estou te dizendo para fugir. Estou dizendo para descansar. Pegar um bronzeado, talvez. Você podia passar uns dias no hotel da sua irmã, nas montanhas.

– Meio difícil eu sair de férias com a Claire.

– Você tem medo de falar com ela.

– Eu não tenho medo de nada. A Claire é gerente de um acampamento lá onde Judas perdeu as botas. A gente não tem nada em comum.

– Vocês têm uma história.

– Nada que preste. Se a vida da Claire fosse uma cidade turística, pode acreditar que o guia passaria reto pela parte da nossa infância.

– Mas você ama a sua irmã. Isso conta para alguma coisa.

– É – disse Meg, devagar. – Claro que amo. Por isso mesmo é que fico longe. – Ela olhou para o relógio. – Ah, droga. Acabou a consulta. Nos vemos na semana que vem.

CINCO

Joe parou na esquina da Main Street com a 1st Street, observando aquela cidade cujo nome não lembrava. Remexeu a mochila, passou-a para o outro ombro. Sob a alça, a camisa estava empapada de suor e sua pele, pegajosa. No ar quente e abafado, ele sentia o próprio cheiro. Não era bom. Naquela manhã havia caminhado pelo menos 11 quilômetros. Ninguém lhe oferecera carona. Até aí, nenhuma surpresa. Quanto mais comprido – e grisalho – ficava seu cabelo, menos caronas ele conseguia. Só dava para contar com os caminhoneiros, quase ausentes naquela manhã quente de domingo.

Mais adiante, ele viu uma placa pintada à mão: Wake Up Café.

Enfiou a mão no bolso e pegou a carteira de couro macio, pertencente à sua antiga vida. Abriu-a, mal olhando a única fotografia no quadradinho de plástico da aba lateral.

Doze dólares e 72 centavos. Precisava arrumar um trabalho imediatamente. O dinheiro que ganhara em Yakima estava quase acabando.

Ele se virou para o café. Ao entrar, um sininho soou.

Todos se viraram para ele.

O som das conversas cessou no mesmo instante. Os únicos ruídos vinham da cozinha, retinidos e farfalhos.

Ele sabia a impressão que passava: um vagabundo amarfanhado, com cabelos grisalhos na altura do ombro e roupas que careciam de uma boa lavagem. O azul da calça jeans já estava totalmente desbotado e a camiseta tinha manchas de suor. Embora fosse completar 43 anos na semana seguinte, ele parecia ter 60. E ainda havia o cheiro...

Joe pegou um cardápio plastificado no balcão ao lado da caixa registradora e foi andando pelo restaurante, de cabeça baixa, até o último banquinho do bar. Em todos os locais pelos quais havia passado, aprendera a não se sentar muito perto das "pessoas de bem". Às vezes a presença de um homem atravessando momentos difíceis era ofensiva. Em cidades como aquela, era muito fácil acabar em uma cela. Ele já havia passado tempo demais encarcerado.

A garçonete permaneceu junto à grelha, em seu uniforme de poliéster cor-de--rosa sujo e manchado. Como todas as outras pessoas, ela o encarava.

Ele se sentou em silêncio.

Então, em uma fração de segundo, o barulho retornou. A garçonete puxou uma caneta de trás da orelha e começou a caminhar em sua direção. Joe percebeu que a moça era mais jovem do que aparentava. Talvez ainda estivesse na escola. Os longos cabelos castanhos, presos em um rabo de cavalo desalinhado, tinha mechas roxas, e uma argolinha dourada pendia de sua sobrancelha finíssima. A garota usava mais maquiagem que o Boy George.

– Já escolheu?

Ela franziu o nariz e deu um passo atrás.

– Acho que estou precisando de um banho, né?

– Não ia fazer mal. – Ela sorriu, então se aproximou um pouquinho. – O acampamento KOA é a melhor opção. Lá tem um ótimo banheiro. Claro que é só para hóspedes, mas ninguém presta muita atenção. – Ela estourou uma bola do chiclete e sussurrou: – A senha da porta é dois, um, zero, zero. A cidade inteira sabe.

– Obrigado. – Ele olhou o crachá da moça. – Brandy.

Ela apoiou a caneta no bloquinho.

– Então, o que vai querer?

Ele não se deu o trabalho de olhar o cardápio.

– Quero um muffin de cereais, uma fruta fresca, qualquer uma, e uma tigela de mingau de aveia. Ah. E um suco de laranja.

– Não quer bacon e ovos?

– Não.

Ela encolheu os ombros e deu meia-volta.

– Brandy? – chamou ele.

– Oi?

– Onde é que um cara feito eu conseguiria arrumar um trabalho?

Ela o encarou.

– Um cara feito você? – O tom era óbvio. Ela tinha deduzido que ele não trabalhava, apenas perambulava e mendigava. – Eu tentaria na Fazenda de Maçãs Tip Top. Estão sempre precisando de mão de obra. E na Yardbirds... eles contratam gente para cortar grama para os locais de férias.

– Obrigado.

Joe ficou sentado naquele banco de bar surpreendentemente confortável por muito mais tempo do que deveria. Comeu o mais devagar possível, mastigando cada garfada com toda a calma, mas por fim a tigela e o prato ficaram vazios.

Sabia que era hora de cair fora, mas não conseguia se levantar. Na noite anterior dormira recostado em um tronco caído, no pasto de algum fazendeiro. Fora uma noite desconfortável em meio ao vento uivante e uma súbita tempestade. Seu corpo inteiro doía. Agora, pela primeira vez ele estava sem passar frio nem calor, de barriga cheia e sentado confortavelmente. Um instante no paraíso.

– Você tem que ir – sussurrou Brandy ao passar por ele. – O meu chefe falou que vai chamar a polícia se você ficar enrolando aqui.

Joe podia ter discutido, podia ter argumentado que pagara pela refeição e tinha o direito de ficar ali. Uma pessoa comum sem dúvida teria esse direito.

– Ok – disse ele em vez disso, e botou 6 dólares sobre o balcão de fórmica.

Levantou-se devagar. Por um segundo, sentiu-se tonto. Quando a tontura passou, pegou a mochila e a pendurou no ombro.

Do lado de fora, o calor o atingiu em cheio, fazendo-o cambalear mais uma vez. Foi preciso um ato de suprema força de vontade para seguir em frente.

Ele manteve o polegar em riste, pedindo carona, mas ninguém parou. Devagar, exaurido pelo calor de quase 40 graus, ele caminhou na direção que Brandy havia informado. Quando chegou ao acampamento KOA, sentia dor de garganta e uma enxaqueca terrível.

Não havia nada que desejasse mais do que cruzar aquele caminho de cascalho, enfiar-se no banheiro para um longo banho quente e alugar um chalé para um merecido descanso.

– Não dá – disse em voz alta, pensando nos seus últimos 6 dólares na carteira.

Era um hábito adquirido nos últimos dias: falar sozinho. Se não fizesse isso, poderia passar dias sem ouvir a voz de um ser humano.

Joe teria que entrar escondido no banheiro, mas havia gente por todo lado.

Ele avançou sorrateiramente até uma mata de pinheiros atrás da guarita. A sombra estava agradável. Seguiu se embrenhando pela mata até sumir de vista, então se sentou e recostou o corpo em uma árvore. Sua cabeça latejou com o movimento, e ele fechou os olhos.

Foi acordado horas depois pelo som de risadas. Havia muitas crianças correndo e gritando pela área do acampamento. O cheiro de fumaça – fogueiras – pairava no ar.

Hora do jantar.

Ele despertou, piscando, surpreso por ter dormido por tanto tempo. Esperou o sol se pôr e o movimento diminuir, então se levantou. Segurando firme a mochila, foi caminhando furtivamente em direção à construção de madeira que abrigava o banheiro do acampamento e as instalações de lavanderia.

Estava estendendo a mão para digitar o código quando uma mulher surgiu a seu lado. Simplesmente... surgiu.

Ele ficou paralisado, então se virou para ela.

A mulher usava a parte de cima de um biquíni azul-claro e um short desfiado, e segurava uma pilha de toalhas cor-de-rosa. Seu cabelo loiro era um emaranhado de cachos úmidos. Ela estava rindo a caminho do banheiro, mas ao vê-lo o sorriso desapareceu.

Droga. Ele estivera perto de tomar um banho quente – o primeiro em semanas. Agora, a qualquer instante, aquela mulher gritaria para chamar o gerente.

– O código é dois, um, zero, zero – disse ela, bem baixinho. – Toma.

Ela entregou uma toalha a ele, rumou para o banheiro feminino e fechou a porta. Joe precisou de um momento para conseguir se mexer, tamanha foi sua perplexidade diante da bondade da mulher. Por fim, agarrado à toalha, digitou o código e entrou no banheiro masculino. Estava vazio.

Ele tomou um longo banho quente, então vestiu as roupas mais limpas que tinha e lavou as sujas na pia. Enquanto escovava os dentes, se encarou no espelho. Seu cabelo, quase todo grisalho, estava muito comprido e desgrenhado. Não tinha conseguido se barbear de manhã, então seu rosto encovado estava sombreado pela barba grossa. Tinha grandes olheiras escuras. Ele parecia uma fruta apodrecendo lentamente de dentro para fora.

Joe penteou os cabelos com os dedos e deu as costas para o espelho. Na verdade, era melhor não olhar. Aquilo só o fazia recordar os velhos tempos, quando era jovem e vaidoso, quando ainda tinha o cuidado de manter as aparências. Naquela época, ele dava importância a muitas coisas insignificantes.

Joe foi até a porta, abriu uma frestinha e espiou o lado de fora. Não havia ninguém por perto, então ele saiu.

A escuridão era completa. Uma lua cheia pairava sobre o lago, projetando um brilho tênue nas ondas e iluminando os chalés ao longo da margem. Três estavam com as luzes acesas. Em um deles parecia haver gente dançando. Então, de súbito, ele desejou estar naquele chalé, fazer parte daquele círculo de pessoas que se amavam.

– Você está ficando maluco, Joe – disse ele, desejando poder achar graça disso como antes.

Mas o nó em sua garganta não o deixava sorrir.

Ele foi para o meio das árvores e seguiu em frente. Ao passar atrás de um dos chalés, ouviu uma música. "Stayin' Alive", dos Bee Gees. Então escutou uma risada de criança.

– Dança comigo, papai! – gritou uma garotinha.

Joe se forçou a seguir em frente. A cada passo, o som das gargalhadas diminuía, até que, quando chegou à beira da mata, precisava se esforçar para ouvir. Ele encontrou um tapete macio de agulhas de pinheiros e se sentou. O luar o envolveu, transformando o mundo em um borrão preto e branco-azulado.

Abriu o zíper da mochila e remexeu a trouxa de roupas úmidas, procurando os dois itens importantes.

Três anos antes, quando fugiu pela primeira vez, levara consigo uma mala cara. Ainda se lembrava de estar no quarto arrumando a bagagem para uma viagem sem destino nem data de retorno, imaginando de que coisas um homem exilado precisaria. Na mala, colocara uma calça cáqui, suéteres de lã merino e até um terno preto Joseph Abboud.

Ao final do primeiro inverno sozinho, compreendera que aquelas roupas eram restos arqueológicos de uma vida esquecida. Inúteis. Em sua nova vida, ele só precisaria de uma calça jeans, umas camisetas, um moletom e uma capa de chuva. Todo o resto foi entregue à caridade.

A única peça cara que ele havia guardado era um suéter cor-de-rosa de caxemira com pequeninos botões de pérola. Nas melhores noites, ainda sentia o aroma do perfume dela no tecido macio.

Ele encontrou na mochila o pequeno álbum de fotos, encadernado em couro. Com dedos trêmulos, abriu a primeira página.

Aquela foto era uma de suas preferidas.

Nela, Diana estava sentada em um gramado, de short branco e camiseta da Universidade de Yale. Havia uma pilha de livros abertos a seu lado e um montinho de pequenas flores de cerejeira cobria as páginas. O sorriso dela era tão resplandecente que ele precisou piscar para conter as lágrimas.

– Oi, amor – sussurrou ele, tocando o papel. – Tomei um banho quente hoje.

Joe fechou os olhos. Na escuridão, sentiu-a se aproximar. Cada vez mais frequentemente tinha aquela sensação de que ela não o havia deixado, de que ainda estava presente. Ele sabia que era uma ilusão, uma confusão mental. Mas não se importava.

– Estou cansado – disse a ela, respirando fundo, inebriando-se com o aroma de seu perfume.

Red, de Giorgio. Ele se perguntou se o perfume ainda seria fabricado.

Isso que você está fazendo não é bom.

– Eu não sei fazer outra coisa.

Volte para casa.

– Eu não consigo.

Você está partindo meu coração, Joey.

Então ela desapareceu.

Com um suspiro, ele se recostou outra vez em um grande toco de árvore.

Volte para casa, dissera ela. Era o que ela sempre dizia.

O que ele dizia a si mesmo.

Talvez no dia seguinte, pensou, tentando invocar alguma coragem para fazer aquilo. Depois de três anos na estrada, estava cansado da solidão.

Talvez de manhã ele enfim – enfim – se permitisse dar início à caminhada rumo a oeste, de volta para casa.

Diana ficaria feliz.

SEIS

Assim como o sol, a noite também destacava o melhor de Seattle. A rodovia, que tinha sempre um engarrafamento horroroso de manhã, transformava-se num cintilante dragão chinês vermelho e dourado, serpeando ao longo das margens escuras do lago Union. Os arranha-céus no coração da cidade, indistintos em meio ao nevoeiro cinzento das manhãs de junho, viravam um caleidoscópio de cores quando a noite caía.

Meghann estava parada em frente à janela do escritório. Nunca se cansava daquela vista. A água era uma mancha negra se espalhando pela Bainbridge Island. Embora não conseguisse ver as ruas lá embaixo, sabia que estariam engarrafadas. O tráfego era a maldição que Seattle carregara para o novo milênio. Milhões de pessoas haviam migrado para a cidade, atraídas pela qualidade de vida e pela variedade de atividades ao ar livre. Infelizmente, depois de construírem casas chiques no subúrbio, as pessoas tinham arrumado empregos no centro. Era impossível que as rodovias, projetadas para uma cidade portuária e fora de mão, comportassem o fluxo de tanta gente.

Progresso.

Meghann deu uma olhada no relógio de pulso. Eram oito e meia. Hora de ir para casa. Levaria o arquivo de Wanamaker consigo e daria uma adiantada no trabalho do dia seguinte.

Atrás dela, a porta se abriu e Ana, a faxineira, entrou, empurrando o carrinho de limpeza e um aspirador.

– Oi, Sra. Dontess.

Meghann sorriu. Não importava quantas vezes pedisse a Ana que a chamasse de Meghann, a mulher nunca mudava.

– Boa noite, Ana. Como está o Raul?

– Amanhã vamos saber se ele vai ser contratado no McCord. Dedos cruzados, *¿sí?*

– Seria ótimo ter seu filho por perto – disse Meghann, recolhendo as pastas.

– Você devia ter um filho também – murmurou Ana em tom quase inaudível. – Em vez de só trabalho, trabalho, trabalho.

– Está me dando bronca outra vez, Ana?

– Bronca, não sei. Mas você trabalha demais. Passa toda noite aqui. Quando é que vai conhecer o rapaz certo, se está sempre trabalhando?

Aquela era uma discussão antiga, que tinha começado dez anos antes, quando Meghann cuidara do processo de imigração de Ana sem cobrar honorários. Seu último instante de paz acabou assim que entregou o *green card* a Ana e a contratou. Desde então, a mulher fazia de tudo para "recompensá-la". A recompensa parecia ser uma sequência interminável de cozidos e uma ladainha constante sobre os males de trabalhar demais.

– Tem razão. Acho que vou tomar um drinque e relaxar.

– Não é de drinque que estou falando – resmungou Ana, inclinando-se para ligar o aspirador.

– Tchau, Ana.

Meghann estava quase no elevador quando o celular tocou. Ela vasculhou a bolsa preta Kate Spade e pegou o telefone.

– Meghann Dontess.

– Meghann? – A voz soou aguda e apavorada. – É a May Monroe.

Meghann entrou em alerta na mesma hora. Um divórcio podia ficar feio mais depressa que uma ferida aberta.

– O que houve?

– É o Dale. Ele veio aqui hoje.

Meghann registrou mentalmente a tarefa de pedir uma ordem de restrição na manhã seguinte.

– Aham. O que mais?

– Ele mencionou uns papéis que recebeu hoje. Estava enlouquecido. O que você mandou para ele?

– Já conversamos sobre isso, May. Ao telefone, na semana passada. Lembra? Eu notifiquei o advogado do Dale e o juiz de que vamos contestar a transferência fraudulenta da licença de trabalho dele e exigir uma prestação de contas das transações bancárias nas ilhas Cayman. Também disse ao advogado dele que estávamos sabendo do caso com a professora de piano da filha, e que esse comportamento pode ameaçar a avaliação dele como pai.

– Nós não discutimos isso. Você ameaçou tirar as crianças dele?

– Acredite, May, a irritação dele é por causa do dinheiro. Sempre é. As crianças são só figuração para homens como o seu marido. Fingir que vai brigar pela custódia garante mais dinheiro. É uma tática comum.

– Você acha que conhece o meu marido melhor que eu.

Meghann já tinha ouvido essa frase incontáveis vezes. E sempre se espantava.

Mulheres que não tinham a menor ideia dos negócios dos maridos, da mentirada e de todos os golpes financeiros seguiam acreditando que os "conheciam". Mais um motivo para não se casar. O amor era realmente cego.

– Eu não preciso conhecê-lo, May – respondeu Meghann, usando o discurso fabricado que aperfeiçoara havia muito tempo. – A minha função é te proteger. Se eu aborreci o seu... – *péssimo e mentiroso* – ... marido no processo... infelizmente foi necessário. Ele vai se acalmar. Eles sempre se acalmam.

– Você não conhece o Dale – insistiu ela.

Meghann captou algo no tom dela. Algo de errado.

– Você está com medo dele, May?

Isso já era outra história.

– Com medo? – May tentou parecer surpresa com a pergunta, mas Meghann percebeu.

Droga. Sempre ficava espantada com relacionamentos abusivos; acontecia até nas famílias mais improváveis.

– Ele bate em você, May?

– Às vezes, quando está bêbado... Aí eu acabo falando o que não devo...

Ah, claro. A culpa é dela. Era assustador como as mulheres acreditavam mesmo nisso.

– Você está bem agora?

– Ele não fez nada comigo. E nunca bateu nas crianças.

Meghann não disse o que lhe veio à mente. Em vez disso, falou:

– Que bom.

Se estivesse frente a frente com May, poderia olhar a cliente nos olhos e avaliar sua fragilidade. Se houvesse chance, mostraria as estatísticas – histórias de terror que a fariam enxergar a verdade como ela é. Com frequência, um homem capaz de bater na esposa acabava batendo nos filhos. Agressores eram sempre agressores, e a principal característica deles era a necessidade de exercer poder sobre os mais fracos. Quem era mais fraco que uma criança?

Nada disso, entretanto, podia ser dito pelo telefone. Às vezes uma cliente parecia forte, parecia ter tudo sob controle, quando na verdade estava desmoronando. Meghann visitara muitas em hospitais e clínicas de reabilitação. Com o passar dos anos, ficara mais cuidadosa.

– Precisamos garantir que ele saiba que eu não vou tirar as crianças dele. Senão ele vai enlouquecer – disse May, com a voz embargada.

– Deixa eu te perguntar uma coisa, May. Pensa em daqui a uns três meses. Você está divorciada, e o Dale perdeu metade de tudo. Está morando com a Barbie Pianista, e um dia os dois voltam para casa embriagados. A Barbie dirige, porque só tomou três margaritas. Quando eles chegam em casa, a babá deixou as crianças fazerem a maior bagunça, e o pequeno Billy, por acidente, quebrou a janela do escritório do Dale. Seus filhos vão estar seguros?

– Tem muita coisa dando errado nessa situação.

– As coisas dão errado, May. Você sabe disso. Imagino que você sempre serviu de barreira entre o seu marido e as crianças. Um escudo humano. Provavelmente aprendeu a acalmá-lo, a desviar a atenção das crianças. A Barbie vai saber proteger os seus filhos?

– A situação é tão óbvia assim?

– Infelizmente, é. A boa notícia é que você está dando outra chance para si mesma e para os seus filhos. Não desista agora, May. Não deixe ele te intimidar.

– O que eu devo fazer?

– Tranque as portas e desligue o telefone. Não fale com ele. Se ficar com medo, vá para a casa de um parente ou um amigo. Ou passe a noite em um hotel. Amanhã a gente se encontra e traça um novo plano de ação. Vou entrar com uma ordem de restrição.

– Você pode garantir a nossa segurança?

– Você vai ficar bem. Confie em mim. Abusadores são covardes. Quando ele vir o tamanho da sua força, vai recuar.

– Está bem. Quando podemos nos encontrar?

Meghann conferiu a agenda.

– Que tal um almoço às duas, no Judicial Annex Café, perto do fórum? Vou marcar uma reunião com o advogado do Dale para a mesma tarde, logo em seguida.

– Ok.

– May, eu sei que essa é uma pergunta delicada, mas por acaso você tirou alguma foto quando... você sabe... quando ele te bateu?

Houve uma hesitação do outro lado da linha.

– Vou dar uma olhada nas minhas fotos – disse May, por fim.

– Só a título de prova.

– Para você, talvez seja.

– Eu sinto muito. Queria não precisar fazer esse tipo de pergunta.

– Não. Quem sente muito sou *eu*.

Isso surpreendeu Meg.

– Por quê?

– Por nenhum homem ter te mostrado o outro lado da moeda. O meu pai teria matado o Dale por tudo isso.

Meghann sentiu uma pontada inesperada de nostalgia. Aquele era seu calcanhar de aquiles. Com certeza não acreditava no amor, mas ainda sonhava com ele. Talvez May tivesse razão. Talvez, se Meg tivesse tido um pai amoroso, fosse uma pessoa diferente. Mas tudo o que conhecia do amor era sua fragilidade. Podia resistir por um tempo, mas cedo ou tarde acabava cedendo.

Sim, havia casamentos felizes. Sua melhor amiga, Elizabeth, era prova viva.

Também havia trevos de cinco folhas, irmãos siameses, eclipses totais do sol e gente que ganhava milhões na loteria.

- Então, nos encontramos no café amanhã às duas?

- Sim, te vejo lá.

- Ótimo.

Meghann desligou o telefone, jogou-o na bolsa e apertou o botão do elevador. Quando a porta se abriu, ela entrou. As paredes espelhadas sempre a faziam ter a sensação de tropeçar em si mesma. Ela se inclinou para a frente, incapaz de evitar: sempre que havia um espelho por perto, precisava se olhar. Nos últimos anos, começara uma busca obsessiva por sinais de idade. Linhas de expressão, rugas, papadas.

Estava com 42 anos. Como parecia que ainda ontem tinha 30, imaginava que chegaria aos 50 em mais um piscar de olhos.

Isso a deprimia. Ela se imaginou aos 60 anos. Sozinha, trabalhando sem parar, conversando com os gatos do vizinho e embarcando em cruzeiros para solteiros.

Ela saiu do elevador e cruzou o saguão, cumprimentando o porteiro da noite ao passar.

Do lado de fora, um céu ametista conferia a tudo um brilho róseo e perolado. As janelas iluminadas nos imensos arranha-céus eram a prova de que Meghann não era a única *workaholic* da cidade.

Ela caminhou depressa pela rua, passando pelos transeuntes sem fazer contato visual. Em frente a seu prédio, parou e ergueu os olhos.

Lá estava sua cobertura. A única do prédio sem vasos de plantas e mobílias do lado de fora. As janelas estavam escuras; os outros apartamentos eram uma labareda de luz. Amigos e famílias ocupavam aqueles espaços iluminados, jantando, vendo televisão, conversando, fazendo amor. Conectando-se.

Quem sente muito sou eu, dissera May, *por nenhum homem ter te mostrado o outro lado da moeda.*

Quem sente muito sou eu.

Meghann passou direto pelo edifício. Não queria ir para casa, vestir o velho moletom da Universidade de Washington, jantar cereal e assistir à reprise de *Third Watch.*

Foi até o Mercado Público. Àquela hora, quase tudo já estava fechado. Os vendedores de peixe já haviam ido para casa, e as verduras frescas já tinham sido encaixotadas para o dia seguinte. As baias – em geral repletas de flores secas, peças de artesanato e comidinhas caseiras – estavam vazias.

Ela se virou para o Athenian, o bar antiquado que fora alçado à fama em *Sintonia de amor*. Naquele balcão de madeira polida, Rob Reiner explicara a Tom Hanks como funcionavam os encontros amorosos nos anos 1990.

A fumaça ali era tão espessa que daria para brincar de jogo da velha no ar. Havia algo de reconfortante no jeito politicamente incorreto do Athenian. Dava para pedir um drinque da moda, mas a especialidade do bar era cerveja gelada.

Meghann havia aperfeiçoado a arte de analisar o terreno discretamente. Fez isso naquele momento.

No balcão do bar havia cinco ou seis homens mais velhos. Pescadores, imaginou, preparando-se para uma temporada no Alasca. Havia também uma dupla de engravatados, bebendo martínis e sem dúvida falando de trabalho. Já vira muitos do tipo no fórum.

– Ei, Meghann! – gritou Freddie, o barman. – O de sempre?

– Pode mandar.

Ainda sorrindo, ela atravessou o bar e virou à esquerda, onde havia várias mesas de madeira envernizada junto às paredes. A maioria estava ocupada por um ou dois casais; algumas estavam vazias.

Meghann encontrou um lugar nos fundos, deslizou pelo banco de madeira e se acomodou. Havia uma grande janela à sua esquerda, com vista para a baía de Elliot e o píer.

– Tá na mão – disse Freddie, colocando uma taça de martíni na frente dela. Ele balançou a coqueteleira de aço e serviu um cosmopolitan. – Quer uma porção de ostras com fritas?

– Você leu meus pensamentos.

Freddie sorriu.

– Não é difícil, doutora. – Ele se aproximou. – Os Eagles vão vir pra cá hoje. Devem estar chegando.

– Os Eagles?

– Uma equipe pequena de beisebol, de fora de Everett – respondeu ele, com uma piscadela. – Boa sorte.

Meghann suspirou. Não era bom sinal quando os garçons começavam a recomendar um time inteiro.

Quem sente muito sou eu.

Meghann começou a beber. Ao terminar o primeiro drinque, pediu outro. Quando chegou mais uma vez ao fim da taça, já havia quase esquecido aquele dia.

– Posso te fazer companhia?

Meghann ergueu a cabeça e se viu encarando olhos escuros.

Ele estava do outro lado da mesa, com um pé no banco. Pela aparência - jovem, loiro, muito sexy -, ela soube que o rapaz estava acostumado a conseguir o que queria. E que, naquela noite, queria ela.

O pensamento foi estimulante.

- Claro.

Ela não sorriu nem piscou. Nunca fora mulher de fingimento. Nem de joguinhos.

- Eu sou Meghann Dontess. Meus amigos me chamam de Meg.

Ele se sentou e os joelhos roçaram os dela. O rapaz sorriu com o contato.

- Sou Donny MacMillan. Você gosta de beisebol?

- Gosto de muitas coisas.

Ela fez um sinal para Freddie, que assentiu. Um instante depois, chegou o terceiro cosmopolitan.

- Eu quero uma Coors Light - disse Donny, recostando-se e apoiando os braços no encosto do assento.

Eles se encararam em silêncio. A barulheira do bar aumentou, depois esvaneceu, até que Meghann ouvia apenas a respiração dele e as batidas do próprio coração.

Freddie serviu as bebidas e se afastou outra vez.

- Imagino que você seja jogador de beisebol.

Ele abriu um sorriso e, *nossa*, como era sexy. Ela sentiu a primeira pontada de desejo. Transar com ele seria ótimo, sabia disso. E a faria esquecer...

Quem sente muito sou eu.

... seu péssimo dia.

- Você sabe. Eu vou chegar lá. Pode apostar. Um dia vou ser famoso.

Era por isso que Meghann preferia os homens mais jovens. Eles ainda eram confiantes. Ainda não haviam aprendido como a vida funcionava, como cada sonho era lentamente sufocado, como o certo e o errado ficavam mais abstratos e menos nítidos. Essas verdades em geral vinham à tona lá pelos 35, quando a pessoa percebia que sua vida não era como ela desejara.

E também, claro, pelo fato de que eles nunca exigiam mais do que ela queria dar. Os homens de sua idade tendiam a pensar que o sexo significava alguma coisa. Os mais jovens eram mais espertos.

Durante a hora seguinte, Meghann assentiu e sorriu enquanto Donny falava de si mesmo. Ao terminar o quarto drinque, sabia que ele havia se formado na Universidade Estadual de Washington, era o caçula de três irmãos e que seus pais ainda moravam na mesma casa de fazenda em Iowa que pertencera aos avós. Tudo entrava por um ouvido e saía pelo outro. Meghann só prestava atenção de verdade no toque de seus joelhos, no roçar constante e sensual de seu polegar no copo suado de cerveja.

– Quer ir pra minha casa? – perguntou ela, interrompendo o relato do rapaz sobre uma festa da faculdade.

– Tomar um café?

Ela sorriu.

– Isso também, eu acho.

– Você não brinca em serviço, não é?

– Eu diria que brinco, sim, com certeza. Só gosto de ser direta. Estou com... 34 anos. Não tenho mais idade para joguinhos.

Ele a encarou com um leve sorriso, e a sensualidade naquele olhar a deixou toda quente. *Vai ser bom.*

– Você mora longe?

– Por sorte, moro pertinho.

Ele se levantou e estendeu a mão para ela.

Meghann disse a si mesma que ele estava sendo cavalheiro, não ajudando os mais velhos. Ela segurou a mão dele e sentiu um choque estimulante percorrer seu corpo.

Eles atravessaram o mercado, agora vazio e escuro, sem dizer uma palavra. Não havia o que dizer. Já tinham conversado as amenidades e começado as preliminares. O importante agora era tirar a roupa, não fazer perguntas.

O porteiro do prédio de Meghann desempenhou seu papel em silêncio. Se notou que era o segundo homem que ela levava para casa em um mês, não deu sinal.

– Boa noite, Sra. Dontess – cumprimentou ele.

– Hans – respondeu ela, conduzindo... *meu Deus, qual é o nome dele?*

Donny. Como o cantor Donny Osmond.

Ela desejou não ter pensado nisso.

Entraram no elevador. No instante em que a porta se fechou, ele se virou para ela. Meghann ouviu o arquejo da própria respiração.

Ele tinha os lábios doces e macios, como imaginara.

O elevador chegou à cobertura. Ele começou a se afastar, mas ela não deixou.

– Só tem o meu apartamento neste andar – sussurrou com a boca colada na dele.

Beijando-o, ela enfiou a mão na bolsa e pegou as chaves. Colados, caminharam rumo à porta e entraram, cambaleantes.

– Por aqui.

A voz dela era apressada, rouca, enquanto o conduzia até o quarto. Lá, começou a desabotoar a blusa. Ele tentou tocá-la, mas ela afastou a mão do rapaz.

Ao ficar nua, ela o encarou, sem conseguir distinguir direito os seus traços. O quarto estava escuro, do jeito que Meghann gostava.

Ela abriu a gaveta do criado-mudo e pegou uma camisinha.

– Vem cá – disse ele, estendendo os braços.

E ela foi.

Caminhou devagar até ele, encolhendo a barriga o máximo possível. Donny tocou seu seio esquerdo. O mamilo reagiu na mesma hora. O desejo entre suas pernas ficou ainda mais intenso.

Meghann baixou as mãos, segurou-o e começou a acariciá-lo.

Depois disso, tudo aconteceu muito depressa. Eles se agarraram feito animais, arranhando, se esfregando, gemendo. Atrás deles, a cabeceira da cama batia na parede. O orgasmo, quando enfim aconteceu, foi forte, aflito e rápido demais.

Ao final, Meghann sentia uma vaga insatisfação, o que acontecia com cada vez mais frequência. Ela se deitou sobre os travesseiros, com ele ao lado. Estavam tão próximos que podia sentir o calor do corpo nu de Donny junto à sua coxa.

Mesmo com alguém tão perto, ela se sentiu sozinha. Ali estavam os dois, na cama, o cheiro de sexo ainda no ar, e ela era incapaz de pensar em uma única palavra a dizer.

Ela se moveu na cama e se aninhou no corpo dele, quase sem se dar conta do que estava fazendo. Era a primeira vez em anos que fazia algo tão íntimo.

– Me conta uma coisa sobre você que ninguém sabe – disse ela, passando a perna por cima da dele.

Donny riu baixinho.

– Acho que você vive no Mundo Bizarro, onde tudo acontece ao contrário, né? Primeiro você transa comigo feito louca, *depois* quer me conhecer. No bar você estava quase bocejando enquanto eu falava da minha família.

Ela se afastou, voltando a si.

– Eu não gosto de ser comum – respondeu, surpresa com a própria tranquilidade.

– Você não é, pode acreditar.

Ele afastou a perna de Meghann e beijou seu ombro. O descarte inevitável. Francamente, ela preferia que ele não tivesse beijado.

– Preciso ir.

– Então vá.

Ele franziu o cenho.

– Não fica irritada. A gente não se apaixonou, nem nada.

Ela estendeu a mão para o chão, pegou a camisa dos Seahawks e vestiu. Ficava menos vulnerável assim.

– Você não me conhece para saber se estou irritada. E, sinceramente, eu não me imagino apaixonada por alguém que fala tanto sobre "posse de bola".

– Nossa.

Ele saiu da cama e começou a se vestir. Meghann se sentou, rígida, e o observou. Desejou ter um livro na mesinha de cabeceira. Teria sido bom começar a ler naquele momento.

– Virando à esquerda, você encontra a porta da saída.

O rapaz fechou ainda mais a cara.

– Você toma remédio? – perguntou ele, fazendo-a rir. – Pois devia.

Ele começou a sair – apressado, ela percebeu –, mas parou na porta e se virou.

– Eu tinha gostado de você, sabia?

Então foi embora.

Meg ouviu a porta da frente se abrir e fechar. Então soltou um suspiro pesado.

Costumava levar semanas, até meses, para que os homens começassem a perguntar se ela tomava algum remédio. Agora conseguira a proeza de irritar Danny – *Donny* – em uma única noite.

Estava perdendo o controle. A vida parecia se desfazer à sua volta. Não conseguia se lembrar da última vez que beijara um homem e sentira algo além de desejo.

E da solidão, perguntara a Dra. Bloom, *você gosta?*

Meghann se inclinou e acendeu o abajur. A luz banhou uma fotografia dela com a irmã, tirada anos antes.

O que Claire estaria fazendo naquele momento? Imaginou se estaria acordada àquela hora, sentindo-se sozinha e vulnerável como ela. Mas sabia a resposta.

Claire tinha Alison. E Sam.

Sam.

Meghann desejou poder apagar as poucas lembranças que tinha do pai da irmã. Mas aquele tipo de amnésia nunca acontecia. Em vez disso, ela se lembrava de tudo, de cada detalhe. Sobretudo, recordava quanto desejara que Sam também fosse seu pai. *Talvez nós três possamos ser uma família*, pensara, quando ainda era jovem e esperançosa.

Os sonhos impossíveis de uma criança. Ainda dolorosos, depois de tantos anos.

Sam era o pai de *Claire*. Ele havia chegado e mudado tudo. As duas já não tinham mais nada em comum.

A irmã morava em uma casa cheia de alegria e amor. Provavelmente só namorava homens bons e engajados na sociedade. Com certeza não estava habituada ao péssimo sexo casual.

Fechando os olhos, Meghann se lembrou de que aquela vida era escolha *dela*. Tentara se casar. E acabara exatamente como temia – com o coração partido por uma traição. Não queria passar por isso nunca mais. Se às vezes passava algumas noites com uma angústia que não cessava, bom, era o preço da independência.

Ela se inclinou para o outro lado da cama e pegou o telefone. Havia cinco números na discagem rápida: o escritório, três restaurantes e sua melhor amiga, Elizabeth Shore.

Ela apertou o número três.

– O que houve? – disse uma voz masculina, meio grogue.

Meghann olhou o relógio da mesinha de cabeceira. *Droga*. Era quase meia--noite, ou seja, três da manhã em Nova York.

– Desculpa, Jack. Não me dei conta da hora.

– Para uma mulher tão inteligente, você comete demais esse erro. Espera aí.

Meghann quis desligar. Sentia-se exposta pelo próprio erro. Mostrava como sua vida era vazia.

– Tudo bem? – disse Elizabeth, em um tom preocupado.

– Tudo bem. Fiz besteira. Pede desculpas ao Jack. A gente pode conversar amanhã. Te ligo antes de sair para o trabalho.

– Espera aí. – Meghann ouviu Elizabeth sussurrar alguma coisa ao marido. – Deixa eu adivinhar – disse ela, um instante depois. – Você acabou de chegar do Athenian.

Aquilo a fez sentir-se ainda pior.

– Não. Hoje, não – mentiu.

– Você está bem, Meg?

– Tudo bem, sério. Eu só perdi a noção da hora. Eu estava... trabalhando num caso confuso. Conversamos amanhã.

– Eu e o Jack vamos para Paris, lembra?

– Ah, claro. Divirtam-se.

– Eu posso adiar se...

– E perder a festança no Ritz? Nem pensar. Aproveitem muito.

Houve uma hesitação do outro lado da linha.

– Eu te amo, Meg – disse Elizabeth por fim, em um sussurro.

Meghann sentiu os olhos marejarem. Precisava daquelas palavras, por mais que viessem de muito longe; faziam-na se sentir menos só, menos vulnerável.

– Eu também te amo, querida. Boa noite.

– Boa noite, Meg. Dorme bem.

Lentamente, ela desligou o telefone. Agora o quarto parecia tranquilo e escuro demais. Ela puxou as cobertas e fechou os olhos, sabendo que demoraria horas para pegar no sono.

SETE

A primeira vez que se reuniram no lago Chelan foi para uma comemoração. Era 1989. O ano em que Madonna convocou todo mundo a se expressar, Jack Nicholson interpretou o Coringa e os primeiros fragmentos do muro de Berlim desabaram. Mais importante, foi o ano em que todas elas fizeram 21, alcançaram a maioridade legal. Na época, eram cinco. Melhores amigas desde o ensino fundamental.

Aquele primeiro encontro acontecera por acidente. As meninas tinham feito uma vaquinha para dar de aniversário a Claire um fim de semana no chalé nupcial. Ainda estavam em março e Claire estava perdidamente apaixonada por Carl Eldridge. (A primeira de muitas paixões que acabaram em um belo pé na bunda.) Quando chegou julho, no fim de semana em questão, Claire já havia se desiludido, estava sozinha e um tanto deprimida. Sem querer desperdiçar o dinheiro das amigas, ela viajara sozinha, pensando em ficar sentada na varanda e ler.

No primeiro dia, pouco antes do jantar, um Ford amarelo maltratado parou no gramado. Suas melhores amigas saíram dele e correram pela grama às gargalhadas, trazendo duas jarras de margarita. Chamaram a visita de "intervenção amorosa", que acabou funcionando muito bem: na segunda-feira, Claire já tinha se recomposto e relembrado o que queria da vida. Carl Eldridge, definitivamente, não era o "cara certo".

Todo ano, desde então, elas davam um jeito de passar uma semana lá. Agora, claro, as coisas eram diferentes. Gina tinha uma filha, e Claire também; Karen tinha quatro, com idades entre 11 e 14 anos; e Charlotte estava tentando desesperadamente engravidar.

Nos últimos anos, tinham parado com as festas; traziam na mala menos bebidas e cigarros. Em vez de ir ao Cowboy Bob's Western Roundup dançar e virar shots de tequila, elas botavam as crianças na cama cedo, bebiam vinho branco e jogavam cartas na mesa redonda da varanda. Mantinham um placar para a semana toda. A vencedora conquistava as chaves do chalé nupcial no ano seguinte.

As férias haviam evoluído a um ritmo preguiçoso, feito um lento carrossel.

Elas passavam os dias à beira do lago, estiradas em toalhas listradas ou sentadas em velhas e surradas cadeiras de praia, com um rádio portátil sobre a mesa de piquenique. Sempre ouviam a estação de músicas antigas, e quando começava uma canção dos anos 1980 elas pulavam, dançavam e cantavam junto. Nos dias quentes – como aquele –, passavam quase o tempo todo no lago, mergulhadas até o pescoço na água gelada, o rosto coberto por chapéus de aba mole e óculos escuros. Conversando. Sempre conversando.

O tempo estava perfeito. O céu exibia um azul límpido, e o lago estava translúcido. As crianças mais velhas estavam enfurnadas no quarto, jogando cartas, ouvindo a música ensurdecedora de Willie e provavelmente conversando sobre o último filme nojento e impróprio para menores que todas as outras mães deixavam os filhos ver. Alison e Bonnie dirigiam um pedalinho pela parte do lago isolada por cordas. Suas risadas ecoavam acima de todas as vozes.

Karen estava esparramada na cadeira, abanando-se com um panfleto do parque aquático. Charlotte, totalmente protegida do sol por um chapéu branco de abas imensas e uma saída de praia diáfana de manga três-quartos, lia a última seleção do clube do livro de Kelly Ripa e bebericava uma limonada.

Gina se inclinou para o lado, abriu o cooler e procurou uma Coca-Cola diet. Ao encontrar, pegou a lata, abriu e deu um longo gole antes de fechar o cooler.

– Meu casamento acabou, e a gente aqui, bebendo Coca diet e limonada. Quando o babaca do primeiro marido da Karen foi embora, a gente encheu a cara de tequila e dançou "Macarena" no Cowboy Bob's.

– Isso foi quando me separei do segundo, o Stan – corrigiu Karen. – Quando o Aaron foi embora, comemos aqueles bolinhos de maconha, depois pulamos peladas no lago.

– Dá no mesmo – disse Gina. – Estamos cuidando da minha crise no estilo *Vila Sésamo*. Vocês tiveram o estilo *Clube dos Cafajestes*.

– Cowboy Bob's – disse Charlotte, quase sorrindo. – Faz anos que a gente não vai lá.

– Pois é, desde que começamos a carregar esses humaninhos a tiracolo – observou Karen. – É difícil dançar rock com uma criança na garupa.

Charlotte encarou o lago, onde as meninas conduziam o pedalinho. Seu sorriso lentamente se esvaiu. Aquela tristeza familiar invadiu seus olhos outra vez. Sem dúvida estava pensando no bebê que tanto desejava.

Claire olhou com ternura as amigas, como às vezes acontecia naquelas viagens. Por um instante, espantou-se ao ver todas com 35 anos. Naquele ano, mais do que em qualquer outro, elas pareciam mais quietas. Mais velhas, até. Mulheres à beira de um lago reluzente, com muita coisa na cabeça.

Mas aquilo era inaceitável. Elas iam ao lago Chelan para serem jovens e livres. Os problemas deviam ficar em casa.

Claire se levantou, apoiando-se nos cotovelos. O algodão áspero da toalha de praia pinicou seus antebraços queimados de sol.

– O Willie faz 14 este ano, não é?

Karen assentiu.

– Daqui a pouco começa o ensino médio. Dá para acreditar? Ele ainda dorme com um bichinho de pelúcia e esquece de escovar os dentes. Perto dele, as meninas da turma parecem dançarinas de programas de TV.

– Será que ele não ficaria de babá por uma ou duas horinhas?

Gina se empertigou.

– Caramba, Claire! Por que não pensamos nisso antes? Ele já tem 14 anos.

– Com a maturidade de uma minhoca – completou Karen, fechando a cara.

– Todas nós ficávamos de babá na idade dele – disse Charlotte. – Nossa, naquele verão antes do início do ensino médio eu praticamente virei diretora de uma creche.

– Ele é um garoto responsável, Karen – disse Claire, com delicadeza. – Vai dar tudo certo.

– Sei lá. Mês passado o peixinho dele morreu. De desnutrição.

– As crianças não vão morrer de fome em duas horas.

Karen olhou para o chalé.

Claire compreendeu exatamente o que a amiga estava pensando. Se Willie tinha idade suficiente para cuidar dos mais novos, então já não era uma criancinha.

– Ok – disse Karen, por fim. – Claro. Por que não? Deixamos um celular com ele...

– E uma lista de telefones...

– E mandamos não saírem do chalé.

Pela primeira vez no dia, Gina sorriu.

– Senhoritas, as Azuladas vão deixar o recinto.

Elas levaram duas horas para se arrumar e preparar o jantar das crianças; macarrão com queijo e cachorro-quente. Levaram outra hora para convencer os filhos de que o plano era possível.

Por fim, Claire agarrou Karen, que saiu arrastada. O grupo tomou a comprida e sinuosa estrada, com Karen olhando para trás a cada poucos metros.

– Tem certeza? – repetia ela.

– Temos certeza. Vai ser bom para ele ter essa responsabilidade.

Karen não parecia tão convencida.

– Fico pensando naquele peixinho, coitado, flutuando de barriga para cima na água suja...

– Vamos em frente – disse Gina, então se inclinou para Claire: – Ela é tipo um carro na neve. Se parar, nunca mais dá partida.

Estavam em frente ao Cowboy Bob's quando a ficha caiu.

Claire foi a primeira a falar.

– Gente, ainda nem escureceu.

– Perdemos o jeito – disse Charlotte.

– *Merda* – resmungou Gina.

Mas Claire se recusou a ceder à frustração. E daí que elas pareciam colegiais perto dos beberrões profissionais que frequentavam um lugar daqueles no início da noite? Estavam ali para se divertir, e o Cowboy Bob's era a única opção.

– Vamos, garotas – disse ela, avançando.

As amigas a seguiram. De cabeça erguida, entraram no Cowboy Bob's como se fossem as donas do lugar. Uma névoa espessa e escura pairava no teto, flutuando em feixes finos em meio às luzes. A clientela regular estava toda no bar, os corpos arqueados feito cogumelos sobre os banquinhos pretos. Vários letreiros de néon com propaganda de cerveja se destacavam na escuridão.

Claire as levou até uma mesa redonda e surrada junto à pista de dança. Dali tinham uma vista livre da banda, que claramente estava fazendo um intervalo. Uma música country triste tocava na jukebox.

Elas mal haviam se sentado quando surgiu uma garçonete alta e magra, com o rosto bronzeado.

– O que vocês vão querer? – perguntou, limpando a mesa com um trapo cinza.

Gina pediu uma rodada de margaritas e anéis de cebola, que foram prontamente servidos.

– Meu Deus, como é bom *sair* – disse Karen, pegando a bebida. – Nem lembro a última vez que saí sem precisar me organizar como se estivesse planejando um ataque aéreo.

– Nem fala – concordou Gina. – Rex nunca foi capaz de arrumar uma babá. Muito menos de planejar um jantar romântico. Era sempre: "Vamos sair para jantar. Você organiza tudo?" Como se precisasse usar os ovários para pegar no telefone. – O sorriso murchou. – Isso sempre me irritou. Mas é uma coisa mesquinha, não é? Por que não percebi antes?

Claire sabia que Gina estava pensando nas mudanças da sua nova vida de solteira. A cama vazia, noite após noite. Queria dizer algo, oferecer algum conforto, mas não sabia nada sobre casamentos. Havia namorado bastante nos últimos vinte anos e tivera algumas breves paixões. Mas nunca fora pra valer.

Sempre pensou que estivesse perdendo alguma coisa, mas naquele momento, ao ver a mágoa nos olhos de Gina, se perguntou se não teria tido sorte.

Claire ergueu a taça.

– A nós – disse ela, em tom firme. – Às Azuladas. Sobrevivemos ao ensino médio com o Sr. Kruetzer, ao último ano com a Srta. Bass, a Cadeiruda, passamos por trabalhos de parto, cirurgias, casamentos e divórcios. Duas se separaram, uma não engravidou, uma nunca se apaixonou, e há alguns anos uma morreu. Mas ainda estamos aqui. Estaremos *sempre* juntas. Somos mulheres de muita sorte.

Elas tilintaram as taças.

Karen se virou para Gina.

– Eu sei que você está arrasada, mas isso passa. A vida continua. É a única coisa que eu posso te dizer.

Charlotte apertou a mão de Gina, mas não disse nada. Das quatro, era quem melhor sabia que às vezes palavras não adiantavam.

Gina forçou um sorriso.

– Já chega. Posso ser depressiva em casa. Vamos mudar de assunto.

Claire mudou. A princípio, foi estranho; mudar de assunto de repente era como mudar de direção em uma estrada de mão única, mas pouco a pouco pegaram o jeito. Relembraram os velhos tempos e começaram a rir de tudo. Em dado momento, pediram uma porção de nachos. Quando chegou a segunda porção de comida, a banda havia recomeçado a tocar. A primeira música foi uma versão alta e estridente de "Friends in Low Places".

– Parece o Garth Brooks enganchado numa cerca de arame farpado – disse Claire às gargalhadas.

Quando a banda tocou "Here in the Real World", de Alan Jackson, o bar já estava lotado. Quase todos vestiam imitação de couro. Um grupo fazia uma coreografia engraçada.

– Estão ouvindo? – perguntou Claire, inclinando o corpo e espalmando as mãos sobre a mesa. – É "Guitars and Cadillacs". A gente *tem* que ir dançar.

– Dançar? – respondeu Gina, com uma risada. – A última vez que eu dancei com vocês, dei uma bundada num velho e mandei o homem pelos ares. Preciso de mais um ou dois drinques.

Karen balançou a cabeça.

– Nem pensar, amiga. Eu dancei até chegar ao tamanho 48. Agora é mais inteligente manter minha bunda bem quietinha aqui.

Claire se levantou.

– Vamos lá, Charlotte. Você não é velha que nem essas duas. Vamos dançar?

– Está brincando? Claro que eu vou.

Ela largou a bolsa na cadeira e acompanhou Claire até a pista de dança. À volta delas, casais usando jeans dançavam juntos. Uma mulher passou em um rodopio, entoando "um, dois, três" no caminho. Claramente precisava de toda a concentração para acompanhar os passos do parceiro.

Claire deixou a música envolvê-la como água gelada em um dia quente de verão. A melodia a refrescou, rejuvenesceu. No instante em que começou a acompanhar a batida, balançando o corpo, batendo palmas e os pés no chão, se lembrou de quanto amava tudo aquilo. Não podia acreditar que ficara tantos anos parada.

A música a dominou e dissolveu os anos de maternidade. Ela e Charlotte voltaram a ser adolescentes, rindo, batendo os quadris, cantando alto uma para a outra. A canção seguinte foi "Sweet Home Alabama", e elas tiveram que ficar na pista. Depois veio "Margaritaville".

Quando a banda fez outro intervalo, Claire estava ofegante e suada. Uma leve dor de cabeça despontava por trás do olho esquerdo; ela pôs a mão no bolso e encontrou uma Neosaldina.

Charlotte afastou o cabelo dos olhos.

– Foi *incrível*. Johnny e eu não dançamos desde... – Ela parou, pensativa. – Caramba. Talvez desde o casamento. É isso que acontece quando bate o desespero para engravidar. O romance pula pela janela.

Claire deu uma risada.

– Acredite, meu amor, é *depois* que a gente engravida que o romance dá no pé. Faz anos que eu não tenho um encontro decente. Vem cá. Estou desidratada igual a carne-seca.

Charlotte meneou a cabeça em direção aos fundos do bar.

– Preciso ir ao banheiro primeiro. Pede outra margarita pra gente. E diz pra Karen que esta rodada é por minha conta.

– Deixa comigo.

Claire começou a caminhar em direção à mesa, então se lembrou do comprimido em sua mão. Retornou ao bar e pediu um copo de água da casa.

Quando a água chegou, ela engoliu o comprimido e deu meia-volta. Ao começar a retornar para a mesa, viu um homem subir no palco. Segurava um violão comum, antiquado, sem entrada para cabo de amplificador. O restante da banda havia saído do tablado, mas os instrumentos ainda estavam lá.

Ele se sentou em um banquinho meio bambo. Uma bota de caubói estava firmemente plantada no chão e a outra repousava na ripa inferior do banco. O homem usava uma calça jeans surrada e desbotada e uma camiseta preta. O cabelo, quase na altura do ombro, exibia um brilho loiro sob a iluminação fluorescente do teto. Ele olhava para baixo, para o violão. Embora um chapéu

Stetson preto lhe encobrisse quase todo o rosto, Claire podia divisar seus traços fortes e proeminentes.

– Uau.

Ela não se lembrava da última vez que vira um homem tão bonito.

Não em Hayden, com certeza.

Homens como aquele não davam as caras em cidadezinhas no fim do mundo. Isso Claire já aprendera fazia tempo. Os Toms, Brads e Georges do mundo viviam em Hollywood ou em Manhattan, e quando viajavam eram isolados por seguranças sérios em ternos pretos mal-ajustados. Eles *falavam* sobre conhecer "gente de verdade", mas nunca conheciam. Ela sabia disso porque certa vez assistira às gravações de um filme em Snohomish. Claire implorara ao pai que a levasse para ver. Nenhuma das estrelas falou com os locais.

O homem se inclinou para o microfone.

– Vou dar uma palinha enquanto a banda faz um breve intervalo. Espero que não se incomodem.

Uma salva de palmas fraca se seguiu às palavras.

Claire avançou pela multidão, acotovelando um rapaz de calça jeans justa e um chapéu com aba do tamanho de uma banheira.

Ela parou no limite da pista de dança.

O homem dedilhou algumas notas no violão e começou a cantar. No início, sua voz era hesitante, quase suave demais para ser ouvida acima da barulheira dos bêbados.

– Calem a boca – soltou Claire, surpresa em ouvir as palavras em voz alta; a intenção fora apenas *pensar*.

Ela se sentia ridiculamente exposta parada ali na frente da multidão, a poucos metros dele, mas era incapaz de se mexer, incapaz de desviar o olhar.

O homem ergueu os olhos.

Na escuridão fumacenta, com uma dúzia de pessoas espremidas a seu lado, Claire achou que ele estava olhando para ela.

Ele abriu um sorriso lento.

Certo dia, anos antes, Claire corria ao longo do deque do lago Crescent atrás da irmã. Em um minuto, estava rindo, em disparada; no instante seguinte estava afundando na água congelante, arquejando por ar e tentando voltar à superfície.

Era como se sentia agora.

– Eu sou Bobby Austin – disse ele, baixinho, ainda olhando para Claire. – Esta música é para ela. Vocês sabem do que estou falando. Para a pessoa que eu procurei a vida inteira.

Os dedos longos e bronzeados dedilharam as cordas do violão. Então ele começou a cantar novamente. Sua voz era baixa, grave e sedutora; a música tinha um tom triste e inquietante que fez Claire pensar em todas as estradas que não havia pegado na vida. Ela dançou ao ritmo da canção, sozinha.

Quando a música terminou, ele apoiou o violão no banquinho e se levantou. A multidão aplaudiu educadamente, então retornou a seus canecos de cerveja e frangos fritos.

Ele andou em direção a Claire, que não conseguia se mexer.

O homem parou bem na frente dela, e Claire controlou o ímpeto de olhar para trás para confirmar se ele de fato não estava encarando outra pessoa.

Como ele ficou em silêncio, ela disse:

- Oi, eu sou Claire Cavenaugh.

Um sorriso estranho e melancólico despontou no canto da boca do homem.

- Eu não sei como dizer o que estou pensando sem parecer um imbecil.

O coração de Claire batia tão depressa que ela se sentiu tonta.

- Como assim?

Apesar de já estarem próximos, ele se aproximou ainda mais. Agora estavam tão perto que ela enxergava os pontinhos dourados em seus olhos verdes e a cicatriz em formato de meia-lua no canto do lábio superior. Percebeu, também, que ele devia cortar o próprio cabelo: as pontas eram irregulares e bagunçadas.

- Eu sou ele - disse, quase num sussurro.

- Como assim, ele? - Ela tentou sorrir. - O caminho? A luz? Só você leva ao Reino dos Céus?

- É sério. Eu sou o cara que você andou procurando.

Ela quis rir dele, dizer que não ouvia uma cantada tão cafona desde o ano em que tentara acertar as sobrancelhas com lâmina de barbear.

Claire estava com 35 anos. Já havia passado muito da fase de acreditar em amor à primeira vista. Era isso que pretendia dizer, a resposta que formulou mentalmente. Quando abriu a boca, no entanto, foi seu coração que falou:

- Como é que você sabe?

- Porque eu também andei te procurando.

Claire deu um passinho para trás; apenas o bastante para poder respirar fundo. Ela queria rir dele. De verdade, queria.

- Vem, Claire Cavenaugh - disse ele, baixinho. - Dança comigo.

OITO

Alguns casamentos terminavam com palavras amargas e insultos pesados, outros, com lágrimas e pedidos sussurrados de desculpas; cada um era diferente. A única constante era a tristeza. Na vitória, na derrota ou no empate, quando o juiz batia o martelo na tribuna de madeira, Meghann sempre relaxava. A morte de um sonho era uma coisa muito fria, e na Vara de Família todos sabiam: nenhuma mulher que passava por um divórcio voltava a enxergar o mundo – ou o amor – da mesma maneira.

– Você está bem? – perguntou Meghann a May.

Sua cliente estava sentada, rígida, com as mãos no colo. Vendo de fora, ela parecia serena, quase despreocupada com o drama devastador que acabara de se desenrolar naquela sala de audiências.

Meghann sabia a verdade. Sabia que May tinha chegado ao seu limite e se controlara muito para não gritar.

– Estou bem – disse May, com a respiração curta.

Na verdade, isso também era comum. Em momentos como aquele, as mulheres costumavam começar a respirar como se estivessem em trabalho de parto. Meghann tocou o braço de May.

– Vamos sair para comer alguma coisa, ok?

– Comida – respondeu May, sem aceitar nem rejeitar a ideia.

A juíza se levantou. Sorriu para Meghann, então para George Gutterson, o advogado da outra parte, e saiu da sala.

Meghann ajudou May a se levantar e segurou seu braço para firmá-la enquanto se dirigiam para a porta.

– Sua vagabunda!

Meghann ouviu May arquejar e sentiu seu corpo enrijecer. Sua cliente cambaleou e parou.

Dale Monroe avançou, o rosto tão vermelho que parecia quase roxo. Uma veia saltava do meio da testa.

– Dale – disse George, estendendo a mão para o cliente. – Não faça bobagem...

Dale se desvencilhou do advogado e seguiu em frente.

Meghann, com um movimento ágil, se pôs entre Dale e May.

– Mantenha distância, Sr. Monroe.

– É *Dr.* Monroe, sua vagabunda avarenta.

– Excelente vocabulário. O senhor deve ter frequentado uma boa faculdade. Agora, por favor, para trás. – Ela sentia May trêmula logo atrás, com a respiração acelerada. – Tire o seu cliente de perto de mim, George.

O advogado ergueu as mãos.

– Ele não me escuta.

– Você tirou os meus filhos de mim – disse Dale, olhando direto para Meghann.

– Por acaso, Dr. Monroe, está sugerindo que *eu* fiz a transferência fraudulenta dos bens que dividia com a minha esposa... ou que *eu* roubei dinheiro e ações da minha família? – Ela deu um passo na direção dele. – Não, espera. Talvez esteja sugerindo que *eu* transava com a professora de piano da minha filha toda terça à tarde.

Ele empalideceu. A veia saltou ainda mais. Ele se esgueirou para o lado, tentando fazer contato visual com a esposa.

Ex-esposa.

– May, por favor. Você me conhece. Eu não fiz essas coisas. Eu teria te dado tudo o que você quisesse. Mas as crianças... eu não posso vê-las só aos fins de semana e nas férias.

Ele parecia sincero. Se Meghann não conhecesse a verdade, talvez acreditasse que ele estava chateado por causa dos filhos.

Ela respondeu rápido, antecipando-se a May:

– A separação dos bens foi inteiramente justa e correta, Dr. Monroe. As questões de custódia também foram resolvidas de maneira justa. Quando o senhor se acalmar, tenho certeza de que vai concordar. Todos ouvimos os depoimentos que refletiam o seu estilo de vida. O senhor saía de casa às seis da manhã, antes de as crianças acordarem, e raramente retornava antes das dez da noite, depois que elas já estavam na cama. Os fins de semana o senhor passava com seus amigos, jogando golfe e pôquer. Ora, provavelmente o senhor vai ver mais seus filhos agora do que quando residia na mesma casa.

Meghann sorriu, satisfeita. Fora um discurso inteligente e bem pensado. Ele não tinha como discordar. George permanecia em silêncio ao lado do cliente e parecia prestes a vomitar.

– Quem você pensa que é? – sussurrou Dale em tom grosseiro, dando um passo em direção a ela e cerrando os punhos junto ao corpo.

– Você vai me bater, Dale? Vá em frente. Perca de uma vez o direito de ver os seus filhos.

Ele hesitou.

Ela deu um passo em direção a ele.

– E se *algum dia* você bater na May de novo, ou sequer encostar nela com mais força, vai ter que voltar a esta sala. E o que vai estar em jogo não vai ser dinheiro. Vai ser a sua liberdade.

– Você está me *ameaçando*?

– Estou? – retrucou ela, encarando-o. – Sim. Estou. Estamos claros em relação a isso? Fique longe da minha cliente, senão eu vou transformar a sua vida em um verdadeiro inferno. Você vai parar na frente da casa de quinze em quinze dias e esperar seus filhos saírem. Vai devolver as crianças na hora certa, conforme o acordado, e esse será o único contato que você vai ter com a May. Entendido?

May tocou o braço dela e se aproximou.

– Vamos – sussurrou.

Meghann ouviu o cansaço na voz da mulher, o que a fez se lembrar do próprio divórcio. Ela fizera muito esforço para se manter forte, mas no instante em que saiu do fórum, desabou feito uma ponte velha; simplesmente desmoronou. Grande parte dela jamais voltou a se reerguer.

Ela pegou a maleta sobre a mesa de carvalho e, com a outra mão, agarrou o punho de May. De mãos dadas, saíram do fórum.

– Você vai pagar por isso! – gritou Dale atrás delas.

Então algo se chocou contra o chão.

Meghann imaginou que fosse a outra mesa de carvalho.

Não olhou para trás. Em vez disso, segurou firme o pulso de May e a conduziu até o elevador.

No instante em que a porta se fechou, May irrompeu em lágrimas.

Meghann suavizou a pressão na mão dela.

– Eu sei que parece impossível agora, mas a vida vai melhorar. Eu prometo. Não agora, não daqui a pouco, mas vai melhorar.

Lá fora o céu estava pesado e tomado de nuvens cinzentas. Uma chuva lúgubre caía sobre as ruas apinhadas de carros. Não se via o sol. Decerto havia seguido os gansos rumo ao sul, para lugares como a Flórida e a Califórnia. Não retornaria ao oeste de Washington até o início de julho.

As duas caminharam até o Judicial Annex, o restaurante favorito do pessoal da Vara de Família.

Ao chegarem à porta da frente, o terno de Meghann já estava úmido. Manchas cinzentas maculavam o colarinho da camisa de seda branca. Se havia um acessório que ninguém usava naquela cidade era guarda-chuva.

– Oi, Meg – cumprimentaram alguns colegas enquanto ela caminhava até uma mesa vazia nos fundos.

Puxou uma cadeira para May e sentaram-se frente a frente.

Logo depois uma garçonete com ar cansado parou ao lado delas e puxou um lápis do rabo de cavalo.

– É dia de champanhe ou de martíni? – perguntou a Meghann.

– Champanhe, com certeza. Obrigada.

May a encarou.

– A gente não vai mesmo tomar champanhe, vai?

– May. Você agora é milionária. Os seus filhos podem fazer doutorado em Harvard, se quiserem. Você tem uma linda casa em Medina, de frente para o lago. O Dale, por outro lado, mora em um apartamento de 120 metros quadrados em Kirkland. E você tem a guarda total das crianças. Caramba, nós vamos comemorar, sim.

– O que aconteceu com você?

– Como assim?

– A minha vida foi atingida por um míssil. O homem que eu amo foi embora. E agora, para piorar, eu descobri que talvez ele só tenha existido na minha imaginação. Tenho que conviver com o fato de que não apenas estou sozinha, mas pelo visto ainda fui uma idiota. Os meus filhos vão viver em uma família separada, sabendo que o amor acaba e que promessas nem sempre são cumpridas. Eles vão sobreviver, claro. A gente sobrevive. Mas nunca se recupera. Eu vou ter dinheiro. Bela porcaria. Você tem dinheiro, eu presumo. Mas você dorme com o seu dinheiro à noite? Ele te abraça quando você acorda assustada por causa de um pesadelo?

– O Dale fazia isso?

– Muito tempo atrás, sim. Infelizmente, é desse homem que eu me lembro.

May olhou para a própria mão, para a aliança ainda no dedo.

– Eu estou arrasada – prosseguiu ela. – E você aí bebendo champanhe. – Ela tornou a erguer o olhar. – Qual é o seu problema?

– Esse trabalho às vezes é difícil – respondeu Meghann, com sinceridade. – Às vezes, a única maneira de seguir em frente é...

Uma confusão explodiu no restaurante. Um vidro se estilhaçou. Uma mesa desabou no chão. Uma mulher gritou.

– Ai, meu Deus – sussurrou May.

Seu rosto estava pálido. Meghann franziu o cenho.

– Que mer...? – Ela se virou na cadeira.

Dale estava na porta, com uma arma na mão. Quando Meghann o encarou, ele sorriu e passou por cima de uma cadeira caída. Mas não havia humor em seu sorriso; na verdade, ele parecia estar chorando.

Ou talvez fosse a chuva.

– Baixa essa arma, Dale – disse Meghann, com a voz surpreendentemente calma.

– Acabou a sua vez de falar, doutora.

Uma mulher de terno preto listrado rastejou pelo chão. Foi avançando lentamente até chegar à porta. Então se levantou e saiu correndo.

Dale não percebeu, ou não ligou. Só tinha olhos para Meghann.

– Você acabou com a minha vida.

– Baixa a arma, Dale. Você não quer fazer uma besteira.

– Eu já fiz uma besteira. – A voz dele falhou, e Meghann percebeu que ele estava *mesmo* chorando. – Eu arrumei uma amante, fiquei ganancioso e esqueci quanto amo a minha esposa.

May começou a se levantar. Meghann a segurou, forçou-a a se abaixar, então ela mesma se levantou, com as mãos para o alto, o coração parecendo um martelo tentando arrebentar o peito.

– Anda, Dale. Baixa essa arma. Vamos procurar ajuda para você.

– Onde é que estava a sua ajuda quando eu tentei dizer à minha esposa que estava arrependido?

– Eu cometi um erro. Me perdoe. Desta vez vamos todos nos sentar e conversar.

– Você acha que eu não tenho noção de quanto estou ferrado? Acredite, doutora, eu *sei*. – A voz dele embargou outra vez. Lágrimas escorreram. – Meu Deus, May, como foi que eu cheguei a este ponto?

– Dale – disse Meghann, com a voz calma e segura. – Eu sei quanto...

– *Cala a boca*. A culpa é sua. Foi você quem fez tudo isso.

Ele ergueu a arma, mirou e apertou o gatilho.

Joe acordou com febre e dor de garganta. Uma tosse seca e curta o fez se levantar antes mesmo de abrir os olhos. Ele ficou sentado, de olhos embotados, morrendo de sede.

Uma camada brilhosa de geada cobria seu saco de dormir, comprovando a altitude em que estava. Embora os dias naquela parte do estado fossem quentes feito o inferno, as noites eram muito frias.

Ele deu outra tossida e saiu do saco de dormir. Suas mãos tremiam ao enrolar o saco e amarrá-lo na mochila. Cambaleando, saiu da mata ainda escura e emergiu no dia ensolarado feito um animal atordoado. O sol nervoso já escalava o céu sem nuvens.

Joe vasculhou a mochila atrás da escova e da pasta de dentes e do sabonete. Agachado à margem do Icicle Creek, preparou-se para começar o dia.

Sentia-se tão fraco que escovar os dentes era como correr a maratona de Boston.

Ele olhou o próprio reflexo no rio. Embora sua imagem tremulasse na correnteza, as águas a captavam com surpreendente clareza. Seu cabelo realmente estava comprido demais, emaranhado como o arbusto onde passara as últimas noites. Uma barba espessa cobria seu rosto; uma combinação de preto e cinza, como uma colcha de retalhos. Suas pálpebras pendiam, cansadas e derrotadas.

E aquele era o dia em que faria 43 anos.

Em outra época - outra vida -, aquele seria um dia de comemoração ao lado da família. Diana sempre adorara festas; organizava tudo em dois tempos. Quando ele fez 38 anos, ela fechou o Space Needle e contratou um sósia do Bruce Springsteen para cantar a trilha sonora da juventude deles. O lugar ficou lotado de amigos. Todos queriam comemorar o aniversário de Joe.

Naquela época...

Com um suspiro, ele se levantou. Conferiu rapidamente a carteira e os bolsos e lembrou que estava quase sem dinheiro de novo. O que ganhara na última semana cortando grama tinha praticamente acabado.

Joe pendurou a mochila nos ombros, seguiu o rio sinuoso e saiu da Floresta Nacional. Ao chegar à rodovia, o suor pingava da sua testa. Estava pegando fogo. A febre devia ter chegado a uns 38 graus, no mínimo.

Ele encarou o rio negro de asfalto que descia até a cidadezinha de Leavenworth. Do outro lado, pinheiros verdes, compridos e estreitos montavam guarda.

A cidade ficava a cerca de 1,5 quilômetro de distância. Já divisava as construções de inspiração bávara, os semáforos e outdoors. Ele sabia que aquela era o tipo de cidade que vendia enfeites de Natal artesanais o ano todo e abrigava uma pousadinha a cada esquina. O tipo de lugar que acolhia seus turistas e visitantes de braços abertos.

Menos os que tinham o aspecto e o cheiro de Joe.

Ainda assim, ele estava cansado demais para subir a colina, de modo que começou a rumar para a cidade. Seus pés latejavam e seu estômago doía. Havia dias que não fazia uma boa refeição. No dia anterior sobrevivera de maçãs verdes e do último pedaço de charque.

Ao chegar à cidade, a dor de cabeça era quase insuportável. Apesar disso, passou duas horas batendo de porta em porta, em busca de um trabalho temporário.

Não conseguiu.

Por fim, na loja de conveniência do posto Chevron, gastou seus últimos 2 dólares em uma aspirina, que engoliu com água da pia enferrujada de um banheiro público. Depois disso, ficou parado no corredor de salgadinhos, encarando os produtos com um olhar perdido.

Milho torrado cairia bem agora...

Ou batatinhas chips.

Ou...

– O senhor vai comprar alguma coisa? – perguntou o jovem atrás do balcão do caixa.

Sua camiseta marrom surrada tinha os dizeres: *Interrompemos este casamento para anunciar a temporada de caça aos alces.*

Joe olhou o relógio e espantou-se ao perceber que estava ali havia mais de uma hora. Meneou a cabeça para o rapaz, levou o cantil para o banheiro e encheu de água, usou as instalações e saiu. Parou no caixa, tomando o cuidado de não fazer contato visual, e perguntou se havia algum lugar oferecendo trabalho de meio período.

– A fazenda Darrington às vezes contrata temporários. Em geral em época de colheita. Não sei agora. E o Whiskey Creek Lodge precisa de pessoal para manutenção durante a corrida do salmão.

Colher frutas ou estripar peixes. Ele já havia feito muito isso nos últimos três anos.

– Valeu.

– Ei. Você parece doente. – O garoto franziu o cenho. – Eu te conheço de algum lugar?

– Eu estou bem. Obrigado – disse, ignorando a pergunta.

Joe seguiu em frente, temendo cambalear e cair caso ficasse parado por muito tempo. Acabaria acordando em um hospital ou uma cela de prisão. Não sabia ao certo qual dos destinos era pior. Os dois traziam lembranças terríveis.

Estava do lado de fora da loja esperando a aspirina fazer efeito quando o primeiro pingo de chuva caiu. Um pingo grande e pesado bem em cima do olho dele. Joe ergueu a cabeça e viu o céu ficar subitamente preto.

– Droga.

Segundos depois, a tempestade desabou. Uma chuva torrencial que pareceu cravá-lo ao chão.

Ele fechou os olhos e baixou a cabeça.

Agora a gripe viraria uma pneumonia. Mais uma noite dormindo ao relento, de roupa molhada, e não haveria escapatória.

Foi então que compreendeu que não podia mais viver daquele jeito. Estava farto de tanto cansaço e exaustão.

Casa.

A ideia o atingiu feito uma brisa suave, afastando-o daquele lugar horrível onde a chuva caía. Ele fechou os olhos e pensou na cidadezinha onde havia sido criado, onde participara da equipe local de beisebol e trabalhara em uma oficina, depois da escola, por todos os verões até ir para a faculdade. Se alguma cidade fosse aceitá-lo depois do que havia feito, seria aquela.

Talvez.

Devagar, sentindo um misto de medo e expectativa, seguiu até a cabine telefônica e entrou no espaço silencioso. Agora a chuva era apenas um ruído, como as batidas de seu coração: rápido, resfolegante.

Ele soltou um longo suspiro, pegou o telefone e fez uma ligação a cobrar.

– Ei, maninha – disse, quando ela atendeu. – Tudo bem?

– Ai, meu *Deus*. Já estava mais do que na hora. Eu estava preocupada com você, Joey. Você não liga... faz o quê? Oito meses? E quando ligou estava com uma voz horrível.

Ele se lembrava daquela ligação. Estava em Sedona. A cidade toda parecia revestida de cristais, aguardando contato alienígena. Ele pensou que Diana o tivesse conduzido até lá, mas claro que não. Era apenas mais uma cidade. Ele ligara para a irmã no dia do aniversário dela. Naquela época, achava que voltaria para casa a qualquer momento.

– Eu sei. Me desculpa.

Ela suspirou outra vez e ele visualizou a irmã: parada em frente à bancada da cozinha, escrevendo uma lista de tarefas – compras, caronas, aulas de natação. Ele duvidava que ela tivesse mudado muito nos últimos três anos, mas desejou saber com certeza. A saudade brotou, dolorosa; era por isso que nunca telefonava. Doía demais.

– Como vai a minha sobrinha linda?

– Está ótima.

Ele notou algo estranho na voz dela.

– O que houve?

– Nada – respondeu ela, e acrescentou em tom mais suave: – Estou precisando do meu irmão mais velho, só isso. Já passou tempo suficiente?

Essa era a pergunta crucial.

– Eu não sei. Estou cansado, é tudo que posso dizer. As pessoas já esqueceram?

– Não me fazem mais tantas perguntas.

Então alguns haviam esquecido, mas não todos. Se ele voltasse, a lembrança voltaria junto. Joe não sabia se tinha forças para enfrentar o próprio passado. Quando ainda era presente, não tivera.

– Volte para casa, Joey. Está mais do que na hora. Você não pode passar o resto da vida se escondendo. E... eu preciso de você.

Joe a ouviu chorando; um lamento baixinho, que mexeu com ele.

– Não chora. Por favor.

– Não estou chorando. Estou cortando cebola para o jantar. – Ela fungou. – A sua sobrinha está passando por uma fase de espaguete. Não quer comer outra coisa.

Ela tentou rir.

Joe gostou que ela tentasse soar normal, por mais forçado que fosse.

– Faz pra ela aquele espaguete da mamãe. A mania vai acabar na hora.

Ela riu.

– Nossa, eu tinha esquecido. Era horrível.

– Melhor que as almôndegas.

Depois disso, um silêncio pesou entre eles.

– Você precisa se perdoar, Joey – disse ela, baixinho.

– Certas coisas são imperdoáveis.

– Então pelo menos volte para casa. Aqui tem gente que te ama.

– Eu quero. Não posso mais... viver desse jeito.

– Espero que tenha sido por isso que você ligou.

– Eu também espero.

Era um dia raríssimo no centro de Seattle: quente e úmido. Uma névoa cinzenta pairava sobre a cidade, lembrando a todos que muitos carros cruzavam as inúmeras rodovias daquele canto outrora puro do país. Não havia brisa. A enseada de Puget estava parada feito um lago no verão. Até as montanhas pareciam menores, como se também tivessem sido derrubadas pelo calor inesperado.

Se estava quente do lado de fora, estava uma fornalha dentro do fórum. Um antigo aparelho de ar condicionado jazia feito um elefante em uma janela aberta, fazendo ruídos abafados. Uma fita branca amarrada à frente do aparelho drapejava vez ou outra, meio derrotada.

Meghann encarava o bloco de anotações à sua frente. Havia canetas pretas enfileiradas de um dos lados. A mesa de trabalho, marcada por décadas de clientes e advogados, equilibrava-se sobre pés meio bambos.

Ela não havia escrito uma palavra.

Isso era estranho, porque, em geral, sua caneta era a única coisa que trabalhava tão depressa quanto sua mente.

– Sra. Dontess. – A voz soou com um pigarro. – *Sra. Dontess.*

A juíza falava com ela.

Meghann piscou devagar.

– Me desculpe.

Ela se levantou e afastou o cabelo do rosto num gesto automático. Naquele dia, porém, estava usando o cabelo preso em um coque.

A juíza, uma mulher magra feito uma garça, sem colarinho aparecendo sob o decote em V da túnica, parecia irritada.

– Quais são as suas considerações a respeito?

Meghann sentiu um lampejo de preocupação, quase pânico. Olhou outra vez a prancheta. Suas mãos começaram a tremer. A caneta cara caiu de seus dedos e rolou da mesa com um ruído.

– Aproxime-se da tribuna – disse a juíza.

Meghann não olhou para os lados. Não queria fazer contato visual com o advogado da contraparte. Estava fraca, trêmula, e sabia que todos haviam percebido isso.

Tentou parecer confiante; talvez funcionasse. Enquanto cruzava o piso de madeira, ouviu os saltos estalando a cada passo. O som parecia uma exclamação a pontuar cada respiração.

Em frente à tribuna alta de carvalho, ela parou e ergueu os olhos. Respirou fundo e se forçou a manter as mãos relaxadas nas laterais do corpo.

– Sim, Excelência? – Sua voz, felizmente, saiu normal. Forte.

A juíza se inclinou para a frente.

– Todos sabemos o que aconteceu semana passada, Meghann – disse, baixinho. – Aquela bala não a acertou por muito pouco. Tem certeza de que está pronta para voltar ao trabalho?

– Estou – respondeu Meghann, agora com a voz mais tranquila.

Mas sua mão ainda tremia.

A juíza a encarou por um tempo, então pigarreou outra vez e assentiu.

– Pode retornar.

Meghann voltou para a mesa. John Heinreid se aproximou; os dois já tinham sido adversários em dezenas de casos. Frequentemente, depois de um longo dia no tribunal, saíam para beber uma taça de vinho e comer ostras.

– Tem certeza de que está tudo bem? Por mim, a gente pode adiar tudo por uns dias.

Ela respondeu sem olhar para ele:

– Obrigada, John. Eu estou bem.

Ela chegou à mesa e se sentou. Sua cliente, uma dona de casa da ilha Mercer que não tinha a menor condição de viver com 19 mil dólares por mês, olhou para ela espantada.

– O que houve? – sussurrou, retorcendo a corrente dourada da bolsa Chanel.

– Não se preocupe – respondeu Meghann.

– Vou recomeçar, Excelência – disse John. – O meu cliente gostaria de suspender os procedimentos por um curto período, de modo que ele e a Sra. Miller possam procurar uma terapia. Afinal de contas, há crianças pequenas envolvidas. Ele gostaria de dar ao casamento todas as chances de se recuperar.

Meghann espalmou as mãos na mesa e se levantou, devagar, ouvindo sua cliente murmurar:

– Sem chance.

Então teve um branco. Não conseguia pensar em um único argumento. Ao fechar os olhos, tentando se concentrar, ouviu uma voz diferente, rouca e desesperada. *A culpa é sua.* Viu a arma apontada para ela, ouviu o eco do tiro. Quando abriu os olhos, todos na sala a encaravam. Ela havia se encolhido ou gritado? *Merda.* Não fazia ideia.

– A minha cliente acredita que o casamento não tem volta, Excelência. Não vê benefício em terapia.

– Não vê benefício? – respondeu John. – Sem dúvida, depois de quinze anos juntos, não vai doer passar umas horas com um terapeuta. Meu cliente acredita que o bem-estar das crianças deveria ser o maior interesse aqui. Só está pedindo uma oportunidade de salvar sua família.

Meghann virou-se para a cliente.

– É um pedido razoável, Celene – sussurrou. – Não vai ser bom para a sua imagem se a gente discutir diante da juíza.

– Ah. Eu acho... – Celene franziu o cenho.

Meghann voltou a atenção à tribuna.

– Pedimos limite de tempo e uma data para acompanhamento em tribunal a ser determinada agora.

– Nós concordamos, Excelência – disse John.

Meghann ficou parada, trêmula, enquanto os detalhes eram acertados. Suas mãos ainda tremiam e um espasmo começou em sua pálpebra esquerda. De modo automático, ela remexeu na pasta.

– Espera. O que foi tudo isso? – sussurrou Celene.

– Nós concordamos com a terapia. Por alguns meses. Nada mais. Talvez...

– Terapia? Nós já tentamos fazer terapia... ou você esqueceu? Também tentamos hipnose, férias românticas, passamos até uma semana em um retiro de autoajuda para casais. Nada disso adiantou. E você sabe por quê?

Meghann havia se esquecido de tudo. A informação que devia estar bem à mão tinha desaparecido.

– Ah – foi só o que disse.

– Não adiantou porque ele não me ama – respondeu Celene, com voz embargada. – O Sr. Software gosta de garotos de programa, lembra? Sexo oral debaixo do viaduto e em cinemas pornô.

– Me desculpa, Celene.

– Desculpa? *Desculpa*? Meus filhos e eu precisamos recomeçar, não reviver as mesmas merdas.

– Você tem razão. Eu vou consertar isso. Prometo.

E ela consertaria. Um telefonema para John Heinreid ameaçando revelar as preferências sexuais do Sr. Miller e o assunto se encerraria no mesmo instante. E sem alarde.

Celene suspirou.

– Olha, eu sei o que aconteceu na semana passada. Passou em todos os canais de tevê. Sinto muito por aquela moça... e por você. Eu sei que aquele homem tentou te matar. Mas eu preciso ser prioridade. Uma vez na vida. Você entende?

Por um momento horrível, Meghann achou que fosse perder o controle. Como tinha olhado para Celene Miller e visto apenas outra dona de casa mimada e mal-acostumada?

– Você *precisa* cuidar de si mesma. Eu fiz bobagem. Mas vou consertar, e você não vai pagar um centavo por esse divórcio. Ok? Pode confiar em mim de novo?

A expressão de Celene relaxou.

– Confiar nos outros sempre foi fácil para mim. Por isso acabei aqui.

– Eu vou falar com o John agora mesmo. Amanhã conversamos sobre o que ficou acertado.

Celene tentou sorrir, corajosa.

– Tudo bem.

Meghann pôs a mão na mesa em busca de apoio enquanto observava a cliente sair do fórum. Depois que Celene se retirou, Meghann soltou um suspiro pesado. Não havia percebido que estava prendendo a respiração.

Ela pegou o bloco de anotações e percebeu os dedos trêmulos. *O que está acontecendo comigo?*

Uma mão apertou seu ombro e ela pulou de susto.

– Meg?

Era Julie Gorset, sua sócia.

– Oi, Jules. Me diz que você não estava aqui na sala.

Julie a olhou com tristeza.

– Eu estava. E a gente precisa conversar.

No verão, o Mercado Público de Pike Place ficava abarrotado de gente durante o dia. De noite, estava tranquilo. Vendedores suados se ocupavam de recolher seus artigos artesanais e carregá-los em veículos estacionados do lado de fora, na rua de pedra. No ar noturno ecoava o silvo da marcha a ré dos caminhões de entrega.

Meghann estava parada na porta do Athenian. Uma fumaceira de cigarro dominava o bar; a extensa vista da enseada de Puget cintilava nos pequenos vãos entre os clientes. Havia umas trinta pessoas ali, sem dúvida virando ostras cruas direto da coqueteleira. Era tradição da casa.

Ela foi olhando de mesa em mesa. Eram muitas as possibilidades. Homens solteiros vestindo ternos caros, universitários em shorts desfiados exibindo as cuecas xadrez.

Ela poderia entrar, abrir seu sorriso fatal e encontrar companhia. Por algumas horas, poderia ser a metade de um casal, por mais frágil que fosse o arranjo. Pelo menos não teria que pensar. Nem sentir.

Ela fez menção de dar um passo à frente, mas tropeçou na soleira e cambaleou para o lado, esbarrando no batente da porta.

Então, de repente, só conseguia pensar no que de fato aconteceria. Ela conheceria algum cara cujo nome não teria importância, deixaria que ele tocasse seu corpo e a penetrasse... e acabaria ainda mais sozinha do que antes.

O espasmo no olho esquerdo recomeçou.

Meghann enfiou a mão na bolsa e pegou o celular. Já havia deixado um recado desesperado na caixa de mensagens de Elizabeth, pedindo que ela retornasse à ligação, quando lembrou que a amiga estava em Paris.

Não havia mais ninguém com quem falar. A menos que...

Não faça isso.

Mas ela não conseguia pensar em mais ninguém a quem recorrer.

Digitou o número, mordendo o lábio enquanto o telefone chamava. Estava prestes a desligar quando uma voz atendeu.

– Alô? Alô...? Meghann? Eu reconheci o número do seu celular.

– Eu vou processar o inventor do identificador de chamadas. Ele acabou com a tradição de desligar na cara das pessoas.

– São oito e meia da noite. Por que você me ligou? – perguntou Harriet.

– A minha pálpebra esquerda está tremendo feito uma bandeirola. Eu preciso de uma receita de relaxante muscular.

– A gente conversou sobre reação tardia, lembra?

– Lembro. Estresse pós-traumático. Achei que você estivesse falando em depressão, não da minha pálpebra tentando pular pra fora do olho. E... minhas mãos estão tremendo. Seria uma *péssima* semana para começar a tricotar.

– Onde é que você está?

Meghann considerou mentir, mas Harriet tinha ouvidos de cão de caça; certamente estava ouvindo os sons do bar.

– Do lado de fora do Athenian.

– Claro. Chego ao consultório daqui a meia hora.

– Não precisa. É só me passar uma receita...

– Meu consultório. Meia hora. Se não aparecer, eu vou atrás de você. E nada melhor para afugentar universitários bêbados que uma psiquiatra irritada chamada Harriet. Entendido?

Para falar a verdade, Meghann ficou aliviada. Harriet podia ser um pé no saco, mas pelo menos era alguém com quem podia conversar.

– Tá, eu vou.

Meghann desligou e guardou o celular de volta na bolsa. Levou menos de quinze minutos para chegar ao consultório de Harriet. O porteiro abriu a porta para ela, e depois apontou para o elevador. Ela subiu até o quarto andar e parou em frente à porta de vidro do consultório.

Às nove horas em ponto, Harriet apareceu, com jeito de quem se arrumara às pressas. Seu cabelo, em geral muito bem penteado, estava preso por uma tiara fina, e seu rosto rosado estava sem maquiagem.

– Se fizer piada com a tiara, cobro o dobro pela sessão.

– Eu? Julgando os outros? Você só pode estar de brincadeira.

Harriet sorriu com o comentário. Debatiam com frequência sobre como Meghann era rápida em julgar; era um de seus inúmeros defeitos.

– Eu tive que escolher entre chegar na hora ou estar apresentável.

– Você claramente chegou na hora.

– Entra.

Harriet destrancou e empurrou a porta.

Mesmo àquela hora da noite, o consultório cheirava a flores frescas e couro curtido. A familiaridade do ambiente fez Meghann relaxar no mesmo instante. Ela atravessou a sala de espera até o grande consultório e foi caminhando direto para a janela. Lá embaixo, a cidade era uma rede de carros em movimento e sinais de trânsito.

Harriet sentou-se em seu lugar de costume.

– Então, você acha que uma receita vai ajudar.

Meghann virou-se, devagar. Sua pálpebra pulsava feito um metrônomo.

– Ou isso ou um cão-guia. Se o outro olho pipocar, eu fico cega.

– Senta, Meghann.

– É mesmo necessário?

– Bom, não. Eu posso voltar para casa e terminar meu episódio de *Friends*.

– Você vê *Friends*? Eu podia jurar que você era mais do tipo que assiste à BBC. Ou talvez ao Discovery Channel.

– Senta.

Meghann obedeceu e foi envolvida pela confortável poltrona.

– Eu me lembro da época em que odiava essa cadeira. Agora ela parece feita para mim.

Harriet uniu as mãos e olhou Meghann por sobre as unhas curtas e pintadas.

– Hoje faz uma semana, não é? Que o marido da sua cliente tentou atirar em você.

Meghann começou a bater os pés no chão. O carpete cinza abafou o som.

– Isso. O mais engraçado é que a repercussão me trouxe novas clientes. Parece que as mulheres *querem* uma advogada capaz de enlouquecer um homem a esse ponto.

Ela tentou sorrir.

– Eu falei que você ia precisar lidar com isso.

– Pois é, você falou. Me lembre de colocar uma estrelinha dourada lá na porta, do lado do seu nome.

– Está conseguindo dormir?

– Não. Toda vez que eu fecho os olhos, me vem tudo de novo à cabeça. A bala passando zunindo perto da minha orelha... ele largando a arma, caindo de joelhos... May correndo até ele, dizendo que ia ficar tudo bem, que ela ficaria do lado dele... a polícia levando ele embora algemado. Hoje eu revivi tudo aquilo no tribunal. – Ela ergueu o olhar. – Foi ótimo, inclusive.

– A culpa não é sua. Quem fez isso foi ele.

– Eu sei. E também sei que lidei mal com esse divórcio. Perdi a capacidade de sentir empatia pelos outros. – Ela suspirou. – Eu não sei... se ainda consigo fazer esse trabalho. Hoje eu ferrei completamente uma cliente. Minha sócia me pediu... me mandou, na verdade... tirar umas férias.

– Pode ser uma boa ideia. Não te faria mal viver um pouco.

– Será que eu vou me sentir melhor em Londres ou em Roma... sozinha?

– Por que você não liga para a Claire? Vai passar uma temporada no resort dela. Tenta relaxar. Talvez se aproximar um pouco dela.

– O problema de ir visitar os parentes é que a gente precisa ser convidada.

– Está dizendo que Claire não iria querer te receber?

– Claro que não. A gente não consegue conversar por cinco minutos sem começar uma discussão.

– Você pode ir visitar a sua mãe.

– Prefiro contrair a febre do Nilo Ocidental.

– E a Elizabeth?

– Está com o Jack na Europa, comemorando o aniversário de casamento. Acho que eles não iam gostar de visita.

– Então, o que você está dizendo é que não tem aonde ir nem ninguém para visitar.

– Eu só disse... Bem, para onde eu iria?

Fora um erro ir àquela sessão. Harriet estava piorando ainda mais as coisas.

– Olha, Harriet – disse Meghann, com a voz mais calma que de costume, meio trêmula. – Eu estou desmoronando. É como se eu estivesse me perdendo. A única coisa que eu quero de você é um remédio para melhorar um pouco essa sensação. Você me conhece, amanhã ou depois já vou estar melhor.

– A Rainha da Negação.

– Quando uma coisa funciona para mim, eu sigo com ela.

– Só que a negação não está funcionando mais, está? É por isso que a sua pálpebra e suas mãos estão tremendo e é por isso que você não consegue dormir. Você está pifando.

– Eu não vou pifar. Pode confiar.

– Meghann, você é uma das mulheres mais inteligentes que eu já conheci. Inteligente demais, talvez. Você já lidou com muitos traumas na vida e conseguiu superar. Mas não pode continuar fugindo para sempre. Um dia você vai ter que acertar os ponteiros com a Claire.

– O marido de uma cliente tenta estourar os meus miolos, eu tenho um surto, e você muda o assunto para a minha família. Tem certeza de que é mesmo médica?

– Basta eu mencionar a Claire que você fica na defensiva. Por quê?

– Porque isso não tem nada a ver com a Claire, que saco!

– Cedo ou tarde, Meg, a questão recai na família. O passado tem uma forma irritante de se fazer presente.

– Uma vez eu tirei um biscoito da sorte que dizia a mesma coisa.

– Você está desviando do assunto outra vez.

– Não. Estou rejeitando o assunto. – Meghann se levantou. – Quer dizer que você não vai me dar a receita do relaxante muscular?

– Não ajudaria no tremor.

– Beleza. Vou comprar um tapa-olho.

Harriet se levantou devagar. Elas se encararam de lados opostos da mesa.

– Por que você não me deixa te ajudar?

Meghann engoliu em seco. Já havia feito aquela pergunta a si mesma inúmeras vezes.

– O que você quer de mim, afinal? – perguntou Harriet.

– Não sei.

– Sabe, sim.

– Bom, se você sabe a resposta, por que está perguntando?

– Você quer parar de se sentir tão sozinha.

Um calafrio percorreu Meghann.

– Eu sempre fui sozinha. Já me acostumei.

– Não. Nem sempre.

Os pensamentos de Meghann retornaram àqueles anos, agora tão distantes, quando ela e Claire eram inseparáveis, melhores amigas. Naquela época, Meg soubera amar.

Chega. Aquilo não estava levando a lugar nenhum.

Harriet estava errada. Aquilo não tinha nada a ver com o passado. Então Meg se sentia culpada pela forma como abandonara a irmã, e ficara magoada quando Claire a rejeitou e escolheu Sam. E daí? Eram águas passadas havia 26 anos. Não se afogaria nelas agora.

– Bom, eu estou sozinha agora, não estou? E é melhor dar logo um jeito de segurar minha própria onda. Obrigada pela ajuda, aliás. – Ela pegou a bolsa e se virou para a porta. – Mande a conta da sessão de hoje para a minha secretária. Pode cobrar quanto quiser. Adeus, Harriet.

Disse adeus, em vez de desejar boa-noite, pois não tinha a menor intenção de retornar.

Estava na porta quando foi detida pela voz de Harriet.

– Se cuida, Meghann. Ainda mais agora. Não se deixe consumir pela solidão.

Meghann continuou andando, saiu pela porta, entrou no elevador, cruzou o saguão.

Do lado de fora, olhou o relógio.

Eram 21h40.

Ainda dava tempo de ir ao Athenian.

NOVE

Joe estava esparramado no banco do carona de um caminhão de oito eixos, encostado na janela. O ar-condicionado havia sido desligado mais de 60 quilômetros atrás e a cabine estava quente como o inferno.

O motorista, um cara chamado Erv, pisou no freio e trocou de marcha. O caminhão grunhiu, estremeceu e desacelerou.

– Essa é a saída de Hayden.

Ao ver a placa familiar, Joe não soube o que sentir. Fazia tempo que não ia lá.

Meu lar.

Não. Era onde ele havia crescido; seu lar era outro – mais precisamente *outra pessoa*. E ela não estaria esperando por ele.

O viaduto da saída contornava a rodovia, terminando em uma avenida de três faixas. Do lado esquerdo havia um posto de gasolina e um mercadinho.

Erv encostou perto da bomba e parou com um rangido. O caminhão emitiu um chiado alto, depois emudeceu.

– A lojinha ali faz uns sanduíches de salada de ovo deliciosos, se você estiver com fome.

Erv abriu a porta e saiu.

Joe agarrou a maçaneta e empurrou a porta com força. Ela se abriu com um rangido e ele pisou no chão daquela parte de Washington pela primeira vez em três anos. Começou a suar frio – se era por conta da febre ou da chegada, não sabia.

Olhou para Erv, que abastecia o caminhão.

– Valeu pela carona.

Erv assentiu.

– Você não fala muito, mas foi boa companhia. A estrada é muito solitária.

– É – disse Joe. – É mesmo.

– Tem certeza que não quer ir até Seattle? É só mais uma hora e meia de viagem. Aqui não tem muita coisa.

Joe encarou a rua comprida. Embora avistasse apenas um pedacinho da cidade, sua lembrança se encarregou de completar o resto.

– Não é bem assim – disse ele, baixinho.

Sua irmã morava logo adiante e estava esperando por ele, apesar de tudo. Se ele batesse à porta, se tivesse coragem, ela o abraçaria tão forte que ele recordaria a sensação de ser amado.

A ideia o reanimou.

– Tchau, Erv.

Joe pendurou a mochila no ombro e começou a caminhar. Em pouco tempo chegou à plaquinha que dava as boas-vindas a Hayden: *População: 872. Lar de Lori Adams, campeã estadual de soletração de 1974.*

A cidade onde ele nascera, crescera e deixara não havia mudado nada. Estava exatamente como ele lembrava: um pequeno conjunto de construções de estilo de faroeste repousando em paz sob o sol quente de junho.

Todos os prédios tinham fachada falsa, e ao longo de uma calçada de madeira se viam estacas para cavalos cravadas aqui e ali. As lojas eram basicamente as mesmas – o restaurante Whitewater, a floricultura Basket Case, o bar local, Mo's Fireside Tavern, o mercadinho Stock 'Em Up. Cada placa ativava uma lembrança, cada porta um dia já o acolhera. Ele já trabalhara como empacotador no mercadinho durante um verão, e no bar do Mo pedira legalmente sua primeira cerveja.

Um dia, fora bem recebido em todos os cantos da cidade.

Agora... não sabia.

Ele soltou um longo suspiro, tentando compreender suas emoções. Passara três anos temendo e desejando aquele retorno, mas agora que de fato estava ali sentia uma curiosa paralisia. Talvez fosse a gripe. Ou a fome. Sem dúvida voltar para casa devia ser mais emocionante. Principalmente depois de uma ausência tão longa, depois de tudo o que ele havia feito.

Ele fez um imenso esforço para *sentir*.

Mas nenhum sentimento o dominou, então Joe recomeçou a caminhar. Passou pelas placas do cruzamento que demarcavam o início da cidade, pela loja de ferramentas e pela pequena padaria.

As pessoas o encaravam; e aqueles olhares viravam expressões sérias quando ele era reconhecido. Os sussurros o deixaram abatido.

Meu Deus, é o Joe Wyatt?

Você viu isso, Myrtle? Era o Joe Wyatt.

Mas que audácia...

Quando tempo faz?

Cada cochicho o fez se encolher ainda mais. Ele baixou a cabeça, enfiou as mãos nos bolsos e seguiu em frente.

Na Azalea Street, virou à esquerda; então, na Cascade, virou à direita.

Por fim, conseguiu respirar outra vez. Ali, a apenas alguns quarteirões da Main Street, o mundo tornou a se aquietar. Casas antiquadas com estrutura de madeira se enfileiravam sobre gramados impecáveis; depois de algumas quadras, os sinais de moradores começaram a escassear.

Quando chegou à Rhododendron Lane, a rua estava quase deserta. Ele passou pela fazenda Craven, tranquila naquela época do ano, antes da colheita de outono, e virou para uma entrada de garagem. *Trainor*, lia-se na caixa de correio. Durante anos e anos, o nome fora *Wyatt*.

A casa era enorme e em formato triangular, assentada sobre um gramado perfeito. Uma cerca de madeira coberta de musgo contornava a propriedade. Flores brotavam por toda parte, coloridas e vibrantes, e uma sebe verde-viva corria em paralelo à cerca. Seu pai construíra aquela casa com as próprias mãos, viga por viga. "Cuidem da casa" fora uma das últimas frases do pai, deitado na cama do hospital, morrendo de tristeza. "A sua mãe amava tanto a casa..."

Joe sentiu um súbito nó na garganta, uma tristeza quase insuportável de tão afetuosa. Sua irmã havia honrado o pedido. Mantivera a propriedade exatamente como sempre fora. Mamãe e papai teriam ficado satisfeitos.

Algo chamou sua atenção. Ao erguer o olhar, ele avistou a silhueta trêmula e incorpórea de uma jovem na varanda, vestida em uma roupa branca e fluida; ela deu uma risadinha e saiu correndo. A imagem era obscura, indistinta e dilacerante.

Diana.

Era uma lembrança; apenas isso.

Dia das Bruxas de 1997. Eles tinham ido buscar a sobrinha de Joe para pedir doces pela vizinhança pela primeira vez. Em sua fantasia de Galadriel, Diana parecia ter uns 25 anos.

– Algum dia, em breve – sussurrara ela aquela noite, pegando a mão dele –, vamos levar nossos filhos para pegar doces.

Poucos meses depois, porém, os dois descobriram por que Diana não conseguia engravidar.

Ele cambaleou, parou na base dos degraus da varanda e olhou a rodovia. *Talvez eu devesse dar meia-volta.*

Aquelas lembranças acabariam com a pouca paz que ele conseguira encontrar.

Não. Não havia encontrado paz longe dali.

Joe subiu os degraus, ouvindo o familiar rangido das tábuas sob seus pés. Depois de uma longa pausa em que ficou ouvindo o martelar acelerado do próprio coração, ele bateu à porta.

Por um instante, tudo ficou em silêncio; então, ele ouviu o ruído de sapatos de sola pesada.

– Já vai! – gritou uma voz.

A porta se abriu. Gina surgiu, ofegante, de moletom preto largo e tamancos verdes de borracha, bochechas coradas e o cabelo castanho despenteado. Ela deu uma olhadela nele, soltou uma exclamação silenciosa e irrompeu em lágrimas.

– Joey...

Gina o abraçou. Por um instante, ele ficou tonto, confuso demais para retribuir. Fazia tanto tempo que não encostavam nele que de alguma forma parecia errado.

– Joey – repetiu ela, aninhando o rosto em seu pescoço.

Joe sentiu aquelas lágrimas quentes e algo dentro dele desmoronou. Ele a abraçou apertado. Toda a sua infância retornou, pairando no aroma de pão assado e no perfume cítrico e doce do xampu da irmã. Ele se lembrou de ter construído para ela um castelo de gravetos à beira do laguinho quando ele mesmo já estava grande demais para brincar, de cuidar dela aos sábados de manhã, de ir buscá-la na escola. Embora tivessem sete anos de diferença, sempre foram uma dupla.

Ela se afastou, fungando e secando os olhos vermelhos.

– Não achei que você fosse voltar de verdade – disse Gina, ajeitando o cabelo e fazendo uma careta. – Ai, droga, estou parecendo uma morta-viva. Eu estava plantando umas flores no quintal dos fundos.

– Você está linda – disse ele com sinceridade.

– Finge que eu não estou com a mesma bunda da vovó Hester.

Ela o segurou pela mão e o arrastou até a sala de estar iluminada pelo sol.

– Eu devia tomar um banho antes de me sentar...

– Deixa disso.

Gina se sentou em um belo sofá amarelo e puxou o irmão para sentar-se ao lado. De repente, Joe ficou desconfortável, deslocado. Sentia o próprio cheiro, a umidade pegajosa de sua pele.

– Você está com cara de doente.

– Estou doente. Minha cabeça está quase explodindo.

Gina se levantou e saiu apressada da sala, mas continuou falando do outro cômodo. Decerto estava com medo de que ele tornasse a desaparecer.

– ... um pouco de água e aspirina! – gritou ela.

Joe estava prestes a dizer alguma coisa – não fazia ideia de quê –, quando viu a foto na cornija da lareira.

Devagar, levantou-se e caminhou até a fotografia.

A imagem mostrava cinco mulheres; quatro usavam vestidos iguais, cor-de-rosa. Todas exibiam sorrisos enormes e seguravam taças de vinho, a maioria vazia. Gina estava na frente e no centro, a única de branco. Diana sorria ao lado dela.

– Oi, Di – sussurrou ele. – Estou em casa.

– Essa é uma das minhas fotos preferidas – disse Gina, chegando por trás dele.

– No final – comentou ele, baixinho –, ela falava de vocês. As Azuladas. Ela deve ter me contado umas cem histórias do lago Chelan.

Gina apertou o ombro do irmão.

– Nós sentimos falta dela.

– Eu sei.

– Nas suas andanças, você encontrou... o que estava procurando?

Ele pensou a respeito.

– Não – respondeu, por fim. – Mas agora que estou aqui, quero ir embora de novo. Para todo lugar que olho, eu a vejo.

– Duvido que tenha sido diferente quando estava longe.

Ele suspirou. Gina tinha razão. Não importava onde estivesse, Diana preenchia seus pensamentos, seus sonhos.

– E agora? – perguntou, encarando a irmã.

– Você está em casa. Isso deve valer de alguma coisa.

– Estou perdido, Gigi. É como se eu estivesse preso no gelo. Não consigo me mexer. Não sei como recomeçar.

Ela tocou o rosto dele.

– Não está vendo? Você já recomeçou. Está aqui.

Ele pousou a mão sobre a dela e ficou pensando no que dizer. Nada lhe veio à mente, então tentou sorrir.

– Onde está a minha sobrinha? E o meu cunhado?

– A Bonnie está no River's Edge, brincando com a Ali.

Joe franziu o cenho e deu um passo para trás.

– E o Rex? Ele não trabalha aos domingos.

– Ele foi embora, Joey. Pediu o divórcio.

Ela não disse "enquanto você estava longe", mas poderia ter dito. Sua irmã mais nova precisara dele, e ele não estivera por perto. Joe a puxou e a abraçou.

Gina começou a chorar. Ele acariciou seus cabelos e sussurrou que estava ali, que não iria a lugar nenhum.

Pela primeira vez em três anos, era verdade.

A mesa de Meghann estava vazia pela primeira vez em mais de uma década. Todos os casos pendentes haviam sido divididos entre os outros advogados. Ela prometera a Julie que tiraria pelo menos três semanas de férias, mas já estava reconsiderando. Que droga faria com tantas horas livres?

Nas últimas duas noites, saíra para jantar e tomar uns drinques com amigos advogados. Infelizmente, a preocupação de todos ficara óbvia. Ninguém mencionou o drama com a arma, e quando Meg fez uma piada sobre sua quase morte, todos ficaram em silêncio. Aquelas noites serviram apenas para reforçar sua sensação de solidão.

Ela pensou em ligar para Harriet, mas desistiu. Passara os últimos dias evitando a médica, chegando a cancelar as sessões rotineiras. A consulta noturna havia sido deprimente e incômoda; a bem da verdade, Meghann já se deprimia bastante sozinha. Não precisava pagar um profissional para isso.

Ela pegou a pasta e a bolsa na gaveta sob a mesa e foi em direção à porta. Permitiu-se uma última olhadela para a sala, que era mais sua casa do que seu próprio apartamento, e fechou a porta em silêncio.

Enquanto atravessava o amplo corredor de mármore, percebeu que os colegas a evitavam. O sucesso era um vírus que todos desejavam pegar. Já o fracasso... Os boatos se espalharam rapidamente. *Dontess está surtando... passou por uma cena no tribunal... é isso o que acontece quando a pessoa não tem vida.*

Os comentários eram feitos na surdina, claro, em sussurros apressados. Afinal de contas, ela era sócia-sênior, o segundo nome na parede em uma área onde a ordem hierárquica era de suma importância. Ainda assim, pela primeira vez na carreira, a estavam questionando, imaginando se a Escrota de Belltown havia perdido a mão. Meghann sentia a mesma curiosidade em seus colegas advogados.

Ela parou em frente à porta fechada da sala de Julia e bateu delicadamente.

– Entre.

Meghann abriu a porta e entrou no escritório iluminado pelo sol da tarde.

– Oi, Julcs.

Julie ergueu os olhos da papelada.

– Oi, Meg. Quer ir tomar um drinque? Talvez comemorar suas primeiras férias em dez anos?

– Que tal comemorar a minha decisão de *não* sair de férias?

– Nem inventa. Eu tirei um mês de férias por ano na última década. Seus únicos momentos de descanso costumam vir num comprimidinho para dormir. – Ela se levantou. – Você está cansada, Meg, só que é teimosa demais para admitir. O que aconteceu na semana passada deixaria qualquer pessoa mal. Você precisa de um descanso. Precisa se permitir sentir. Eu recomendo pelo menos um mês.

– Você já me *viu* descansar?

– Não. E isso corrobora o meu argumento, advogada, não o seu. Para onde você vai?

– Para Bangladesh, talvez. Ouvi dizer que os hotéis são baratíssimos.

– Engraçadinha. Por que não vai para o meu apartamento no Havaí? Uma semana na piscina é exatamente o que um médico recomendaria.

– Não, obrigada. Não bebo nada que venha com um guarda-chuva. Só vou ficar assistindo à TV Justiça ou à CNN. Ouvir a minha própria voz no *Larry King Live.*

– Eu não vou mudar de ideia, por mais drama que você faça. Agora some daqui. As suas férias não vão começar se você não for embora.

– O caso O'Connor...

– Foi adiado.

– A Jill Summerville...

– Audiência de conciliação na sexta. Estou cuidando disso pessoalmente, e vou conduzir o depoimento da Lange na próxima quarta. Está tudo bem, Meg. Pode ir.

– Para onde? – perguntou ela, baixinho, odiando a carência na própria voz.

Julie se aproximou e tocou seu ombro.

– Você tem 42 anos. Se não tem aonde ir e ninguém para visitar, está mais do que na hora de repensar sua vida. Isto aqui é um trabalho. Um trabalho bom pra caramba, é verdade, mas só um trabalho. Você transformou isso tudo na sua vida. Eu deixei, admito... mas está na hora de fazer umas mudanças. Vá encontrar *alguma coisa.*

Meghann abraçou Julie com força. Então, constrangida com a incomum demonstração de afeto, se afastou, deu meia-volta e saiu do escritório a passos firmes.

Do lado de fora, a noite já começava a cair, sugando o calor de mais um dia quente. À medida que se aproximava do Mercado Público, a multidão crescia. Turistas paravam em frente às floriculturas e vitrines das confeitarias. Ela cortou caminho pelo Post Alley e seguiu até seu prédio. Não era um trajeto que fazia com frequência, mas não queria passar na frente do Athenian. Não naquele momento, sentindo-se tão vulnerável. Aquele seria o tipo de noite fácil para cair em desespero e, honestamente, estava cansada disso. A queda era dolorosa demais.

No saguão do prédio, acenou para o porteiro e subiu até o apartamento.

Havia se esquecido de deixar o rádio ligado. Estava um silêncio sepulcral.

Meg jogou as chaves na mesinha do hall de entrada e elas chacoalharam no vaso Lalique com entalhes florais.

O apartamento era belo e organizado, sem um clipe de papel fora do lugar. A faxineira estivera ali durante o dia e removera todos os vestígios da bagunça natural de Meghann. Sem livros, pastas e papéis empilhados por todo canto, o ambiente parecia um quarto de hotel elegante. O tipo de lugar que as pessoas visitavam, não moravam. Havia um par de sofás pretos de tecido brocado, um de frente para o outro, com uma elegante mesinha de centro entre eles. As janelas que davam para a enseada oeste eram todas de vidro. A vista era uma imensidão azul de céu.

Meghann abriu o antigo armário da sala de televisão, de laca branca e dourada, e pegou o controle remoto. Ligou a tevê, desabou em sua poltrona preferida de camurça e colocou os pés no pufe.

Levou menos de cinco segundos para reconhecer a música-tema do programa que passava.

– Ai, droga.

Era uma reprise da antiga série estrelada por sua mãe: *Starbase IV*. Ela reconheceu o episódio, chamado "Topsy-Turvy"; nele, toda a equipe do biodoma flutuante era acidentalmente transformada em insetos. Homens-mosquito assumiram o controle dos laboratórios.

Sua mãe corria pela tela em seu ridículo macacão colante verde-limão e botas pretas de cano alto. Parecia vibrante, cheia de energia. Linda. Até Meg tinha dificuldade de desviar o olhar.

– Capitão Wad – disse sua mãe, franzindo as sobrancelhas finíssimas apenas o suficiente para expressar emoção, mas não enrugar o rosto. – Recebemos uma mensagem urgente dos rapazes do tanque de desidratação. Eles falaram alguma coisa sobre mosquitos.

Que sotaque horrível.

Como se a microbotanista de uma estação espacial em Marte fosse falar com o jeitinho do Alabama. Meg odiava aquele sotaque falso. E a mãe sempre o usava. Dizia que os fãs esperavam isso dela. Infelizmente, deviam esperar mesmo.

– Esquece isso – disse Meghann para si mesma.

No entanto, era impossível. Dar as costas para o passado era algo que Meg conseguia fazer quando estava forte. Quando estava frágil, as lembranças a dominavam. Ela fechou os olhos e recordou. Fazia tanto tempo. Na época, elas moravam em Bakersfield...

– *Oi, meninas. Mamãe chegou.*

Meghann se aninhou junto a Claire, abraçando a irmãzinha com força. A mãe cambaleou pela pequena e bagunçada sala do trailer; usava um vestido vermelho de lantejoulas com franjas prateadas e sapatos de plástico.

– Eu trouxe o Sr. Mason comigo. Nos conhecemos no Wild Beaver. Sejam educadas com ele – ordenou a mãe, no tom bêbado e cantarolado que indicava que ela acordaria de mau humor.

Meghann sabia que precisava agir rápido. Com um homem no trailer, a mãe não seria capaz de pensar em mais nada, e já fazia muito tempo que o aluguel tinha vencido. Ela estendeu a mão e pegou a cópia amassada da revista Variety *que havia roubado da biblioteca da cidade.*

- Mãe?

A mulher acendeu um cigarro de menta e deu uma longa tragada.

- O que é?

Meghann mostrou a revista. Havia circulado o anúncio com caneta vermelha: "Procura-se atriz madura para pequeno papel em série de televisão. Testes abertos." Em seguida o endereço, em Los Angeles.

Ela leu o anúncio em voz alta. Ao pronunciar as palavras "atriz madura", seu sorriso congelou. Depois de um longo e tenso instante, ela riu e deu um empurrãozinho no Sr. Mason em direção ao quarto. Quando o homem entrou e fechou a porta, ela se ajoelhou e abriu os braços.

- Deem um abraço na mamãe.

Meghann e Claire correram para abraçá-la. Passavam dias, às vezes semanas, esperando um momento como aquele. A mãe podia ser fria e distraída, mas quando resolvia ser calorosa, aquecia até a alma.

- Obrigada, Meggy. Eu não sei o que faria sem você. É claro que vou me inscrever para esse teste. Agora deem o fora, vocês duas, e não me arrumem problemas. Eu tenho um showzinho para fazer.

A mãe fez o teste, claro. Para sua própria surpresa - e de todos -, ela arrasou. Em vez de conquistar o pequeno papel ao qual havia se candidatado, conseguiu o da protagonista Tara Zyn, a microbotanista da estação espacial.

Havia sido o início do fim.

Meghann suspirou. Não queria pensar na semana em que sua mãe foi para Los Angeles e deixou as filhas sozinhas naquele trailer imundo... ou nas mudanças que se seguiram. Depois daquilo, Meghann e Claire nunca mais foram irmãs de verdade.

O telefone tocou, com um ruído que pareceu ensurdecedor. Meghann o pegou rapidamente, ansiosa para falar com *qualquer* pessoa.

- Alô?

- Oi, Meggy, sou eu. Sua mãe. Como você está, querida?

Meg revirou os olhos ao ouvir o sotaque. Devia ter deixado a secretária eletrônica atender.

- Tudo bem, mãe. E você?

- Estou ótima. A convenção de fãs foi esse fim de semana. Tenho umas fotos sobrando. Pensei em te dar uma autografada, para a sua coleção.

- Não, mãe, obrigada.

- Vou pedir ao menino aqui de casa para te mandar uma. Meu Deus, eu dei tanto autógrafo que estou com a mão dolorida.

Meghann fora a uma convenção de fãs de *Starbase IV* certa vez. Havia sido o bastante. Centenas de geeks de olhinhos brilhantes, em figurinos baratos de poliéster, implorando por fotos com um monte de ex-famosos e ex-quase-famosos. Sua mãe era a única integrante do elenco que seguira com a carreira desde o cancelamento da série, e mesmo assim não era grande coisa. Uns poucos filmes televisivos ruins nos anos 1980, e um clássico do terror cult nos anos 1990. Eram as reprises que lhe traziam fama e dinheiro. A série havia sido abraçada por toda uma nova geração de nerds.

– Bom, os seus fãs te amam.

– Graças a Deus. É sempre muito bom falar com você, Meggy. A gente devia conversar com mais frequência. Vocês deviam vir me visitar.

Ela sempre dizia isso. Fazia parte do roteiro. Uma forma de fingir que eram algo que não eram – uma família.

Era óbvio que ela não estava falando sério.

No entanto...

Meghann respirou fundo. *Não faça isso. Você não está tão desesperada assim.*

Mas ela não podia passar três semanas sentada naquele apartamento.

– Vou tirar umas férias – soltou Meg, de repente. – Talvez eu pudesse passar um tempo com você.

– Ah. Isso seria... ótimo. – A mãe soltou o ar e Meghann jurou que podia sentir a fumaça saindo pelo bocal do telefone. – Talvez no Natal...

– Amanhã.

– Amanhã? – Ela soltou uma risada. – Querida, eu vou receber um fotógrafo da *People* aqui às três da tarde, e na minha idade eu acordo parecendo um cachorro nas últimas. Preciso de dez mulheres e um dia inteiro para ficar bonita.

O sotaque estava mais forte. Isso sempre acontecia quando ela ficava nervosa. Meghann quis desligar, dizer para ela esquecer, mas ao olhar o apartamento vazio e sem fotografias, sentiu-se enjoada.

– E na segunda, então? Só por uns dias. De repente a gente podia ir a um spa.

– Você *nunca* assiste ao canal de fofoca? Estou indo para Cleveland na segunda-feira. Vou encenar Shakespeare em um parque, com a Pamela Anderson e o Charlie Sheen. *Hamlet.*

– *Você? Você* vai encenar Shakespeare?

Mais uma pausa dramática.

– Vou fingir que não ouvi esse seu tom.

– Para com esse sotaque, mãe. Sou eu. Eu sei que você nasceu em Detroit. Seu nome de batismo é Joan Jojovitch.

– Lá vem a grosseria. Você sempre foi uma criança espinhosa.

Meghann não soube o que dizer. O último lugar do mundo aonde desejava ir era à casa da mãe, e mesmo assim aquela persistente rejeição a incomodou.

– Bom. Boa sorte.

– Vai ser uma grande oportunidade para mim.

Para mim. As palavras preferidas da mãe.

– Então é melhor você ter uma boa noite de sono, antes das fotos da revista.

– Isso é a mais pura verdade. – A mãe exalou outra vez. – Talvez vocês pudessem vir mais para o final do ano. Quando eu não estiver tão ocupada. A Claire também.

– Claro. Tchau, mãe.

Meghann desligou e ficou sentada, quieta. Ligou para Elizabeth, mas foi recebida pela secretária eletrônica e deixou uma rápida mensagem. Então desligou.

E agora? Ela não fazia ideia.

Passou a hora seguinte andando pelo apartamento, tentando pensar em um plano que fizesse sentido.

O telefone tocou. Ela correu para atender, na esperança de que fosse Elizabeth.

– Alô?

– Oi, Meg.

– Claire? Que surpresa boa. – E, pela primeira vez, era mesmo. Ela se sentou. – Falei com a mamãe hoje. Você não vai acreditar. Ela vai encenar...

– Eu vou me casar.

– ... Shakespeare em... *Casar?*

– Eu nunca fui tão feliz, Meg. Eu sei que é loucura, mas amor é assim mesmo, eu acho.

– Vai casar com quem?

– Bobby Jack Austin.

– Nunca ouvi falar dele.

– A gente se conheceu faz dez dias, em Chelan. Já sei o que você vai dizer, mas...

– Faz dez dias. Claro que a gente transa com homens que acabou de conhecer, Claire. A gente até dá uma escapada para um fim de semana maluco. Mas a gente não casa com eles.

– Eu estou apaixonada, Meg. Por favor, não estrague tudo.

Meg queria tanto dar uns conselhos que precisou cerrar os punhos com força.

– O que ele faz da vida?

– É cantor e compositor. Você devia ouvir, Meg. Ele canta feito um anjo. Estava se apresentando no Cowboy Bob's Western Roundup quando a gente se conheceu. O meu coração parou por um segundo. Você já sentiu isso? – Antes que Meghann pudesse responder, Claire prosseguiu: – Ele dá aulas de esqui em

Aspen no inverno e passa o verão viajando e se apresentando. É dois anos mais velho que eu, e você não vai acreditar no quanto ele é gato. Mais bonito que o Brad Pitt, sem brincadeira. Ele ainda vai fazer sucesso.

Meghann assimilou as informações. Sua irmã ia se casar com um instrutor de esqui pobretão de 37 anos, que sonhava ser cantor de música country. E o melhor show que podia fazer era no Cowboy Bob's, em um fim de mundo qualquer.

– Por favor, não fale o que você está pensando – disse Claire em um tom tranquilo quando a pausa do outro lado da linha ficou longa demais.

– Ele sabe quanto vale a hospedaria? Vai assinar um acordo pré-nupcial?

– Que droga, Meg. Você não pode ficar feliz por mim?

– Eu quero ficar – respondeu Meghann, e era verdade. – É só que você merece o melhor, Claire.

– O Bobby é o melhor. Você nem perguntou sobre o casamento.

– Quando vai ser?

– Sábado, dia 23.

– *Deste* mês?

– A gente pensou "por que esperar?". Já somos bem grandinhos. Então a gente marcou a igreja.

– A igreja. – Aquilo era loucura. Rápido demais. – Eu preciso conhecer esse cara.

– Claro. O jantar de ensaio...

– Nem pensar. Eu preciso conhecer esse cara *agora*. Chego à sua casa amanhã à noite. Vou levar vocês para jantar.

– Sério, não precisa.

Meg fingiu não ouvir a relutância de Claire.

– Eu quero. Preciso conhecer o homem que conquistou a minha irmã, não é?

– Tudo bem. Te vejo amanhã. – Claire fez uma pausa, então disse: – Vai ser bom te ver.

– É, vai. Tchau.

Meg desligou, digitou o número do escritório e deixou uma mensagem para a secretária.

– Reúna tudo o que tivermos sobre acordos pré-nupciais. Formulários, casos, até o acordo de Ortega. Quero tudo na minha casa até as dez da manhã de amanhã. – Então, quase esquecendo, acrescentou: – Obrigada.

Em seguida, foi ao computador fazer uma pesquisa sobre Bobby Jack Austin.

Era *isso* o que faria naquelas férias idiotas. Pouparia Claire de cometer o maior erro de sua vida.

DEZ

Claire desligou o telefone. No silêncio do escritório, a dúvida surgiu. Ela e Bobby estavam *mesmo* indo rápido demais...

– Que droga, Meg.

Mesmo xingando a irmã, Claire sabia que estava meio hesitante, que havia uma sementinha dentro dela esperando para brotar e crescer. Estava velha demais para ficar loucamente apaixonada.

Afinal de contas, tinha que pensar na filha. Alison nunca conhecera o pai biológico. Até então havia sido fácil protegê-la em uma redoma, evitando as durezas da vida. Um casamento mudaria tudo.

A última coisa que Claire queria era se casar com um homem que não parasse quieto.

Ela conhecia o tipo: homens com lindos sorrisos, que prometiam mundos e fundos, e certa noite desapareciam enquanto a mulher estava escovando os dentes.

Antes de completar 9 anos, Claire já tinha tido quatro padrastos. O número não incluía os homens que precisava chamar de "tio", que haviam passado pela vida de sua mãe feito shots de tequila. Passavam rápido e não deixavam para trás nada além de um gosto amargo.

Claire alimentava grandes expectativas à chegada de cada um desses padrastos. *É esse*, pensava ela todas as vezes. *É ele que vai me levar para patinar e me ensinar a andar de bicicleta.* Fora Meg, claro, que fizera tudo isso; Meg, que nunca chamara nenhum marido da mãe delas de "pai", que se recusava a nutrir qualquer esperança em relação a eles.

Não era à toa que Meg era tão desconfiada. O passado das duas dera motivo.

Claire passou pelo saguão principal da recepção. A caminho da janela, apanhou um folheto caído no chão, sem dúvida largado por um dos hóspedes, e atirou-o na lareira fria.

Do lado de fora, o sol começava a se pôr. O gramado estava banhado por uma luz rosada que deixava cada folha mais vistosa, cada verde mais nítido. O clarão do sol cintilava na água azul da piscina, vazia àquela hora, com os hóspedes acendendo seus fogareiros dentro dos quartos.

Parada ali, vulnerável e indecisa, viu uma sombra se aproximando.

Seu pai e Bobby despontaram ao longe. O pai usava seu uniforme de verão: macacão azul e camiseta preta. Um boné de beisebol surrado do River's Edge encobria seus olhos; por baixo, cabelos castanhos eram um aglomerado de cachos desgrenhados.

E Bobby.

Ele usava calça jeans desbotada e camiseta azul com os dizeres "Caubói na pista". À luz fraca, seus cabelos compridos exibiam um cálido tom dourado. Ele trazia o cortador de grama em uma das mãos e uma lata de gasolina na outra. Nos dias que passara ali, Bobby havia ajudado muito no trabalho. Tinha talento para aquilo, embora Claire soubesse que ele não seria feliz no River's Edge para sempre. Já havia mencionado a ideia de passarem umas semanas na estrada durante o verão. Os três. "A viagem de carro dos Austins", nas palavras dele. Claire adorava a ideia de passar um tempo viajando, cruzando várias cidades, ouvindo o novo marido cantar. Não tinha tocado no assunto com o pai, mas sabia que ele aprovaria. Quanto à temporada seguinte no resort, teriam que lidar com isso quando chegasse a hora.

Seu pai e Bobby pararam em frente ao chalé 5. O pai apontou na direção das calhas e Bobby assentiu. Um minuto depois, os dois gargalhavam. O pai pousou a mão no ombro de Bobby e os dois se afastaram, rumo à lavanderia.

– Oi, mãe. Está olhando o quê?

Claire se virou. Ali estava na base da escada, agarrada ao boneco do Elmo, da *Vila Sésamo*.

– Oi, Ali Kat. Venha cá um minutinho.

Ela se sentou na grande poltrona listrada de azul e branco junto à lareira e ergueu os pés para o pufe do conjunto.

Alison se aninhou em seu colo, coração com coração, como elas sempre se sentavam.

– Eu só estava olhando o vovô conversando com o Bobby.

– O Bobby vai me ensinar a pescar. Ele disse que eu já tenho idade para ir para a feira de trutas de Skykomish. Tem um truque para pegar as grandonas – sussurrou ela, como um segredinho. – Ele vai me ensinar. E ele falou que em agosto a gente pode descer o rio flutuando em boias. Até eu. Você já botou minhoca no anzol? Eca. Mas eu vou fazer. Você vai ver. O Bobby falou que me ajuda se ela estiver muito melequenta.

– Que bom que você gosta dele – disse Claire, baixinho, tentando não sorrir.

– Ele é muito legal. – Alison se contorceu até ficar de frente para Claire. – O que foi, mãe? Você parece que vai chorar. As minhocas não sentem nada. Eu juro.

Ela afagou o rosto suave de Alison.

– Você é a minha vida, Ali. Você sabe disso, não sabe? Ninguém nunca vai ocupar o seu lugar no meu coração.

Alison e Elmo beijaram Claire.

– Eu sei. – A menina deu uma risadinha e pulou do colo da mãe. – Eu tenho que ir. O vovô vai me levar na oficina do Smitty. Vamos mandar consertar a caminhonete.

Ao ver a filha correr rumo à porta da frente, gritando "Vovô! Bobby! Cheguei!", Claire tornou a sentir o peso da responsabilidade. Como saber se estava sendo egoísta? E isso seria necessariamente uma coisa ruim? Os homens não cansavam de ser egoístas, e construíam empresas milionárias e foguetes que voavam até a lua?

Mas e se o casamento não desse certo?

Lá estava. A base de toda a questão.

Ela precisava conversar com alguém a respeito. Não com a irmã, claro. Uma amiga. Telefonou para Gina.

Ela atendeu ao primeiro toque.

– Alô?

Claire se largou de volta na grande poltrona e ergueu os pés no pufe.

– Sou eu. A noivinha ligeira.

– Oi, Claire. É você mesma.

– A Meghann acha que eu estou sendo idiota.

– E desde quando a gente se importa com o que *ela* acha? Ela é advogada, pelo amor de Deus. Está abaixo dos invertebrados na cadeia evolutiva.

O coração de Claire ficou mais leve. Ela sorriu.

– Eu sabia que você ia dar uma boa perspectiva para a situação.

– É para isso que servem os amigos. Você quer que eu faça uma música sobre isso?

– Não, não precisa. Eu já te ouvi cantar. Só me diz que eu não estou sendo uma babaca egoísta que vai destruir a vida da filha se casando com um desconhecido.

– Ah, então é da sua mãe que a gente está falando.

– Eu não quero ser igual a ela. – A voz de Claire saiu num murmúrio.

– Eu te conheço desde que nós cinco aparecemos no primeiro dia de aula usando o mesmo uniforme azul. Me lembro de quando você comprou creme para fazer os peitos crescerem, e de quando ainda acreditava em fadas. Meu bem, você nunca foi egoísta. E eu nunca te vi tão feliz. E daí que se vocês se conhecem há menos de duas semanas? Deus enfim colocou um amor verdadeiro na sua vida. Não devolva o presente sem abrir.

– Estou com medo. Eu devia ter feito isso quando era jovem e otimista.

– Você *é* jovem e otimista, e claro que está com medo. Se você não lembra, eu precisei tomar duas doses de tequila para me casar com o Rex... e já fazia quatro anos que a gente estava morando junto. – Ela fez uma pausa. – Eu não devia ter usado o Rex como exemplo. Mas você entendeu. Qualquer pessoa inteligente tem medo de casamento. Você já passou da época de casar por impulso, mas ainda não bateu o desespero da velhice. Você conheceu um cara e se apaixonou. Beleza, aconteceu rápido. Grande coisa. Se você não estiver pronta para se casar com ele, por favor, espere. Mas não inventa de esperar só porque a sua irmã mais velha fez você questionar os seus sentimentos. Siga o seu coração.

Claire sentiu seu estômago contrair; sua mente estava confusa, mas em seu coração não havia dúvida.

– O que eu faria sem você?

– O mesmo que eu faria sem você... beberia demais e choraria as mágoas com desconhecidos.

Claire ouviu um leve traço de tristeza na voz de Gina. E amou ainda mais a amiga por dar atenção a ela enquanto seu próprio mundo ruía.

– Como é que você está?

– Hoje ou esta semana? Tenho mais variações de humor que uma adolescente, e a minha bunda está começando a parecer a traseira de uma caminhonete.

– Falando sério, Gigi. Como é que você está?

Ela suspirou.

– Uma bosta. O Rex veio aqui em casa ontem à noite. O desgraçado perdeu 5 quilos e pintou o cabelo. Daqui a pouco vai querer voltar a ser chamado de "Rexster". – Ela fez uma pausa. – Ele quer se casar com aquela mulher.

– Eita.

– Eita, mesmo. Eu fico me lembrando do dia em que ele me pediu em casamento, dele pesquisando preço de diamantes. Dói pra caramba. Mas você não está sabendo das últimas notícias: o Joey voltou.

– Está brincando. Por onde ele andou?

Claire ouviu sons de movimento na casa de Gina, que baixou a voz.

– Eu não sei. Por aí, é o que ele diz. Está com uma cara péssima. Envelhecido. Chegou aqui ontem. Já está dormindo há quase treze horas. Sinceramente, eu espero nunca amar ninguém do jeito que ele amava a Diana.

– E o que ele vai fazer?

– Não sei. Eu falei que ele podia ficar aqui, mas ele não vai ficar. Parece um animal que passou muito tempo solto. E esta casa traz muitas lembranças. Ele ficou quase uma hora encarando a foto do meu casamento. Juro por Deus, me deu vontade de chorar.

– Dê um abraço nele por mim.

– Pode deixar.

As duas conversaram mais uns minutos sobre assuntos corriqueiros. Ao desligar, Claire estava melhor. Já se sentia pisando em terreno mais firme. Pensar em Joe e Diana também ajudava. Apesar de tudo o que acontecera entre aqueles dois, ainda eram prova do amor verdadeiro.

Ela olhou para a mão esquerda. O anel de noivado que usava era um aro feito de papel-alumínio, cuidadosamente dobrado e trançado em torno de seu dedo.

Claire se recusou a pensar no que a irmã diria a respeito; escolheu recordar a sensação que teve quando Bobby pôs o anel em seu dedo.

Casa comigo, dissera ele, de joelhos. Ela sabia que devia ter aberto um sorrisinho e dito: *Ai, Bobby, claro que não, a gente mal se conhece.*

Mas não conseguira. Os olhos escuros de Bobby estavam tomados por um amor que ela só vira em sonhos, e Claire se perdeu. Seu lado racional – que a fez passar quase 36 anos sozinha e se tornar mãe solo – estava soando o alarme para que não fosse burra.

Mas, ah, o coração. Não podia ignorar aquele órgão tão sensível. *Estava* apaixonada. Tão apaixonada que era sufocante.

Gina tinha razão. Aquele amor era um presente, uma dádiva que já tinha parado de procurar e na qual quase deixara de acreditar. Ela não daria as costas por medo. Uma lição que havia aprendido com a maternidade era que o amor exigia coragem. E o medo simplesmente vinha no pacote.

Ela pegou o moletom no encosto do sofá, vestiu e saiu.

A noite já havia caído; a escuridão envolvia os picos de granito de um tom salmão. Aos turistas sentados em torno das fogueiras, assando marshmallows e salsichas, aquela extensão de campo verde cravado entre as montanhas escarpadas parecia muito tranquilo. Os moradores locais, porém, sabiam a verdade. Perto dali, havia todo um mundo invisível ao espectador displicente, inaudível aos que passavam a vida com a orelha no telefone e a cara em telas de computador.

Nos cumes próximos, que ostentavam nomes como Formidável, Terror e Desespero, as geleiras nunca ficavam imóveis, muito menos tranquilas. Seguiam deslizando, rangendo e esmagando cada rocha no caminho. Nem no calor de agosto o sol era capaz de derretê-las, e ao longo das margens do poderoso Skykomish, para além da ocupação humana, milhares de espécies selvagens rapinavam umas às outras.

Mesmo assim, a noite estava calma; o ar cheirava a pinheiro e grama seca. Era aquela época do ano em que os gramados da cidade passavam algumas semanas ásperos e amarronzados. Um dos raros momentos de estiagem.

Ela ouviu o ruído baixo das conversas dos hóspedes, pontuadas aqui e ali pelo latido de um cachorro ou a risadinha aguda de uma criança. Sob tudo aquilo, tão familiar e cadenciado quanto as batidas de seu coração, ouvia-se o correr do rio. Aqueles sons haviam se tornado a música de sua juventude, substituindo havia muito tempo a cacofonia da música barulhenta que formava a trilha sonora de sua mãe.

Claire não se preocupava com sapatos; descalça, com as solas dos pés endurecidas pelos verões à margem do rio, ela passou pela piscina vazia. Na pequena cabana junto à piscina, o motor do filtro seguia zunindo. Duas boias – uma rosa-choque e uma verde-limão – flutuavam na água escura.

Ela fez a ronda noturna com calma, parando para conversar com os hóspedes; parou até para tomar uma taça de vinho com Wendy e Jeff Goldstein, no lote 13.

Já estava completamente escuro quando ela chegou à pequena fileira de chalés, na ponta leste da propriedade. Em todas as janelas se via uma iluminação dourada.

A princípio, pensou que estava ouvindo grilos, reunidos para uma serenata noturna. Então distinguiu o doce som de um violão.

O chalé 4 tinha uma linda varandinha com vista para o rio. Eles haviam desativado o chalé por conta do teto, danificado pela chuva; isso dera a Bobby um lugar para ficar até o casamento. *Destino*, dissera o pai ao entregar a chave a Claire.

Agora o destino estava sentado na frente da varanda, de pernas cruzadas, o corpo envolto em sombras, um violão no colo. Encarava o rio, dedilhando uma nota lenta e hesitante.

Claire se esgueirou pela escuridão, protegida por um imenso abeto. Escondida, ela o observou. A música a deixou arrepiada.

Quase baixinho demais para ouvir, ele começou a cantar:

– Caminhei a vida inteira... numa estrada rumo ao nada. Então, numa curva, amor... eu te vi ali sentada.

Um nó se formou na garganta de Claire, uma emoção tão suave e poderosa fez as lágrimas brotarem. Ela saiu das sombras.

Bobby ergueu os olhos e a viu. Um sorriso formou ruguinhas em seu rosto bronzeado.

Ela foi até ele, os pés descalços pisando de leve na grama dura e seca.

Ele recomeçou a cantar, olhando para ela.

– E pela primeira vez... comecei a crer em Deus... então, feito meu avô falou... vejo o Céu no seu amor. – Ele tocou mais uns acordes, então apoiou a mão no violão e abriu um sorriso. – Só escrevi até essa parte. Sei que ainda preciso melhorar.

Ele apoiou o violão e caminhou até ela.

Claire ficava mais ofegante a cada passo; quando estavam frente a frente, ela não conseguia mais respirar. Era quase constrangedor sentir algo tão intenso.

Ele segurou sua mão esquerda, olhando o aro de papel-alumínio onde deveria haver um anel de diamante. Ao encará-la outra vez, já não sorria.

– Que patético – sussurrou. O coração de Claire apertou com a vergonha que viu nos olhos escuros dele. – Não é toda mulher que aceitaria um anel desses.

– Eu te amo, Bobby. É só isso que importa. Eu sei que é loucura, até impossível, mas eu te amo.

As palavras libertaram algo dentro dela, permitindo que voltasse a respirar.

– Eu não sou um bom partido, Claire. Você sabe disso. Já cometi alguns erros. Mais precisamente, três.

Claire quase ouvia a voz de Meg em meio à brisa. Mas isso não significava nada frente ao olhar de Bobby. Ninguém jamais a olhara daquele jeito, como se ela fosse a mulher mais preciosa do mundo.

– Eu sou mãe solo, nunca me casei. Entendo muito bem de erros, Bobby.

– Eu nunca me senti assim antes – disse ele, baixinho, com a voz embargada. – Juro por Deus.

– Assim como?

– Como se o meu coração não me pertencesse mais, como se ele não conseguisse mais bater sem você. Você me dominou, Claire, você me deu vida. Você me faz querer ser mais.

– Eu quero que a gente envelheça juntos – sussurrou ela.

Era o seu sonho mais profundo, sua esperança mais preciosa. Ela passara a vida inteira se imaginando sozinha na velhice, uma daquelas senhoras grisalhas que se sentavam na varanda esperando o telefone tocar ou um carro chegar. Agora, enfim, permitia-se imaginar um futuro melhor, repleto de amor, sorrisos e uma família.

– Quero ouvir os nossos filhos brigando e se acotovelando no banco de trás de uma minivan fedorenta.

Claire riu. Era tão bom sonhar com alguém.

Ele a tomou nos braços, dançou com ela ao som da melodia do rio e dos grilos.

– A minha irmã, Meghann, está vindo te conhecer amanhã – disse Claire, por fim.

Ele se afastou, segurou a mão dela e a conduziu até a varanda. Os dois se sentaram no balanço de carvalho e se balançaram devagar.

– Achei que você tinha dito que ela não ia querer saber do casamento.

– Estava torcendo por isso. – Claire revirou os olhos. – Como previsto, ela não gostou muito da nossa decisão.

– É essa a irmã que a Gina chama de Cruela Cruel?

– Na verdade o apelido preferido é Tubarão.

– E a opinião dela conta?

– Não devia.

– Mas conta.

Claire se sentiu uma boba.

– Conta.

– Então eu vou conquistá-la. Talvez escreva uma música para ela.

– Só se ganhar um disco de platina. A Meg só gosta do melhor. Ela deve chegar amanhã no fim da tarde.

– Eu devia arranjar um colete à prova de balas?

– No mínimo.

Depois de um instante, o sorriso de Bobby murchou.

– Ela não vai mudar sua cabeça sobre mim, vai?

A vulnerabilidade dele a comoveu.

– Ela nunca conseguiu mudar minha cabeça sobre nada. É isso que deixa ela irritada.

– Tendo o seu amor, eu aguento qualquer coisa.

– Bom, Bobby Austin... – disse ela, abraçando-o e se inclinando para um beijo. Pouco antes de seus lábios se tocarem, ela sussurrou: – Então você aguenta qualquer coisa. Até a minha irmã.

ONZE

Claire estava em frente à pia da cozinha, lavando a louça do café da manhã. O dia estava cinzento, mas não exatamente chuvoso; havia tantas nuvens no céu que pareciam prestes a desabar sobre quem se aventurasse a sair. Um dia perfeito para uma visita de Meghann.

Esse pensamento fez sua cabeça latejar. Ela secou as mãos e pegou o frasco de analgésico apoiado no peitoril da janela.

– A Mary Kay Acheson come cereal colorido no café da manhã.

Aquele era um frequente debate matinal.

– Ela provavelmente vai ter vários dentes podres antes de chegar ao oitavo ano. Você não quer usar dentadura, quer?

Ali batucou os pés nas ripas da base da cadeira.

– O Willie tem todos os dentes e já vai para o ensino médio. Ele já é praticamente adulto.

– Porque a Karen dá cereal sem açúcar para ele de manhã. Se comesse o colorido, seria outra história.

Ali franziu o cenho, pensativa.

Claire engoliu o comprimido.

– Está com dor de cabeça de novo, mãe?

– A tia Meg vem visitar a gente hoje. Ela quer conhecer o Bobby.

Ali franziu ainda mais o cenho. Estava tentando entender a relação entre a dor de cabeça da mãe e a visita da tia Meg.

– Achei que ela era tão ocupada que mal tinha tempo de respirar. Pelo menos é isso que você vive dizendo.

Claire foi até a mesa e sentou-se ao lado da filha.

– Você sabe por que a tia Meghann quer conhecer o Bobby?

Ali revirou os olhos.

– Dã, mãe.

– Dã?

Claire refreou um sorriso. Em breve precisariam ter uma conversa sobre as respostas malcriadas, mas era melhor esperar até conseguir repreender a filha sem ter um ataque de riso. Em vez disso, estendeu a mão.

– Você sabe o que significa este anel?

– Não é um anel. É papel-alumínio.

– Esse falso anel é um símbolo. Não é o material que interessa. São as palavras que vêm com ele. E o Bobby me pediu em casamento.

– Eu sei, mãe. Posso comer um biscoito?

– Daqui a pouquinho a gente come. Eu quero conversar com você sobre isso. Ninguém é mais importante para mim do que você. Ninguém. Eu sempre vou te amar, mesmo estando casada.

– Ai, mãe. Eu já sei. Agora posso...

– Esquece o biscoito.

Não era à toa que as pessoas usavam a expressão "é igual a falar com uma criança" para denotar frustração.

– Você se incomoda que eu me case com o Bobby?

– Ah.

Ali franziu a testa, inflou a bochecha esquerda, depois a direita. Então olhou para Claire.

– Eu posso chamar ele de pai?

– Ele ia gostar.

– Então no dia da família na escola ele vai brincar de corrida de saco e ajudar o pai da Brittani a fazer churrasco?

Claire soltou um suspiro. Não era fácil fazer promessas daquele tipo. Quem acreditava nessas coisas eram pessoas que haviam crescido em lares seguros, onde era possível confiar nos pais. Mas ela tinha fé em Bobby tanto quanto uma mulher criada por sua mãe podia ter fé em qualquer homem.

– Claro. A gente pode contar com ele.

Alison abriu um sorriso.

– Ok. Eu quero que ele seja meu pai. Meu papai.

Ela obviamente estava testando a palavra, avaliando a sensação de dizê-la em voz alta. Era incrível a quantidade de sonhos que uma garotinha podia guardar em uma palavra tão pequena.

Uma mulher também, na verdade.

Alison deu um beijinho em Claire e saiu correndo, arrastado o Elmo imundo pelo chão e subindo para o quarto. Segundos depois, ecoou a música-tema de *A pequena sereia*.

Claire olhou o anel de noivado. Por mais improvisado que fosse, trazia uma sensação de aconchego e esperança.

– Uma já foi – disse ela.

Na verdade, dois. Tanto seu pai quanto sua filha haviam cravado o selo de aprovação nos planos de casamento. Com isso, restavam apenas dois familiares a convencer. Meghann, que sem sombra de dúvida não aprovava, e a mãe, que provavelmente não ligaria muito. Claire andava adiando a ligação. As conversas com a mãe nunca levavam a nada de bom.

Ainda assim, era sua mãe, e a ligação precisava ser feita.

O mais engraçado era que, quando Claire pensava em "mãe", o rosto que lhe vinha à mente era o de Meg. Em todas as lembranças da infância, era sua irmã que estava presente... até, claro, o dia em que ela se cansou de cuidar de Claire.

E sobre a mãe... Bom. Verdade seja dita, as lembranças que Claire tinha dela eram, na melhor das hipóteses, imprecisas. Nesse ponto, Claire tinha sorte; o peso da irresponsabilidade da mãe havia recaído mais sobre Meg. Ainda assim, elas fingiam ser uma família.

Claire pegou o telefone e digitou o número. Tocou sem parar. Por fim, a secretária eletrônica atendeu. O sotaque sulista da mãe, mais doce e pegajoso que mel, veio acompanhado de uma música.

– Agradeço demais sua ligação para o meu número pessoal. Infelizmente, estou ocupada demais para atender, mas deixe uma mensagem que eu retornarei assim que possível. E fique de olho na minha entrevista à *People*, que estará nas bancas no final de junho. Tchau, pessoal.

Só ela para fazer autopromoção na secretária eletrônica.

– Oi, mãe – disse após o bipe. – É a Claire. Sua filha. Tenho uma notícia importante e queria falar com você. Me liga.

Ela deixou seu número, só por garantia, então desligou.

Claire ainda estava com o telefone na mão quando percebeu o próprio erro. A cerimônia seria dali a menos de duas semanas. Se fosse esperar que a mãe retornasse, acabaria se casando sem informá-la. A questão era *convidar* a mãe, não apenas avisá-la. Mesmo que a mãe tivesse o instinto materno de um mosquito e que fossem pouquíssimas as chances de que ela aparecesse, Claire tinha que fazer o convite.

Quando a mãe enfim fez a viagem de Los Angeles a Seattle para conhecer sua única neta, Alison já tinha 4 anos.

Claire ainda recordava vividamente aquele dia. Elas haviam se encontrado no Zoológico de Woodland Park, no centro de Seattle. Sua mãe estava no meio de (mais) uma turnê de divulgação de *Starbase IV* que passava pela cidade.

Claire e Alison ficaram mais de uma hora sentadas no banco de madeira junto à entrada do zoológico, esperando por ela.

Claire já tinha quase desistido de esperar quando ouviu um grito agudo e familiar. Olhou bem a tempo de ver a mãe, vestida em uma túnica de seda bronze, avançando em direção a elas feito um carro do desfile do dia de Ação de Graças.

– Senhor, como é bom rever a minha menina! – gritou ela, tão alto que as pessoas mais próximas pararam para olhar.

Um murmúrio de reconhecimento ecoou pela multidão.

– É ela – disse alguém. – A Tara Zyn de *Starbase IV*.

Claire refreara o ímpeto de revirar os olhos. Ela se levantou, segurando a mão de Alison.

– Oi, mãe. Que bom te ver de novo.

Nesse momento, a mãe se ajoelhara em um movimento que fez sua saia de seda esvoaçar pelas laterais do corpo.

– Essa coisinha linda é a minha netinha?

– Oi, Sra. Sullivan – dissera Alison, pronunciando com cuidado o nome que passara a semana inteira ensaiando.

Claire tinha certeza de que a mamãe não ia gostar de ser chamada de *vovó*. Para a imprensa, ela dizia estar animada para o aniversário de 50 anos.

A mãe observou Alison demoradamente. Por um instante, apenas um instante, uma espécie de tristeza perpassou seus olhos azuis. Então o sorriso afetado voltou.

– Pode me chamar de vó. – Ela estendeu a mão cheia de joias e afagou os cachinhos de Ali. – Você é a cara da sua mãe, cuspida e escarrada.

– Eu não posso cuspir no chão, Sra... vó.

– Ela é esperta, Claire querida – dissera a mãe. – Que nem a Meggy. Que bom. As espertas é que vão longe na vida. Acho que é a menininha de 2 anos mais desenvolta que já conheci.

– É porque ela tem 4, mamãe.

– Quatro? – A mãe se levantou com um salto. – Ah, meu bem, não acredito. Vocês acabaram de sair do hospital. Bom, vamos lá ver as cobras. É a minha parte preferida. E eu tenho que voltar para o hotel em uma hora para dar uma entrevista para a revista *Evenin'*.

Mais tarde Meghann aparecera e as quatro caminharam em silêncio pelo centro de Seattle, fingindo que tinham algo em comum.

Claire sempre sofria ao relembrar aquele dia. Agora, nem tanto. A ferida havia cicatrizado, e uma camada de pele mais grossa crescera no lugar. Já fazia tempo que não desejava uma mãe diferente. Houve uma época em que esperar por isso a arrasava, então teve que parar. Assim como fez com o sonho de uma irmã que também fosse sua melhor amiga. Algumas coisas simplesmente não saíam conforme o desejado, e uma menina não podia chorar para sempre.

Ela olhou o relógio sobre o fogão; era quase uma da tarde. Dali a poucas horas, Meghann chegaria.

– Que ótimo – resmungou Claire.

– Minha irmã me ligou ontem à noite.

Harriet se recostou na poltrona, que rangeu com o movimento.

– Ah. Agora entendi por que você não desmarcou esta sessão. Eu já estava preocupada.

– Eu faltei a poucas sessões. Nada de mais. Liguei para desmarcar e paguei por elas.

– Você sempre presume que o dinheiro resolve tudo.

– O que você quer, Harriet? Hoje está tão misteriosa que nem Freud conseguiria acompanhar.

– Compreendo que você se aborreceu no nosso último encontro.

A pálpebra de Meghann começou a tremer.

– Não exatamente.

Harriet a encarou.

– Você não entende que ficar aborrecida faz parte do processo de cura? Precisa parar de fugir das suas emoções.

– Se você prestar atenção, vai ver que é isso que estou tentando fazer. Eu *disse* que a minha irmã me ligou ontem à noite.

Harriet suspirou.

– Isso é incomum? Eu tinha a impressão de que você falava com a Claire com certa frequência; vocês só não conversam sobre coisas importantes.

– Bom, isso é verdade. A gente se liga algumas vezes por ano. Sempre nos feriados e nos aniversários.

– Então o que teve de tão extraordinário na conversa de ontem à noite?

O olho de Meghann tremia como nunca. Ela mal conseguia enxergar. Estava mais inquieta do que nunca.

– Ela vai se casar.

– Respire fundo, Meg – disse Harriet, baixinho.

– Meu olho está tremendo feito um motor.

– Respire.

Meghann se sentia uma idiota.

– Que droga está acontecendo comigo?

– Você está com medo, só isso.

Identificar a emoção ajudava. Ela *estava* com medo. Soltou um suspiro lento e tenso, então olhou para Harriet.

– Eu não quero que ela se magoe.

– Por que você acha que o casamento vai magoá-la?

– Ah, por favor. Eu percebi que você não está mais usando aquele solitário de um quilate na mão esquerda. Imagino que tirar a aliança do dedo não tenha sido um momento de alegria e cantoria.

Harriet cerrou o punho.

– Muitas irmãs ficam felizes ao ouvir esse tipo de notícia.

– Não as que trabalham com divórcios.

– Você não consegue separar seu trabalho da sua vida pessoal?

– Isso não tem a ver com o meu trabalho, Harriet. A minha irmã está correndo perigo. Eu preciso salvá-la.

– Ela está apaixonada?

Meghann fez um gesto de impaciência.

– Claro.

– Você não acha que isso conta?

– Eles sempre estão apaixonados, no início. É como entrar no mar usando um tablete efervescente como boia. A água vai desintegrando tudo. Depois de uns anos boiando, você começa a nadar sem apoio. Daí os tubarões começam a rondar.

– Os tubarões, no caso, seriam gente feito você.

– Não é hora de fazer piada de advogado. Eu preciso salvar a minha irmã antes que ela se case com o homem errado.

– Como é que você sabe que ele é o homem errado?

Todos são, Meghann resistiu ao ímpeto de responder. Admitir isso só levaria a mais uma rodada de perguntas e observações.

– Ele é praticamente um vagabundo. Os dois se conheceram faz menos de um mês. Ele é *músico*. Chama-se Bobby Jack. Pode escolher a melhor alternativa para justificar o óbvio.

– Você está com inveja?

– Ah, claro. Eu quero me casar com um cantor de música country que não tem talento nem para ser a atração principal do Cowboy Bob's Western Roundup, no lago Chelan. Claro, Harriet, desta vez você acertou em cheio. Estou morrendo de inveja. – Ela cruzou os braços. – Ele provavelmente só quer casar com ela pelo tal resort. E vai tentar convencer minha irmã a construir um condomínio ou um prédio de consultórios dentários.

– Isso demonstraria iniciativa.

– A Claire *ama* aquele pedaço de terra. Odiaria ter que pavimentar aquele lugar.

– Achei que você considerasse aquela área subaproveitada e achasse um desperdício a Claire passar a vida lá. Pelo que me lembro, você mesma mencionou a construção de um spa na propriedade.

– Você está desviando totalmente a questão.

– E a questão é que você precisa montar em um cavalo branco e salvar a sua irmã.

– Alguém tem que protegê-la. Desta vez eu quero estar por perto.

– Desta vez.

Meghann ergueu o olhar com firmeza. Claro que Harriet tinha ressaltado as duas palavras mais importantes.

– Isso.

Harriet se inclinou para a frente.

– Me conta da vez em que você não a protegeu.

Meghann ficou tensa e recuou, recostando-se na cadeira.

– O assunto não é esse.

– Você é inteligente, Meg. Eu não preciso lembrar que tudo sobre você e a Claire tem relação com o passado. O que aconteceu?

Meghann fechou os olhos. Com certeza estava fragilizada, pois as lembranças amargas a rodearam, aguardando a menor chance de invadir seus pensamentos. Ela deu de ombros, fingindo indiferença, abriu os olhos e encarou Harriet.

– Você já sabe de tudo. Só quer me ouvir contar de novo.

– Eu já sei?

– Eu tinha 16 anos. A Claire tinha 9. A mamãe tinha ido a Los Angeles para o teste de *Starbase IV* e se divertiu tanto que esqueceu as filhas em Bakersfield. Para ela, isso era comum. Daí o Conselho Tutelar começou a cercar a gente. Ameaçaram nos mandar para abrigos. Eu já tinha idade para fugir, mas a Claire... – Ela deu de ombros. – Então eu banquei a detetive e fui atrás do Sam Cavenaugh... o pai biológico dela. Liguei para ele. O Sam apareceu rapidinho para salvar a filha.

Meg ouviu a angústia adolescente na própria voz. Mesmo tantos anos depois, era difícil suportar as lembranças daquele verão. Ela odiava se lembrar do quanto desejara que Sam também fosse seu pai. Meg se empertigou.

– Nada dessas porcarias antigas importa. O Sam foi um ótimo pai para a Claire. Todo mundo acabou mais feliz.

– Todo mundo? E a garota que perdeu a mãe e a irmã e não tinha um pai a quem recorrer?

O comentário a magoou. Meghann jamais descobrira o nome do próprio pai; a mãe passara a vida inteira se referindo a ele como *aquele babaca.*

– Já chega. Me diz uma coisa, Harriet... É inteligente se casar com um homem que conheceu há poucas semanas? Você ia gostar de ver a sua filha fazendo o que a Claire está fazendo?

– Eu teria que confiar nela, não é? A gente não pode viver a vida de outra pessoa. Por mais que a gente a ame.

– Eu amo mesmo a Claire – disse Meghann baixinho.

– Eu sei que ama. Essa nunca foi a questão, não é verdade?

– A gente não tem nada em comum. Mas nem por isso eu quero vê-la jogar a própria vida no lixo.

– Ah, eu acho que vocês têm uma coisa em comum. Vocês passaram 9 anos morando juntas. São muitas lembranças compartilhadas. E tenho a impressão de que eram melhores amigas.

– Antes de eu largar minha irmã com um homem que ela mal conhecia e dar no pé? É. Antes disso nós éramos melhores amigas. Mas a Claire queria um pai, e depois que conseguiu... bom...

Meghann olhou o relógio de mesa feito de cristal entalhado. Eram quatro da tarde.

– Vou levar quase duas horas para chegar em Hayden nesse horário. O trânsito anda terrível, você não acha? Se a gente tivesse elegido um prefeito bom e...

– Meg. Não começa a divagar. Hoje é um dia importante. Pode ser que a Claire tenha algumas frustrações em relação a você.

– Eu *já falei* que ela tem.

– E mesmo assim você vai até Hayden no seu carrão para se meter na vida dela.

– Eu diria que estou indo salvar a Claire dela mesma. Só dar umas informações que ela claramente negligenciou.

– Você acha que ela vai gostar da sua ajuda?

Meghann hesitou. Claire provavelmente *não* gostaria. Algumas pessoas tinham problemas em aceitar determinados fatos.

– Eu vou ser delicada.

– Vai ser delicada na hora de dizer que ela não devia se casar com um cantor sem perspectivas na vida.

– Isso. Eu sei que às vezes sou meio brusca e autoritária, mas desta vez vou escolher as palavras com cuidado. Não vou falar *ferrado*, nem *interesseiro*, nem *idiota*. Ela vai ficar magoada, mas vai ver que eu só estou tentando protegê-la.

Harriet ficou calada por um tempo desproporcionalmente longo.

– Você se lembra de como é amar alguém? – perguntou, enfim.

Meghann não entendeu a mudança de assunto, mas gostou de parar de falar de Claire.

– Eu casei com o Eric, não casei?

Número 2 no ranking de péssimas decisões.

– O que você se lembra do seu casamento com o Eric?

– Do fim. Já tive dores de cabeça que duraram mais que o meu casamento.

– Por que acabou?

– Você já sabe por quê. Ele me traiu. Com quase todas as líderes de torcida dos Seahawks, mais metade das garçonetes do Hooters de Bellevue. Ele era *incansável* na busca por silicone. Queria que pelo menos tivesse a mesma disposição com a carreira.

– Você lembra quando ele te pediu em casamento?

Meghann suspirou. Não queria pensar naquele dia. Já fazia tantos anos. A sala à luz de velas, o caminho de pétalas até a cama, a música tocando no outro cômodo, uma versão instrumental de "All Out of Love", do Air Supply.

– Fui eu que pedi, se você quer saber. Eu nunca gostei de esperar, e o Eric demorava uma hora para escolher um par de meias.

Harriet pareceu angustiada.

– Meghann.

– O quê?

– Por que você não me conta essa história de novo? A minha memória não é tão ruim quanto você gostaria.

Meghann encarou as próprias unhas. Passara anos contando histórias sobre a infidelidade de Eric. A piada sobre a busca incansável por silicone sempre arrancava risadas. Era melhor assim, ela aprendera; melhor pensar nele como um vilão. A verdade era dolorosa demais. Nem Elizabeth sabia o que de fato acontecera com seu casamento. Mas agora, de alguma forma, Harriet havia desvendado os fatos.

– Eu não quero falar sobre isso.

– Claro que não – disse Harriet suavemente. – Por isso deveria.

Meghann soltou o ar lentamente.

– Ele não corria atrás das garçonetes. Pelo menos, não que eu saiba. Ele era fiel... até conhecer a Nancy.

Ela fechou os olhos, recordando aquele dia horrível em que ele chegara em casa chorando.

– Não dá mais, Meg. Você está acabando comigo. Nada que eu faço é bom para você. E o seu amor... é frio.

Então, quando ela sentiu as próprias lágrimas surgindo e o apelo desesperado em sua boca, ele disse:

– Eu conheci uma pessoa. Ela me ama como eu sou, não como eu poderia ser se fosse ambicioso. E... ela está grávida.

As lembranças fizeram Meghann se contorcer numa sensação de carência e fraqueza. Ela não conseguia mais guardar tudo aquilo.

– Foi tão romântico – disse baixinho. – A noite em que ele me pediu em casamento. As pétalas de rosas brancas eram verdade. A música também. Ele serviu uma taça de champanhe e disse que eu era tudo para ele, que queria me amar para sempre, ser o pai dos meus filhos. Eu chorei. – Ela secou lágrimas que já deviam ter acabado havia muito tempo. – Eu devia saber como o amor era frágil, por causa do meu histórico familiar, mas fui impulsiva. Brinquei com uma bola de vidro como se fosse de aço. Não achei que fosse quebrar tão depressa. Eric foi embora porque eu não soube amá-lo o suficiente. – Ao dizer isso, a voz dela embargou. – Não posso culpá-lo.

– Então você o amou de verdade.

– Amei, sim – respondeu Meghann num sussurro, sentindo a dor adormecida despertar.

– Interessante que você se lembre tão rápido da dor do seu divórcio, mas precise ser lembrada do amor.

– Chega – disse Meg, levantando-se. – Isso é tipo operar o coração sem anestesia. – Ela olhou o relógio. – Além do mais, o nosso tempo acabou. Eu combinei com a Claire de chegar hoje à noite. Preciso ir.

Harriet tirou os óculos lentamente e ergueu o olhar para Meghann.

– Pense nisso, Meg. Talvez esse casamento possa aproximar você e a Claire, dar uma nova base para a relação de vocês.

– E você acha que eu devo simplesmente deixar que ela se case com o Bobby Jack Tom Dick sem falar nada?

– Às vezes, amar é confiar nas decisões dos outros. Em outras palavras, ficar de boca calada.

– As mulheres me pagam muito dinheiro para dizer a verdade a elas.

– A *sua* versão da verdade. E a Claire não é uma cliente. É uma mulher prestes a se casar pela primeira vez. Uma mulher de 35 anos, aliás.

– Então eu devia sorrir, abraçá-la e dizer que acho maravilhoso ver minha irmã se casar com um desconhecido?

– Isso.

– E se ele magoá-la?

– Daí ela vai precisar de você. Mas não vai querer ninguém dizendo "eu avisei".

Meghann pensou a respeito. Ela podia ser arrogante e autoritária, mas não era idiota.

– Desculpa, Harriet. Eu discordo. Não posso deixar esse cara fazer mal à minha irmã. A Claire é a melhor pessoa que eu conheço.

– A melhor pessoa que você não conhece, você quer dizer. E claramente quer manter as coisas assim. Quer manter a sua irmã a uma distância segura.

– Que seja. Tchau.

Meghann deixou o consultório às pressas.

Harriet estava errada. Simples assim.

Meghann havia decepcionado Claire uma vez; não faria isso de novo.

É burrice casar com um homem que você acabou de conhecer.

– "Burrice" não é uma boa palavra.

É desaconselhável...

– Você é a irmã dela, não a advogada.

Fazia mais de uma hora que Meghann conversava feito louca com o espelho retrovisor do carro. Como era possível formular argumentos que levavam um júri às lágrimas e ser incapaz de encontrar um jeito simples e convincente de prevenir a irmã de sua ruína iminente?

Ela dirigiu pelas ruas engarrafadas de Seattle e adentrou a área verde do vale Snohomish. Cidades que costumavam ser produtoras de laticínios agora exibiam reluzentes fachadas urbanas. Casas de tijolos com amplos pórticos se estendiam pelos terrenos loteados, as garagens apinhadas de caminhonetes e carros esportivos. As casas de fazenda originais, feitas de tábuas de madeira, tinham sido demolidas havia muito tempo; vez ou outra uma despontava por detrás de um painel publicitário ou um shopping a céu aberto.

À medida que a rodovia começava a subir a colina, porém, o resplendor urbano desaparecia. Ali, à sombra dos picos cinza-lavanda da área central da Cordilheira das Cascatas, as cidades eram intocadas pela marcha do progresso. Aquelas cidades, com nomes como Sultan, Goldbar e Index, eram muito afastadas da rota da gentrificação. Por enquanto.

A última parada antes de Hayden não era nem uma cidade; estava mais para um conjunto de construções à beira da estrada, com o último posto de gasolina e uma lojinha antes do topo da serra. Um bar caindo aos pedaços – o Roadhouse – ficava aninhado sob uma placa de néon de propaganda da cerveja Coors Light.

Ela jurava por Deus: queria encostar o carro, entrar naquela taverna lotada e se perder na escuridão fumacenta. Sem dúvida seria melhor que dizer a Claire, depois de tantos anos afastadas, que ela estava cometendo um erro.

No entanto, Meghann não reduziu a velocidade. Seguiu em frente pelos 15 quilômetros até Hayden, pegou a saída e se afastou da rodovia. Na mesma hora, a estrada se reduziu a duas faixas, ladeadas por enormes árvores perenes. As montanhas tinham um aspecto pontiagudo e cruel. Mesmo nos meses de verão, a neve permanecia no topo de seus cumes inacessíveis.

Uma pequena placa verde dava as boas-vindas a Hayden: *População: 872. Lar de Lori Adams, campeã estadual de soletração de 1974.*

De 1974.

Apenas três anos antes de Meghann ver aquela cidadezinha pela primeira vez. Na época, Hayden se resumia a umas poucas construções mal-acabadas. Os fundadores da cidade ainda não haviam percebido o potencial da temática "faroeste" como atração turística.

A lembrança do caminho ainda era vívida. Podia quase sentir o cheiro embolorado do velho caminhão de Sam e o corpo magro de Claire apertado ao lado dela. *Ele quer mesmo ficar com a gente?*, sussurrava a irmã a cada vez que Sam saía do carro para abastecer ou dar entrada em algum hotel barato. Eles percorreram o trajeto entre Califórnia e Washington em dois dias e quase nenhuma palavra foi trocada entre os três nesse período. Meghann passara o tempo todo com dor de estômago. A cada quilômetro, sentia mais medo de ter tomado a decisão errada ao chamar Sam. Quando chegaram a Hayden, Meg já tinha esgotado o estoque de respostas otimistas às perguntas da irmã, então apenas abraçava Claire com força. Sam também devia estar constrangido com o silêncio. Ligou o rádio. Quando os três chegaram ao resort, Elton John cantava "Goodbye Yellow Brick Road".

Eram engraçadas as coisas que ficavam gravadas na memória.

Meghann reduziu a velocidade. Hayden ainda parecia um lugar acolhedor aos recém-chegados, onde os vizinhos levavam travessas de atum para as famílias que se mudavam para a casa da frente.

Mas ela sabia a verdade.

Vivera ali tempo suficiente para saber quanto aquela gente com cara de boazinha podia ser cruel com garotas que se metiam com a turma errada. Cidades pequenas podiam ser muito acolhedoras, claro, mas também podiam se tornar inóspitas com muita rapidez. Uma menina criada por uma stripper e acostumada a morar em um trailer na parte baixa da cidade não tinha a menor condição de se ajustar à vida em uma idílica cidade do interior.

Pelo menos para Meghann foi assim. Já Claire teve uma história diferente.

Meghann chegou ao único semáforo. Ao sinal verde, pisou fundo e disparou pela cidade.

Alguns quilômetros depois, chegou à placa.

Resort River's Edge. Próxima saída à esquerda.

Ela virou na estradinha de cascalho. Árvores gigantescas pontuavam o caminho. Sob suas imensas sombras cresciam arbustos de gualtérias e frondosas samambaias.

Na primeira entrada, ela reduziu novamente a velocidade. Em uma bela caixinha de correio, cuja pintura imitava uma baleia, lia-se *C. Cavenaugh.*

O jardim, outrora selvagem, havia sido podado e cultivado; agora parecia um verdadeiro jardim campestre inglês. A casa era perfeita, no melhor estilo Martha Stewart, revestida de ripas de madeira cor de creme, com acabamento em branco envernizado, e ostentava uma bela varanda circular, toda branca, decorada com vasos suspensos de gerânios e lobélias.

Meg só estivera ali uma vez, depois do nascimento de Ali. A única lembrança que tinha daquele dia era de se sentar em um sofá xexelento, tentando engatar uma conversa com a irmã. Então as Azuladas chegaram – as amigas de Claire – e invadiram a casa feito uma praga, conversando e fazendo barulho.

Durante uma hora interminável, Meg permaneceu sentada, bebendo limonada fraca, pensando sobre um depoimento malsucedido. Por fim, arrumou uma desculpa idiota e foi embora. Desde então, não havia retornado.

Ela estacionou e saiu do carro. Carregando presentes, caminhou até a porta da frente e bateu.

Ninguém atendeu.

Depois de esperar algum tempo, Meghann retornou ao carro e dirigiu cerca de meio quilômetro até a entrada do resort.

Passou pela piscina, onde umas crianças brincavam de Marco Polo, e avançou em direção à comprida e estreita construção de madeira que funcionava como recepção. Ao abrir a porta, ouviu o tilintar de um sininho.

Sam Cavenaugh ergueu o olhar para ela detrás do balcão. Seu sorriso estampado começou a murchar lentamente, mas ele o recuperou.

– Oi, Meg. Que bom te ver. Caramba, quanto tempo.

– Pois é, tenho certeza de que deixei saudades.

Como sempre, ela ficava desconfortável e irritada perto de Sam. Harriet dizia que era porque Claire a rejeitara por causa dele, mas não era isso. Meghann ainda se lembrava do dia em que ele a expulsara. *Vai. Só vai embora.* Ele a considerava uma má influência para *sua filha.* O que ela realmente odiava, no entanto, o que jamais fora capaz de esquecer, eram as outras palavras. *Você é igualzinha à sua mãe.*

Os dois se encararam. Por sorte, ele manteve distância.

– Você está ótima – disse ele, por fim.

– Você também.

Meghann baixou os olhos para o relógio de pulso. A última coisa que queria fazer era ficar ali em silêncio ao lado de Sam.

– A Claire me pediu para te receber. Ela está um pouquinho atrasada. A família Ford, do lote 17, teve uma emergência com o fogareiro. Ela teve que ir ajudar, mas já volta.

– Que bom. Então eu espero ela em casa.

– Ela já volta.

– Você acabou de dizer isso.

– Ainda durona, não é, Meghann? – soltou ele com voz mansa, talvez até um pouco cansada.

– Foi necessário, Sam. Você sabe disso melhor que ninguém.

– Eu não te expulsei, Meghann, eu...

Ela deu meia-volta e saiu, deixando a porta bater com um estrondo. Estava a meio caminho do carro quando ouviu a voz dele outra vez.

– Ela está feliz, sabe? Com esse cara.

Meghann se virou devagar.

– Se não me falha a memória, você estava feliz quando casou com a minha mãe. E eu estava feliz quando casei com o Eric.

Sam caminhou em direção a ela.

– A sua mãe é uma figura, disso não há dúvida, e eu passei muitos anos magoado com ela, mas não me arrependo de ter me casado.

– Você só pode estar maluco.

– A Claire – explicou ele.

– Ah.

Meghann sentiu uma pontada de inveja. Lá estava outra vez... aquela coisa de pai e filha. Isso a irritava. Já devia ter superado havia muito tempo.

– Seja cuidadosa com ela – disse ele. – Vocês são irmãs.

– Eu sei disso.

– Sabe?

– Sim, eu sei.

Mais uma vez, ela deu meia-volta e se afastou. Cruzou o acampamento, surpresa com o grande número de hóspedes. Todos pareciam se divertir. O lugar era bem-conservado e tinha uma localização perfeita. A vista de cada ângulo era um verdadeiro cartão-postal, repleta de montanhas, árvores e água. Por fim, ela retornou ao carro e dirigiu até a casa de Claire.

Desta vez, ao bater à porta, ouviu o som de passos. A porta se abriu.

Alison apareceu em um macacão jeans com estampa de margaridas e uma linda blusa amarela cheia de ilhoses.

– Você não pode ser a Alison Katherine Cavenaugh. Ela é um bebê.

Ali abriu um sorriso.

– Eu sou grande agora.

– É mesmo.

Alison franziu o cenho para ela.

– O seu cabelo está mais comprido e tem umas partes cinza.

– Nossa, obrigada por notar. Pode dar um abraço na sua tia Meg?

– Você parece que está respirando direitinho.

– Eu estou – respondeu Meg, sem entender o comentário.

Alison se aproximou e deu um abraço um tanto indiferente.

– Eu trouxe um presente – disse Meg.

– Deixa eu adivinhar – disse Claire, chegando de repente. – Toda criança de 5 anos precisa de um canivete suíço.

– Não. De uma pistola de ar comprimido.

– Você não fez isso.

Meghann riu.

– Eu fui até as entranhas do inferno... uma loja de brinquedos em Northgate. E chamei a vendedora com a maior cara de tédio. Ela recomendou isso aqui.

Ela entregou a Alison uma caixa embrulhada em papel de presente colorido.

Ali rasgou o papel.

– É uma Groovy Girl, mãe. Uma Groovy Girl!

Ela pulou em Meghann, desta vez em um abraço genuíno. Mostrou a boneca para Claire, então subiu as escadas em disparada.

Meghann entregou a Claire uma garrafa de vinho.

– Far Niente, 1997. É um dos meus preferidos.

– Obrigada.

As duas se olharam. O último encontro havia sido um ano antes, quando a mãe delas estava na cidade para a convenção de fãs e aproveitara para conhecer a neta. A mãe levara Claire e Ali ao Jardim Zoológico, e mais tarde Meghann juntou-se a elas. As três passaram a maior parte do tempo acompanhando Alison nas atrações da Floresta Animada. Assim não precisavam conversar.

Por fim, Claire se aproximou, puxando Meghann para um abraço rápido.

Meghann cambaleou para trás, sem reação, surpresa com o gesto. Em seguida desejou ter retribuído o abraço.

– A comida está com um cheiro ótimo, mas você não precisava cozinhar. Eu queria levar vocês para jantar.

– O cardápio do Chuck Wagon não é exatamente do seu gosto. Eu me poupei das reclamações.

– Ah.

– Mas entra. Faz muito tempo que você não vem aqui.

– Você nunca foi à minha casa.

Claire a encarou.

– Estou tentando puxar papo, Meg, não procurando briga.

– Ah – disse Meghann outra vez, sentindo-se uma idiota.

Ela acompanhou Claire até o sofá e sentou-se ao lado dela. Não pôde deixar de notar o ridículo anel de noivado – um aro de papel-alumínio, pelo amor de Deus. Era bom que tivesse ido até ali. Não havia motivo para adiar.

– Claire, eu acho...

Então *ele* chegou. Meghann entendeu na mesma hora por que a irmã havia caído de quatro. Bobby podia até ser um cantor fracassado, mas era sucesso absoluto no quesito beleza. Era alto e magro, mas de ombros largos, com cabelos loiros na altura dos ombros. Quando sorriu, o rosto se iluminou.

Um homem daqueles não apenas fazia uma mulher cair de quatro; ele a deixava zonza e tão perdida que não havia opção a não ser cair.

Ele e Claire trocaram um olhar que irradiava amor. Meg se lembrou do filme *Nosso amor de ontem*, aquela ode à amarga verdade de que às vezes o homem errado podia ser lindo a ponto de lhe tirar o fôlego.

Cedo ou tarde, porém, uma mulher precisava respirar.

– Eu sou Bobby Austin – disse ele, sorrindo.

Meghann se levantou e o cumprimentou com um aperto de mão.

– Meghann Dontess.

– A Claire disse que te chamam de Meg.

– Os meus amigos, sim.

Ele sorriu.

– Pela sua cara, acho que prefere que eu a chame de Sra. Dontess.

– Eu imagino que as moças do Arkansas devem te achar charmoso.

– As do Texas achavam, com certeza – respondeu ele, abraçando Claire. – Mas isso tudo é passado. Encontrei a mulher com quem quero envelhecer.

Ele deu um beijinho na bochecha de Claire, apertou sua mão, pegou a garrafa de vinho e partiu para a cozinha.

Nos poucos instantes em que ele ficou ausente, Meghann ficou encarando a irmã, tentando escolher as palavras com cuidado, mas nada parecia adequado.

Bobby retornou com duas taças de vinho e entregou uma a Meghann.

– Imagino que tenha algumas perguntas para me fazer – disse ele, sentando-se.

Sua franqueza desnorteou Meghann. Devagar, meio indecisa, ela se sentou na poltrona em frente ao sofá. Agora eram entidades separadas: Bobby e Claire versus Meghann.

– Me fale de você – disse ela.

– Eu amo a Claire.

– Algo substancial.

– Você é uma mulher de fatos e números, certo? Eu tenho 37 anos. Sou formado em apreciação musical pela Universidade Estadual de Oklahoma. Bolsa de estudos conquistada no rodeio. Era laçador de bezerro. Por isso meus joelhos são tão ferrados. Eu já fui... casado.

Meghann se inclinou para a frente, em estado de alerta.

– Quantas vezes?

Ele olhou para Claire.

– Três.

– Ai, *droga*. – Meghann encarou Claire. – Você só pode estar de brincadeira. Se casamento fosse crime, ele estaria cumprindo prisão perpétua.

Ele chegou para a frente.

– Casei com a Suellen quando tínhamos 18 anos. Ela estava grávida e de onde eu venho...

– Você tem filhos?

– Não. – A voz dele se amansou. – Ela perdeu o bebê. Depois disso, não vimos muitos motivos para continuar casados. Durou menos de três meses. Só que eu demoro a aprender. Casei outra vez aos 21. Infelizmente, acabou que ela queria uma vida muito diferente da que eu queria. Carrões, joias caras. Eu fui preso quando ela foi pega vendendo cocaína em nossa casa. Passei dois anos morando com ela e nunca percebi. Só achava que ela era mal-humorada pra caramba. Ninguém acreditou que eu não fazia parte do esquema. A Laura foi a única que valeu a pena. Ela era... é uma pediatra que ama música country. Fomos casados por dez anos. Nos separamos faz mais ou menos um ano. Eu podia te contar o motivo, mas não é da sua conta. Mas a Claire sabe de tudo.

Três fracassos e um crime.

Perfeito.

E agora a irmã má tinha que partir o coração da irmã boa.

Como?

Essa era a pergunta primordial. Como dizer o que era preciso ser dito em uma hora dessas? Ainda mais com o Sr. Lindo-Como-Um-Deus sentado ao lado? Harriet tinha razão sobre uma coisa: fazia anos que Meghann e Claire viviam no alto de um penhasco, sustentadas por uma fina camada de cortesia e fingimento. A abordagem errada poderia mandá-las direto para o abismo.

Claire se levantou do sofá e se aproximou da irmã, sentando-se no baú chinês entalhado que servia como mesinha lateral.

– Eu sei que você não consegue ficar feliz por mim, Meg.

– Eu quero ficar. – E era verdade. – É só que...

– Eu sei. Ele não ganhou nota dez. Eu sei. E o seu trabalho é cuidar de divórcios. Eu também sei. E, principalmente, sei que você cresceu na casa da mamãe. – Ela se inclinou para a frente. – Eu *sei*, Meg.

Meghann sentiu o peso daquelas poucas palavras. Sua irmã pensara em todos os mesmos motivos, vislumbrara todos os possíveis resultados. Não havia nada que Meghann pudesse dizer que Claire já não soubesse.

– Nunca vai fazer sentido, e eu sei que é louco e arriscado e... pior de tudo... isso é a cara da mamãe. Eu não preciso que você me diga essas coisas. O que eu preciso é que você confie em mim.

Confiar. Exatamente o que Harriet havia previsto. No entanto, fazia muito tempo que Meghann não sabia o que era confiar em alguém. Se é que um dia soubera.

– Eu sei que é difícil para você. O líder da matilha nunca é um bom seguidor. Mas seria muito importante para mim se você deixasse isso de lado. Se me desse um abraço e dissesse que está feliz por mim. Mesmo que seja mentira.

Meghann encarou os olhos claros da irmã. Claire parecia assustada e ansiosa. Obviamente estava se preparando para ser magoada pela resposta da irmã, mas uma pequena parte dela não podia evitar acreditar...

Meghann se lembrou da infância. Sempre que a mãe trazia um novo "amigo" para casa, Claire se permitia acreditar que *enfim* haveria um pai em sua vida. Meghann tentara proteger a menina do próprio otimismo, mas nunca conseguira, e cada padrasto partia um pedacinho do coração de Claire. Ainda assim, quando chegava o seguinte, sua irmã encontrava um jeito de voltar a acreditar.

Claro que Claire acreditava em Bobby Austin.

Não havia jeito de Meghann conseguir fazê-la mudar de ideia, nem – o mais importante – de mudar seus sentimentos. Sendo assim, ela tinha duas opções: ou fingia conceder a bênção ou insistia em seu argumento. A primeira escolha permitia que ela e Claire continuassem sendo as quase irmãs que eram. A segunda arriscaria até mesmo essa relação tão frágil.

– Eu confio em você, Claire – disse Meghann, por fim. Foi retribuída com um sorriso hesitante. – Se você diz que o Bobby Austin é o homem que você ama, está de bom tamanho para mim.

Claire soltou um suspiro pesado.

– Obrigada. Eu sei que não foi fácil para você.

Ela se aproximou e abraçou Meghann, que novamente ficou surpresa demais para retribuir.

Claire recuou e se levantou, indo até o sofá e sentando-se ao lado de Bobby, que a enlaçou e a puxou para perto na mesma hora.

Meghann tentou pensar em algo para dizer no silêncio constrangedor que se seguiu.

– Então, qual é o plano para a cerimônia? Um juiz de paz? Eu tenho um amigo que...

– Nada disso – disse Claire, com uma risada. – Eu esperei 35 anos por isso. Vou querer tudo a que tenho direito. Vestido branco. Cerimônia na igreja. Recepção com pista de dança. Tudinho.

Meghann não soube por que ficou surpresa. Quando criança, Claire costumava brincar de noiva por horas a fio.

– Tem uma cerimonialista no meu prédio. Acho que ela organizou o casamento do Bill Gates.

– Estamos em Hayden, não em Seattle. Eu vou alugar o salão do clube dos veteranos de guerra e pedir que cada convidado leve uma comida. O Bon Marché agora tem uma seção de noivas. Vai ser ótimo. Você vai ver.

– Cada um leva uma comida? *Sério?*

Meghann se levantou. No fim das contas, ela realmente tinha puxado algo da mãe. Não ia deixar a irmã ter um casamento organizado no supermercado.

– Eu vou organizar a cerimônia e a recepção – disse ela em um impulso.

A oferta fez com que se sentisse firme de novo. No controle de alguma coisa.

– Você? – indagou Claire, fechando o sorriso.

– Eu não sou nenhuma idiota. Dou conta de fazer isso.

– Mas... mas... o seu trabalho é tão agitado. Eu nunca ia te pedir para gastar seu tempo com isso.

– Você não pediu. Eu que ofereci. E por acaso eu estou... sendo subutilizada no trabalho. – A ideia tomou conta dela. Talvez aquilo pudesse aproximar as duas. – Na verdade, seria perfeito. Eu *quero* fazer isso por você, Claire.

– Ah. – Claire soou meio desapontada.

Meghann sabia o que ela estava pensando: que sua irmã era um elefante em uma lojinha de porcelanas.

– Eu vou ouvir o que você quer e atender aos seus desejos. O casamento vai ser *seu*. Eu prometo.

– Pra mim, parece ótimo – disse Bobby, abrindo um sorrisão. – Você é muito generosa, Meghann.

Claire franziu o cenho para a irmã.

– Por que é que estou pensando no filme *O pai da noiva*? Você nunca faz nada de graça, Meg.

De repente Meghann se sentiu constrangida, vulnerável. Não sabia ao certo por que queria tanto fazer aquilo.

– Desta vez eu vou. Prometo.

– Ok – disse Claire, por fim. – Pode me ajudar no casamento.

Meghann abriu um sorriso e bateu palmas.

– Que ótimo. Então é melhor eu começar. Você tem uma lista telefônica? Qual é a data mesmo? Dia 23? No próximo sábado? Não temos muito tempo para organizar as coisas.

Ela rumou para a cozinha, onde encontrou um pedaço de papel e começou a rascunhar uma lista de afazeres.

– Ai, meu Deus – ela ouviu a irmã dizer. – Eu criei um monstro.

DOZE

Na segunda noite na casa da irmã, Joe já se sentia sufocado. Em todo canto que olhava, tinha vislumbres de sua antiga vida. Não sabia como seguir, mas sabia que não podia ficar.

Esperou Gina ir ao mercado, juntou suas coisas na velha mochila – incluindo vários retratos de Diana que havia pegado da casa – e saiu. Deixou um bilhete no balcão da cozinha.

Não posso ficar aqui. Desculpa. Dói demais.
Sei que você está passando por um momento difícil,
então não vou muito longe. Te ligo em breve. Te amo.
Obrigado.
J.

Ele caminhou alguns quilômetros de volta à cidade. Ao chegar ao centro, sentia como se estivesse cruzando um lamaçal. Estava outra vez cansado, exaurido.

Não queria fugir, não queria ter que se hospedar em um hotel barato e remoer a velha culpa.

Ergueu os olhos e viu a placa do Cemitério Mountain View. Um calafrio o percorreu. Da última vez que estivera ali, caía uma chuva torrencial. Havia dois policiais ao lado dele, acompanhando seus movimentos como sombras. Os presentes no enterro mantiveram distância. Joe sentia a reprovação deles, ouvia seus sussurros.

Havia tentado se afastar durante a cerimônia, mas um policial o puxou de volta.

– Eu não tenho condições de assistir – sussurrou ele com voz rascante.

– Que pena – retrucou o outro guarda, segurando-o com firmeza.

Ele devia ir ao cemitério, mas não conseguia; não seria capaz de se ajoelhar na grama verde e macia em frente à lápide dela.

Além do mais, não encontraria Diana ali. Havia mais dela em seu coração do que debaixo de qualquer pedregulho cinza.

Ele contornou a cidade e atravessou um campo vazio na direção do rio. Os sons suaves e borbulhantes suscitaram uma série de lembranças da juventude. Dias em que os dois haviam feito piqueniques nas margens e noites em que estacionaram ali e fizeram amor na escuridão de seu antigo Dodge Charger.

Ele se ajoelhou.

– Oi, Di. – Joe fechou os olhos com força, enfrentando uma onda de culpa. – Estou em casa. E agora?

Nenhuma resposta foi soprada pela brisa do verão, nenhum cheiro de perfume o envolveu. Mesmo assim, ele sabia. Ela estava feliz com seu retorno.

Joe abriu os olhos, encarando o rio cor de prata.

– Eu não posso ir para casa.

A ideia quase o fazia passar mal. Três anos antes, ele deixara sua casa em Bainbridge Island sem olhar para trás. As roupas dela ainda estavam no armário. A escova de dentes, ainda na pia.

De forma alguma podia voltar. Sua única esperança – se é que havia alguma – estava em dar um passo de cada vez. Ele não precisava *voltar* à antiga vida; tinha apenas que parar de fugir dela.

– Eu podia arrumar um emprego em Hayden – disse Joe, depois de um longo silêncio.

Ficar na cidade seria difícil, ele sabia. Muita gente ainda se lembrava do que ele havia feito. Teria que aguentar os olhares, os cochichos.

– Eu posso tentar.

Com isso, conseguiu voltar a respirar.

Passou mais uma hora ali, ajoelhado na grama, recordando. Então, enfim, levantou-se e caminhou de volta à cidade.

Havia pouca gente pelas ruas; alguns o olharam enviesado, mas ninguém se aproximou. Joe sabia quando era reconhecido, via o jeito como os antigos amigos se espantavam ao vê-lo, como recuavam. Manteve a cabeça baixa e seguiu em frente. Estava prestes a desistir da ideia de arrumar um emprego quando chegou ao final da cidade. Parou em frente ao Riverfront Park, encarando uma fila de carros parados em um trecho de cascalho, atrás de uma cerca de arame entrelaçado. Em um barracão metálico, via-se a placa: *Smitty's, a melhor oficina de Hayden.*

Sobre a cerca, o anúncio: *Estamos contratando. Exigimos experiência, mas quem eu estou enganando?*

Joe cruzou a rua e se dirigiu à entrada.

Um cachorro começou a latir. Ele notou a placa de *Cuidado com o cão*. Segundos depois, um pequeno poodle branco dobrou a curva, correndo.

– Madonna, pare com essa gritaria.

Da escuridão do barracão, surgiu um senhor. Usava um macacão sujo de óleo e um boné de beisebol dos Mariners. A metade inferior de seu rosto era encoberta por uma longa barba branca.

– Não liga para o cachorro. Como posso ajudar?

– Eu vi que o senhor está contratando.

– Não brinca – disse o homem, com um tapa na coxa. – Isso está aí desde que o Jeremy Forman foi para a faculdade. Já vai fazer uns dois anos. – Ele de repente deu um passo à frente, franzindo de leve o cenho. – Joe Wyatt?

Joe ficou tenso.

– Oi, Smitty.

Smitty soltou um suspiro pesado.

– Não acredito.

– Eu voltei. E preciso trabalhar. Mas se isso for atrapalhar seus negócios, vou entender. Sem ressentimentos.

– Você quer um trabalho de *mecânico*? Mas você é médico...

– Essa vida acabou.

Smitty o encarou por um longo tempo.

– Você se lembra do meu filho Phil? – perguntou ele, enfim.

– Ele era bem mais velho que eu, mas lembro, sim. Dirigia aquele Camaro vermelho.

– A vida dele acabou depois do Vietnã. Culpa, eu acho. As coisas que ele fez lá... Enfim, eu já vi um homem fugindo. Não é nada bom. Claro que eu te contrato, Joe. E ainda dá para morar no casebre. Está a fim?

– Estou.

Smitty assentiu e foi abrindo caminho pelo barracão até sair do outro lado. O quintal dos fundos era grande e bem conservado. Flores brotavam em moitas desordenadas junto à calçada. Atrás do pequeno casebre de madeira erguia-se um grupo de árvores perenes. O telhado estava tomado de musgo; a varanda da frente parecia meio instável e bamba.

– Você era adolescente da última vez que morou aqui. Eu perdi a conta de quantas moças namorou.

– Isso faz muito tempo.

– Pois é – disse Smitty, com um suspiro. – A Helga ainda mantém tudo limpinho. Ela vai ficar feliz em ter você de volta.

Joe entrou no casebre atrás de Smitty.

Do lado de dentro, tudo estava limpo como sempre. Uma manta de lã listrada de vermelho cobria um velho sofá de couro, e uma cadeira de balanço jazia ao lado da lareira feita de pedras do rio. A cozinha, revestida de fórmica amarela, parecia estar bem equipada, com panelas e frigideiras, e o único quarto abrigava uma cama de casal com dossel.

Joe estendeu o braço e apertou a mão do homem.

– Obrigado, Smitty – disse ele, surpreso com a profundidade da própria gratidão. Sentia um nó na garganta.

– Tem muita gente nesta cidade que gosta de você, Joe. Parece que você esqueceu.

– É bom ouvir isso. Mesmo assim, eu preferia que ninguém soubesse que estou aqui, pelo menos por um tempo. Eu... não fico confortável perto de outras pessoas.

– Deve ser difícil se recuperar do que você passou.

– Muito difícil.

Depois que Smitty saiu, Joe revirou a mochila e pegou um dos porta-retratos que tirara da casa da irmã e olhou o rosto sorridente de Diana.

– Já é um começo – disse a ela.

Meghann acordou desorientada. Para começar, o quarto estava escuro. Em segundo lugar, estava silencioso. Nenhum som de buzina, nem o silvo da marcha a ré dos caminhões. No início achou que havia um rádio ligado em algum dos outros quartos. Então percebeu que era o canto de um passarinho. Um passarinho, pelo amor de Deus.

A casa de Claire.

Ela se sentou na cama. O quarto de hóspedes, muito bem decorado, era estranhamente confortável. Por todo canto havia bugigangas feitas à mão – prova do tempo gasto nas pequenas coisas –, além de trabalhinhos artísticos de Ali. Porta-retratos preenchiam cada espaço. Em outra época e outro lugar, Meghann talvez risse do porta-joias feito com uma caixa de ovos pintada e revestida de macarrõezinhos. Ali, na casa da irmã, aquilo a fez sorrir. Ao olhar a peça, imaginou Ali com seus dedinhos rechonchudos colando e pintando. E Claire batendo palmas com orgulho ao ver o projeto finalizado e dando um uso à obra de arte. Tudo o que a mãe delas nunca fizera.

Alguém bateu à porta.

– Meg? – chamou Claire, hesitante.

Ela olhou o relógio na mesa de cabeceira.

Eram 10h15.

Caramba. Ela esfregou os olhos, que estavam ásperos feito areia por conta da insônia. Como de costume, passara a noite se revirando na cama.

– Já levantei – disse Meg, jogando as cobertas para o lado.

– O café está na mesa – disse Claire, do outro lado da porta. – Estou indo limpar a piscina. Vamos sair umas onze, se estiver tudo bem para você.

Meghann levou um segundo para lembrar. Prometera ir à cidade com Claire e as amigas. Procurar um vestido de noiva, em Hayden, com adultas que se intitulavam "Azuladas".

Meghann grunhiu.

– Estarei pronta.

– Até já.

Meghann ouviu os passos de Claire se afastando. Por quanto tempo conseguiria sustentar aquele joguinho de "sou sua irmã, apoio o seu casamento"? Cedo ou tarde, acabaria explodindo ou – pior – abriria a boca para soltar suas opiniões bombásticas. *Você não pode casar com esse cara. Você não o conhece. Use a cabeça.*

Nenhum desses comentários cairia bem.

Ainda assim, visto que Meghann não podia voltar ao trabalho, não tinha amigos a quem recorrer e nenhum plano de férias, se pegou organizando a festa de casamento da irmã. Honestamente, haveria pessoa pior para essa tarefa?

Ela não conseguia se lembrar da última festa de casamento que presenciara. Ah, claro que podia.

A sua própria.

Não tinha sido a festa de casamento que estragara as coisas, óbvio; o responsável por isso foi o próprio casal.

Meghann se levantou e foi até a porta, abriu uma frestinha e espiou o lado de fora. Estava tudo calmo. Andou rápido pelo corredor até o pequeno banheiro no segundo andar. Uma escova de dentes fechada jazia na lateral da pia, com certeza saída da lojinha do "resort". Ela escovou os dentes, depois tomou uma ducha rápida e muito quente.

Em meia hora já estava pronta para sair, com roupas do dia anterior – blusa branca Dolce & Gabbana, calça jeans Marc Jacobs e um cinto marrom largo com fivela redonda de prata.

Ela arrumou o banheiro rapidamente, fez a cama e saiu de casa.

Do lado de fora, o sol reluzia sobre o jardim bem cuidado. Era fim de junho, uma gloriosa época do ano naquela região. Tudo florescia. O jardim estava tomado de cores, contornado por arbustos verdejantes e uma mata de árvores frondosas. A distância, mas parecendo quase ao alcance das mãos, o triângulo de granito do Monte Formidável empurrava uma camada de nuvens altas.

Meghann jogou a bolsa no assento do passageiro de seu Porsche e entrou no carro. O motor roncou. Ela dirigiu lentamente em direção ao resort, com cuidado para não levantar muita poeira na estradinha de cascalho. A distância entre a casa e a recepção era curta, cerca de 500 metros, mas suas sandálias de salto alto não se davam bem com as pedrinhas soltas do chão.

Por fim, ela estacionou o carro em frente à recepção. Caminhando cuidadosamente em meio à grama molhada pelo orvalho, entrou no saguão.

Estava vazio.

Ela foi até o balcão, procurou a lista telefônica de Hayden e foi até a seção de "Cerimonialistas de casamento". Havia apenas um: *Cerimonial Royal Event. Finja que só vai se casar uma vez*, dizia a propaganda, em caligrafia rebuscada.

Meghann não conseguiu conter uma risada. Um debochado. Quem melhor para ajudar Meghann a planejar um casamento? Ela anotou o número e enfiou na bolsa.

Encontrou Claire no banheiro do acampamento, desentupindo uma privada. Ao ver sua expressão horrorizada, Claire riu.

– Vá lá para fora, poderosa. Saio em um segundo.

Meghann se afastou e esperou à beira do gramado.

Conforme o prometido, Claire saiu em pouco tempo.

– Vou me lavar e estou pronta para ir. – Ela encarou o Boxster. – Você veio até aqui *de carro*?

Gargalhando, ela se afastou.

Meghann entrou no carro e ligou o motor. O som imediatamente começou a tocar "Hotel California". Ela baixou o teto conversível e esperou.

Claire reapareceu de calça jeans e camiseta do River's Edge Resort. Ela jogou a bolsa de lona no assento de trás e entrou no carro.

– Isso é que é ir à cidade em grande estilo.

Meghann não sabia se Claire estava debochando ou não, então ficou em silêncio. Na verdade, aquele era seu novo mantra: *cale a boca e sorria*.

– Você dormiu até bem tarde – disse Claire, baixando a música. – Achei que começasse a trabalhar às sete.

– Eu tive insônia ontem à noite.

– Por favor, Meg, não se preocupe comigo. Por favor.

Meghann ficou comovida com aquele *por favor* sussurrado. Não podia deixar a irmã pensar que a insônia tinha a ver com o casamento.

– Não é o casamento. Eu nunca durmo.

– Desde quando?

– Acho que desde a faculdade. Noites em claro estudando para prova. Você sabe como é.

– Não sei, não.

Ela estava tentando proteger Claire, escondendo o fato de que a insônia começara quando a família delas desmoronou, mas mencionar a faculdade não tinha sido uma boa jogada. Para Claire, era mais uma lembrança de tudo o que havia no meio delas, mais um comentário sobre a superioridade de Meghann. Ao longo dos anos, Claire fizera dezenas de observações sobre a irmã mais velha ser uma gênia, que entrara para a faculdade antes de todo mundo. Era um assunto delicado.

– Pelo que eu ouço, a maternidade também causa umas noites em claro.

– Você sabe uma coisa ou outra sobre bebês. A mamãe dizia que eu tinha muita cólica. Uma verdadeira pentelha.

– Ah, a mamãe não sabia de nada. Você não tinha cólicas. Tinha muita infecção de ouvido. Quando ficava doente, chorava sem parar. Eu costumava levar você aos berros até a lavanderia da rua. Eu sentava na secadora com você no colo e você caía no sono. A mamãe nunca descobriu para onde iam todas as moedinhas da casa.

Meghann sentiu o olhar de Claire. Tentou pensar em algo a dizer, uma forma de mudar o rumo da conversa, mas não encontrou nada.

Por fim Claire deu uma risada, mas o som saiu frágil.

– Deve ser por isso que eu gosto de lavar roupa. Vira aqui.

Estavam mais uma vez em terreno seguro, ela e Claire; cada uma na própria margem.

– É aqui.

Claire apontou para uma antiga casa vitoriana pintada de rosa-choque com detalhes em lilás. Um caminho de cascalho cortava um gramado perfeitamente aparado. Dos dois lados havia rosas vermelho-vivo em plena floração. A cerca branca de estacas exibia uma placa, pintada à mão: *Gavetas da Srta. Abigail. Entre.*

Meghann olhou aquela casa ridiculamente fofinha.

– A gente podia ir até a Escada ou a Nordstrom...

– Não começa, Meg.

– Ok. – Ela suspirou. – Vou encarnar a caipira deslumbrada. Vai lá. Eu vou calar a boca.

Elas subiram a escada meio bamba e entraram na loja. Havia propagandas por toda parte – flores de plástico, fotos em molduras de concha, enfeites natalinos artesanais. A grade da lareira resplandecia, envolta por velas decorativas.

– Olá? – chamou Claire.

A resposta foi imediata. Um alarido de vozes femininas, então uma horda de passos estrondosos.

Uma senhora gordinha veio rápido de um canto, os cachinhos grisalhos balançando feito a Cindy da *Família Sol-Lá-Si-Dó*. Usava uma bata havaiana floral e chinelos de pompom.

– Claire Cavenaugh. Que alegria *enfim* poder te mostrar o segundo andar.

– Os vestidos de noiva ficam no segundo andar – explicou Claire a Meghann. – A Abby já tinha desistido de mim.

Antes que Meghann pudesse responder, duas outras mulheres entraram correndo na loja. Uma era baixinha e usava um vestido solto, com tênis branco. A outra, alta e talvez magra demais, vestia uma perfeita seda bege.

Duas Azuladas. Meg reconheceu as mulheres, mas não saberia dizer seus nomes nem por todo o dinheiro do mundo.

A de vestido era Gina, logo ficou sabendo, e a de saia era Charlotte.

– A Karen não pôde vir – disse Gina, lançando a Meghann um olhar desconfiado. – O Willie tinha consulta no ortodontista, e a Dottie sentou em cima dos óculos.

– Resumindo – concluiu Charlotte –, um dia normal na vida da Karen.

Todas começaram a falar ao mesmo tempo.

Meghann observou Claire se aproximar de Charlotte e Abigail, conversando sobre rendas, contas e véus.

O acessório perfeito é um acordo pré-nupcial, foi o que Meg pensou. Aquilo a fez se sentir décadas mais velha que as outras mulheres, além de claramente excluída.

– Então. Meghann... da última vez que eu te vi, a Alison era recém-nascida – disse Gina, junto à estátua de ferro de uma garça. – Agora você voltou para o casamento.

As amigas de Claire sempre haviam sido mestras em lembrar, de maneira nada sutil, que Meghann nao pertencia àquele lugar.

– Oi, Gina. Que bom te ver de novo.

Gina a encarou.

– Estou surpresa de você ter conseguido sair do escritório. Fiquei sabendo que é a maior especialista em divórcios de Seattle.

– Eu não podia perder o casamento da Claire.

– Eu conheço uma advogada de divórcios. Ela tem o maior talento para separar famílias.

– É o nosso trabalho.

Um olhar perpassou os olhos de Gina. Ela suavizou a voz.

– Juntam famílias de volta também?

– É muito raro.

A expressão de Gina murchou feito uma fruta podre e Meghann compreendeu.

– Você está se separando.

A mulher tentou abrir um sorriso corajoso.

– Acabou de acabar, na verdade. Me diz que vai melhorar.

– Vai, sim – respondeu Meg com delicadeza. – Mas pode ser que leve um tempo. Existem muitos grupos de apoio que podem ajudar.

– Eu tenho as Azuladas para me dar colo, mas obrigada. Agradeço a sua honestidade. Agora vamos subir e encontrar o vestido de noiva perfeito para a sua irmã.

– Em Hayden?

Gina riu e conduziu Meg para o segundo andar. Ao chegarem, Claire já estava experimentando o primeiro vestido. Gigantescas mangas bufantes, decote em formato de coração e uma saia que mais parecia uma xícara de chá de cabeça para baixo. Meg se sentou em uma cadeira de vime ornamentada e Gina ficou logo atrás.

– Minha nossa – disse Abigail. – Esse está lindo, e está com 33% de desconto.

Claire estava em cima de uma plataforma redonda, em frente a um espelho de três folhas de corpo inteiro, e movia-se para observar cada ângulo.

– É bem princesa – disse Charlotte.

Claire olhou para Meg.

– O que você acha?

Meghann não sabia ao certo o que esperavam dela. Honestidade ou incentivo. Deu outra olhada no vestido e concluiu que era impossível incentivar.

– Claro que está com desconto. É horrendo.

Claire desceu da plataforma e foi procurar outro modelo.

Assim que ela saiu, Charlotte e Abigail encararam Meghann. Nenhuma das duas sorria.

Ela tinha sido sincera demais – um erro comum –, e agora não confiariam nela. A intrusa.

Meghann *não* comentaria nada sobre o vestido seguinte. De maneira alguma.

– O que vocês acham? – perguntou Claire, instantes depois.

Meg se remexeu na cadeira. Era piada? O vestido parecia figurino de um festival de dança folclórica. Talvez do Country Music Awards. Só faltava a leiteirinha cravejada. O vestido era feio. Ponto final. E ainda por cima tinha cara de vagabundo.

Claire se olhava no espelho, mais uma vez avaliando o vestido por todos os ângulos. Então, voltou-se para Meghann.

– Você está quieta demais.

– É o vômito subindo pela garganta. Não consigo falar.

O sorriso de Claire congelou.

– Acho que isso é uma negativa.

– Um vestido barato do Bon Marché é uma negativa. Essa porcaria com festão de renda é um grito de socorro.

– Acho que você está sendo um pouco dura – disse Abigail, vermelha feito um tomate gigante.

– Ela vai se *casar* – disse Meg. – Não entrar para o elenco de uma série caipira.

– A minha irmã é sempre assim – disse Claire, baixinho, retornando ao provador.

Meghann suspirou. Havia estragado tudo de novo, usando sua opinião feito um golpe de porrete na nuca. Ela afundou de volta na poltrona e calou a boca.

O resto da tarde foi um desfile enlouquecedor de vestidos baratos. Um atrás do outro, Claire subia o zíper, pedia opiniões, baixava o zíper. Não pediu mais a opinião de Meghann, que sabia que era melhor não falar nada. Em vez disso, recostou-se na poltrona e apoiou a cabeça na parede.

Um cutucão nas costelas a acordou. Ela piscou e se inclinou para a frente. Charlotte, Abigail e Claire estavam se afastando, conversando animadamente até desaparecerem em uma sala chamada *Chapéus e Véus*.

Gina a encarava.

– Ouvi dizer que você era uma escrota, mas dormir enquanto a sua irmã escolhe o vestido de noiva é uma baita falta de educação.

Meghann esfregou os olhos.

– Foi o único jeito de ficar quieta. As garçonetes do Denny's se vestem melhor que isso. Pode acreditar, eu fiz um favor à minha irmã. Ela escolheu algum?

– Não.

– Queria dizer graças a Deus, mas tenho medo de ter outra loja na cidade. – De repente, Meghann franziu o cenho. – Como assim, eu sou uma escrota? É isso o que a Claire diz?

– Não. Sim. Às vezes. Você sabe, às vezes a gente sai para beber umas margaritas depois de um dia ruim. A Karen chama a Susan, irmã dela, de Psicopata Desalmada. A Claire te chama de Tubarão.

Meghann quis sorrir, mas não conseguiu.

– Ah.

– Eu me lembro de quando ela se mudou para cá, sabe? – disse Gina, baixinho. – Era calada feito um ratinho e chorava se levasse um olhar atravessado. Passou anos dizendo que sentia saudade da irmã. Eu só fui descobrir o que tinha acontecido na nossa formatura.

– O que eu tinha feito, você quer dizer.

– Não sou ninguém para julgar. Olha, eu já passei por muita coisa ruim nessa vida, e a maternidade é o trabalho mais difícil do mundo. Mesmo para quem é adulta e preparada. A questão é a seguinte: a Claire ficou magoada e às vezes, quando as feridas vêm à tona, ela se transforma na Srta. Educadinha. Continua muito legal, mas a temperatura no ambiente cai para abaixo de zero.

– Eu precisei de um casaco o dia todo.

– Mas não desista. Ela admitindo ou não, sua presença aqui é muito importante.

– Eu me ofereci para organizar o casamento.

– Você parece a pessoa ideal.

– Ah, claro. Sou super-romântica – retrucou Meg com um suspiro.

– Você só precisa escutar a Claire. Escutar de verdade, e fazer tudo o que for possível para realizar o sonho dela.

– Talvez você pudesse colher umas informações e me repassar. Tipo uma agente secreta.

– Quando foi a última vez que você tomou um drinque com a sua irmã e simplesmente *conversou*?

– Digamos que foi quando a gente não tinha idade suficiente nem para tomar um vinho no jantar.

– Imaginei. Vai sair com ela agora.

– Mas a Alison...

– O Sam pode cuidar da Ali. Eu aviso a ele. – Ela abriu a bolsa, vasculhou o interior e pegou um pedaço de papel, então anotou alguma coisa e entregou a Meghann. – Este é o número do meu celular. Me liga daqui a uma hora, que eu te aviso dos horários da Ali.

– A Claire não vai querer ir comigo. Ainda mais depois do que eu falei sobre os vestidos.

– E porque você dormiu. O ronco foi o ponto alto. De todo modo, a Claire já tinha dado a entender que você não ligava muito para os outros.

– Você não suaviza os golpes, né?

– Por isso o divórcio. Leva a Claire para jantar. Vão ao cinema. Escolham as flores do casamento. Façam *alguma coisa* de irmãs. Já está mais do que na hora.

TREZE

Claire sabia que seus lábios estavam contraídos, deixando claro seu desagrado. Ela dominava aquela arte: demonstrar raiva sem ter que dizer nada de que se arrependeria depois. Seu pai com frequência comentava a respeito. *Caramba, Claire,* dizia ele, *ninguém tem tanta habilidade de gritar comigo sem dizer uma palavra. Um dia essa sua raiva silenciosa vai subir para a garganta e fazer você engasgar.*

Ela olhou de esguelha para a irmã diante do volante, dirigindo muito depressa, os cabelos negros voejando como os de uma celebridade. Os óculos de sol que lhe cobriam os olhos provavelmente valiam mais que todo o patrimônio líquido de Claire.

– Aonde estamos indo? – perguntou ela, pela quarta vez.

– Você vai ver.

Sempre a mesma resposta. Curta e grossa. Como se Meghann tivesse medo de dizer algo mais.

Ela tinha dormido.

Claire não pedia muita coisa da irmã. Muito pelo contrário. Não esperava que ela se divertisse procurando um vestido de noiva. Meghann, aproveitando um dia entre amigas? Impossível.

Mas o que mais a irritava era que tinha pedido a opinião de Meg primeiro, mesmo com Gina e Charlotte bem ali. Claire deixara transparecer a própria carência. *O que você acha, Meghann?*

Ela tinha perguntado *duas vezes*. Depois da segunda, compreendeu o erro e ignorou Meghann por completo.

Então ouviu os roncos.

Foi quando sentiu as lágrimas se formando.

O fato de nenhum vestido ter ficado bom não ajudara em nada e, claro, nem que até os vestidos feios custassem os olhos da cara, ou que ao fim da tarde ela já estivesse começando a considerar mais prático escolher logo um vestido branco de verão. Aquilo tudo só a deixara com mais vontade de chorar. Mas agora Claire estava simplesmente brava. Meghann estragaria seu casamento; não havia dúvida quanto a isso. Sua irmã era como um vírus transportado pelo ar. Dez segundos no mesmo ambiente e qualquer um começava a adoecer.

– Eu preciso voltar para a Ali – disse Claire, também pela quarta vez.

– Você vai voltar.

Claire respirou fundo. Tudo tinha limite.

– Olha, Meg, sobre a organização do casamento. Honestamente, você...

– Chegamos.

Meg parou o Porsche prata em uma vaga vazia na rua. Antes que Claire pudesse responder, Meghann saiu do carro e parou em frente ao parquímetro.

– Vem.

Elas estavam no centro de Seattle. Território da irmã. Meg provavelmente queria exibir seu apartamento milionário.

Claire franziu o cenho. Tinham parado na base de uma suave e comprida ladeira. Lá em cima – a uns seis quarteirões de distância, talvez – via o Mercado Público. Atrás delas, também a vários quarteirões de distância, estava o terminal ferroviário. Um artista de rua tocava uma melodia triste em um saxofone; a música pairava sobre a barulheira do tráfego. À esquerda, uma cascata de degraus de concreto desaguava no pátio de um condomínio. Do outro lado da rua havia um estacionamento rotativo, que estava quase vazio, pois não era dia de jogo.

– Você mora aqui? – perguntou Claire, pegando a bolsa e saindo do carro. – Sempre te imaginei morando em um arranha-céu sofisticado.

– Eu te convidei um milhão de vezes para vir à minha casa.

– Duas vezes. Você me convidou naquele dia que a mamãe estava na cidade para a convenção dos malucos, e uma vez para a ceia de Natal. Daí você cancelou o Natal porque pegou uma gripe, e a mamãe acabou levando a gente para jantar no Canlis.

– Sério? – indagou Meghann, surpresa com a resposta. – Eu achei que vivesse te chamando para vir me visitar.

– E vive, mesmo. Só que nunca marcou dia e hora. Dizia sempre para eu aparecer quando estivesse na cidade. Sinto te informar: eu nunca venho à cidade.

– Você parece meio hostil hoje.

– Ah, é? Nem imagino por quê.

Claire pendurou a bolsa no ombro e passou a caminhar ao lado de Meghann, que subia a ladeira marchando feito um soldado.

– A gente precisa conversar sobre o casamento. A sua atitude hoje de manhã...

– Aqui – disse Meghann, parando subitamente em frente a uma estreita porta branca, ladeada por vitrines.

Em uma plaquinha de ferro com volutas, lia-se: *Design Exclusivo*. Atrás do vidro, um homem de terno pretíssimo despia uma manequim. Ele viu Meghann e acenou para que entrasse.

– Que lugar é *esse*?

– Você disse que eu podia organizar o seu casamento, não disse?

– Na verdade, é sobre isso que estou tentando falar. Infelizmente, você não é muito boa em me ouvir.

Meg abriu a porta e entrou. Claire hesitou.

– Vem – disse Meghann, aguardando em frente a um elevador.

Claire foi atrás.

Um segundo depois, o elevador parou com um toque e as portas se abriram. As duas entraram e as portas se fecharam de novo.

– Me desculpe por hoje de manhã – disse Meghann, enfim. – Eu sei que fiz besteira.

– Dormir é uma coisa. Roncar é outra.

– Eu sei. Me desculpa.

Claire suspirou.

– Essa é a história da nossa vida, Meg. Você não se cansa? Uma está sempre pedindo desculpa à outra por alguma coisa, mas a gente nunca...

As portas do elevador se abriram.

Claire arfou.

Meg precisou pôr a mão em seu ombro e empurrá-la delicadamente para a frente. Claire tropeçou na soleira irregular da porta e entrou na loja.

Só que não era uma loja. Seria como chamar a Disneylândia de parquinho de diversões.

Havia manequins por toda parte, em poses perfeitas, usando os vestidos de noiva mais lindos que Claire já vira na vida.

– Ai, meu Deus – disse ela em um suspiro, avançando devagar.

O vestido à sua frente era um tomara que caia de cintura marcada. A seda *charmeuse* em tom marfim caía em camadas pelo chão. Claire sentiu o tecido – mais suave que qualquer coisa que ela já tocara – e espiou a etiqueta. *Escada US$4.200*.

Ela soltou a roupa subitamente e se virou para Meghann.

– Vamos embora.

Claire sentiu um nó na garganta. Era outra vez uma garotinha no corredor da casa de uma amiga olhando a família jantar.

Meg a segurou pela mão, sem deixá-la ir.

– Eu quero que você experimente os vestidos *daqui.*

– Eu não posso. Sei que você está só agindo como sempre, Meg. Mas isso... machuca um pouco. Eu trabalho em uma hospedaria.

– Eu não quero ter que repetir, Claire, então por favor me escute e acredite em mim. Eu trabalho 85 horas por semana e os meus clientes me pagam 400 dólares a hora. Não estou contando vantagem. É um fato: eu tenho dinheiro. Significaria muito para mim te dar o seu vestido de noiva. Você não combina com os vestidos que a gente viu hoje de manhã. Me desculpa se você me acha uma escrota esnobe, mas é o que eu penso. Por favor. Me deixa te dar isso.

– Meghann Dontess! – gritou uma mulher, antes mesmo que Claire conseguisse formular uma resposta. – Em uma loja de noivas! Se eu contasse, *ninguém* acreditaria.

Uma mulher alta e magérrima se aproximou, usando um tubinho azul-marinho e batendo os saltos altíssimos no chão de mármore. Os cabelos, uma combinação perfeita de loiro e cinza, destacavam-se em um corte estilo Meg Ryan.

– Oi, Risa – disse Meg, estendendo a mão.

As duas se cumprimentaram, e então Risa encarou Claire.

– Essa é a irmãzinha da chefona, não é?

Claire ouviu o levíssimo traço de um sotaque do Leste Europeu. Russo, talvez.

– Eu sou a Claire.

– E a Meghann está deixando você se casar.

– Na verdade, ela me aconselhou contra.

Risa jogou a cabeça para trás e gargalhou.

– Claro que sim. Eu já ouvi esses conselhos duas vezes. Nas duas eu devia ter prestado atenção, claro, mas o amor tem dessas coisas.

A mulher deu um passo para trás e olhou Claire de cima a baixo. Claire cerrou o punho esquerdo, escondendo a aliança de papel-alumínio.

Risa batucou uma unha comprida e escura no dente da frente.

– Eu não esperava por isso – disse ela, olhando direto para Meghann. – Você falou que a sua irmã era uma caipira. Que ia se casar no fim do mundo.

Claire não sabia se sorria ou dava um tapa em Meghann.

– Eu sou do interior. A Meghann também era.

– Ah. Deve ter sido lá que ela deixou o coração, não? – Risa tornou a batucar o dente. – Você é linda – disse, por fim. – Tamanho 38 ou 40, imagino. E não precisa de enchimento no sutiã. – Ela se virou para Meghann. – Será que ela pode marcar um horário com o Renaldo? O cabelo...

– Posso tentar.

– Precisamos ressaltar esses lindos olhos. Tão azuis. Me faz pensar na ex--esposa do Brad Pitt. Aquela nervosinha de *Friends*. Isso. É com ela que a sua irmã se parece. Para ela, acho melhor os clássicos. Prada. Valentino. Armani. Wang. Talvez um Azzaro *vintage*. Venham.

Ela deu meia-volta e começou a se afastar. Vez ou outra estendia a mão para pegar um vestido.

Claire encarou Meghann.

– Armani? Wang?

Ela balançou a cabeça, incapaz de dizer "você não pode fazer isso". Eram as palavras certas, o que ela devia falar, mas a negativa ficou travada na garganta. Que garotinha não sonhara com aquilo? Ainda mais uma garotinha que tinha acreditado no amor mesmo depois de tantas promessas quebradas.

– Sempre podemos sair sem comprar nada – disse Meghann. – Experimenta. Só por diversão.

– Só por diversão.

– Venham logo, vocês duas! Eu não tenho o dia inteiro – disse Risa, com uma voz estridente que fez Claire disparar, assustada.

Meghann ficou um pouco atrás enquanto Risa percorria os cabides, empilhando vários vestidos no braço.

Minutos depois, Claire chegou a um provador maior do que seu quarto. Três espelhos iam do chão ao teto. Havia uma pequena plataforma de madeira posicionada no centro.

– Vá em frente. Os vestidos estão aqui. Experimente um.

Risa deu um leve empurrãozinho em Claire, que entrou na cabine onde vários vestidos a aguardavam, pendurados. O primeiro era um deslumbrante Ralph Lauren de seda branca, com um intrincado desenho de rendas e pedras no corpete. O segundo era um romântico Prada, cor de marfim-rosado com mangas curtinhas, babados e um decote ligeiramente assimétrico. Havia também um Armani estilo sereia: o retrato da simplicidade, com decote frontal em V e costas nuas.

Claire não se permitiu olhar os preços. Aquele era seu momento de faz de conta. Podia comprar qualquer coisa. Tirou a calça jeans amarrotada e a camiseta de trabalho, largando-as no chão. (Evitando olhar para o sutiã velho e desbotado e a calcinha de lycra.)

O Ralph Lauren deslizou por seus ombros feito uma nuvem e acomodou-se em seu corpo quase nu.

– Vamos, meu anjo. Deixa a gente ver – disse Risa, do lado de fora.

Claire abriu a porta e saiu da cabine. Risa soltou um arquejo.

– Sapatos! – gritou ela, e saiu correndo.

Meg estava parada, segurando um monte de vestidos. Seus lábios se abriram em um leve sorriso.

Claire não pôde evitar sorrir também. Ao mesmo tempo, sentiu um ímpeto estranhíssimo de chorar.

– Esse tal de Ralph Lauren não brinca em serviço. Mas também, este vestido é mais caro que o meu carro.

Ela subiu na plataforma e se olhou no espelho. Não espantava que Meghann tivesse odiado os vestidos daquela manhã.

Risa retornou, sacudindo um par de sandálias de tiras e salto alto.

Claire deu uma risada.

– Quem vocês acham que eu sou? Se eu usasse um salto dessa altura, não ia conseguir respirar lá de cima. Sem falar no tombo horroroso que iria levar.

– Quieta. Calce os sapatos.

Claire obedeceu, mas ficou imóvel. Cada respiração ameaçava derrubá-la do salto.

– *Aargh* – soltou Risa. – Sua mãe não te ensinou a usar salto alto? Que crime. Vou pegar um de plataforma – concluiu ela, contorcendo de leve a boca quando disse a última palavra.

Quando Risa desapareceu, Meghann soltou uma risada.

– A única coisa que a mamãe ensinou para a gente foi a andar com sapatos que já estavam pequenos demais para o nosso pé.

– Mas ela sempre tinha sapatos novos.

– Engraçado, né?

As duas se entreolharam, um instante de perfeita compreensão; quando acabou, Claire sentiu uma pontada de arrependimento.

– Acho que o tecido é meio frágil, não? – disse Claire.

Sua função era encontrar um defeito em cada vestido, um motivo para que sua irmã não gastasse tanto dinheiro.

Meghann franziu o cenho.

– Frágil? Você está linda.

– Fica sobrando pano em todas as curvas. Eu vou ter que usar enchimentos enormes para esse vestido servir em mim.

– Claire. É tamanho 38. Mais um comentário desses e você garante o ingresso na Liga das Esposas com Transtorno Alimentar de Hollywood.

Depois disso, Claire experimentou uma sucessão de vestidos, cada um mais lindo que o outro. Sentia-se uma princesa. Nem o fato de ter que recusar todos os vestidos estragou a diversão. Sempre conseguia encontrar uma coisinha que estragava: *as mangas são curtas demais, muito largas, com muito babado... O decote é muito menininha, muito sexy, muito tradicional... Esse aqui não me caiu bem.*

Ela percebeu que Meghann estava ficando frustrada, embora continuasse empurrando um monte de vestidos.

– Aqui, prova esse – dizia, todas as vezes.

Meg e a paciência nunca haviam sido boas amigas. Fazia tempo que Risa havia ido dar atenção a outros clientes.

Por fim, Claire chegou à última prova do dia. Escolha de Meghann. Um elegante vestido branco com corpete justo, todo cravejado, e saia de seda fluida de tafetá.

Claire abriu a parte de cima e entrou no vestido. Saiu da cabine ainda fechando o zíper.

Meghann ficou em silêncio completo.

Claire franziu o cenho. Ouvia Risa em outro ponto da loja, conversando alto com outra cliente.

Ela olhou para a irmã.

– Você está estranhamente quieta. Engasgou com alguma coisa?

– Olha.

Claire ergueu a saia pesada do chão e subiu na plataforma. Devagar, encarou o espelho de três folhas.

A mulher que a encarou de volta não era Claire Cavenaugh. Não. Aquela mulher não havia abandonado uma universidade estadual e optado pela cosmetologia como escolha viável de carreira, só para depois desistir disso também... não tinha virado mãe solo porque o namorado se recusara a se casar... e certamente não gerenciava uma hospedaria que se passava por um resort.

Aquela mulher chegava em limusines e bebia champanhe de taças de cristal. Dormia em lençóis de mil fios e sempre tinha um passaporte válido.

Era a mulher que ela poderia ter sido, se tivesse estudado em Nova York e estagiado em Paris. Talvez fosse a mulher que ela ainda podia se tornar.

Como um vestido era capaz de acentuar tudo o que dera errado em sua vida e ainda, sutilmente, prometer um futuro diferente? Ela imaginou o olhar de Bobby quando a visse entrando na igreja. Bobby, que se ajoelhara diante dela, pedindo que por favor fosse sua esposa. Se ele a visse naquele vestido...

Meghann subiu na plataforma atrás da irmã.

Lá estavam as duas, lado a lado. As menininhas da mamãe, que um dia haviam sido mais próximas que irmãs e que agora eram tão distantes.

Meghann tocou o ombro nu de Claire.

– Não ouse encontrar um defeito neste vestido.

– Eu não olhei o preço, mas...

Meghann rasgou a etiqueta ao meio.

– Nem vai olhar. – Ela se virou e ergueu a não. – Risa. Vem cá.

Claire olhou a irmã.

– Você sabia, não sabia? Escolheu esse a dedo.

Meg tentou conter o sorriso.

– É da Vera Wang, meu amor. É claro que eu sabia. E também sabia que você estava mais resistente no início. Você não quer que eu compre o seu vestido.

– Não é que eu não queira.

– Tudo bem, Claire. Já significa muito para mim que você tenha me incluído no casamento.

– Você é minha irmã – respondeu Claire, depois de uma longa pausa.

A conversa era meio estranha, além de um pouco perigosa. Era como se estivessem patinando em um lago congelado que não tinha a menor condição de sustentar o peso das duas.

– Obrigada pelo vestido. É... – A voz dela embargou. – É tudo o que eu sempre sonhei.

Meg enfim sorriu.

– Não é porque eu não acredito na instituição do casamento que não posso planejar uma ótima festa, sabia?

Risa entrou no provador, o rosto vermelho, toda carregada de vestidos.

– O Wang – disse ela, baixinho, olhando para Meg. – Bem que você falou que ela ia escolher esse.

– Foi um palpite.

– Ela está o retrato do amor, não está? – indagou Risa, pendurando os vestidos rejeitados e aproximando-se de Claire. – Vamos precisar apertar o busto um pouco... só até aqui, o que acha? E também soltar um pouco no quadril. Também temos que escolher um véu. Algo elegante, sim? Nada muito trabalhado. Que sapato você vai usar?

Ela começou a puxar daqui e alfinetar dali.

– Este salto plataforma está ótimo.

Risa se ajoelhou para marcar a bainha.

– Vou manter a saia mais comprida. Para o caso de você mudar de ideia, o que deveria fazer. Vai ficar pronto a tempo – prometeu ela ao terminar, então saiu apressada.

– Como é que você sabia que eu ia escolher esse? – perguntou Claire a Meghann, depois que Risa se afastou.

– No meu casamento, ouvi você falando com a Elizabeth. Você disse que um vestido de noiva tinha que ser simples. E tinha razão. O meu parecia o figurino de uma artista circense. – Meghann parecia se esforçar para sorrir. – Talvez tenha sido por isso que o Eric foi embora.

Claire ficou surpresa ao perceber a dor na voz da irmã. Era sutil e silenciosa, um fio frágil. Sempre imaginara que as defesas de Meghann fossem sólidas feito granito.

– Ele te magoou, não foi?

– Magoou, claro. Ele partiu o meu coração, depois quis o meu dinheiro. Teria sido muito mais fácil se eu tivesse assinado um acordo pré-nupcial. Ou, melhor ainda, só ido morar juntos, em vez de casar.

Claire não pôde evitar o sorriso diante daquele comentário nada sutil. Agora fazia sentido.

– Se o casamento com o Bobby for um erro, é um erro que eu quero cometer.

– Pois é. É esse o problema do amor. É sempre otimista. Não admira que eu prefira sexo. Enfim, o que você acha de a gente pegar uma comida no Wild Ginger e irmos comer lá em casa?

– A Alison...

– ... está jantando no Zeke's Drive-In, depois vai jogar boliche com o Sam e o Bobby. Eu liguei para a Gina lá de Everett.

Claire sorriu.

– O Bobby já está levando a minha filha para o boliche e você não acredita em amor verdadeiro? Agora me ajuda a sair desse vestido.

Claire ergueu o vestido comprido e caminhou com cuidado até o provador. Quando já estava quase fechando a porta, lembrou-se de dizer:

– O seu vestido estava lindo, Meghann, e você estava linda. Espero não ter te magoado comentando aquilo com a Elizabeth. Àquela hora a gente já tinha bebido um pouco.

– As mangas pareciam dois guarda-chuvas. Por que eu escolhi aquilo só Deus sabe. Não, mentira. Infelizmente, eu herdei o bom gosto da mamãe. Assim que comecei a ganhar dinheiro, contratei uma *personal shopper*. Mesmo assim, obrigada por se desculpar.

Claire fechou a porta do provador e vestiu as próprias roupas. As duas passaram mais uma hora escolhendo véus e sapatos. Depois de tudo resolvido, Meghann pegou a irmã pela mão e as duas saíram da loja.

Meghann estacionou em fila dupla em frente ao Wild Ginger, correu até o restaurante e voltou três minutos depois com uma embalagem de papel. Jogou a sacola no colo de Claire, pulou no banco do motorista e pisou fundo no acelerador.

O carro virou na Pike Street, depois dobrou uma curva acentuada à esquerda e desceu por um estacionamento subterrâneo.

Claire acompanhou a irmã até o elevador e as duas subiram até a cobertura.

A vista do apartamento era de tirar o fôlego. Todas as janelas estavam preenchidas pelo céu cor de ametista, já quase escuro. Ao norte, o sonolento bairro de Queen Anne cintilava em luzes multicoloridas. O Space Needle, decorado com cores tropicais, preenchia uma das janelas. Por todos os ângulos se via a enseada escura, refletindo aqui e ali as luzes da cidade ao longo da orla.

– Uau – disse Claire.

– Pois é. A vista é incrível – respondeu Meghann, apoiando o saco de papel no balcão de granito preto da cozinha.

Por toda parte, Claire via perfeição. Nenhum quadro torto nas paredes revestidas de seda, nenhuma folha de papel jogada sobre as mesas. Naturalmente, não havia poeira.

Ela caminhou até uma mesinha Biedermeier, em um canto. Na superfície lustrosa havia um porta-retratos. Era o único da sala, até onde ela via.

Era uma fotografia de Claire e Meghann, tirada muitos anos antes. As duas ainda eram crianças – talvez com seus 7 e 14 anos –, sentadas à beira de um deque, abraçadas. No canto da foto, uma ponta de cigarro denunciava a mãe como fotógrafa.

Claire se deu conta, com surpresa, de que era doloroso ver as duas retratadas daquele jeito. Ela olhou para Meg, que estava ocupada em servir a comida.

Devolveu a fotografia e continuou caminhando pelo apartamento da irmã. Viu o quarto, todo em branco sobre branco – algo que apenas uma mulher sem filhos nem animais de estimação escolheria – e o banheiro que abrigava mais produtos de beleza que a prateleira de cosméticos da farmácia local. Ao mesmo tempo, Claire se pegou pensando que havia algo errado ali.

Ela retornou até a cozinha.

Meg lhe entregou uma margarita em uma taça resfriada.

– Com gelo. Sem sal. Está bom assim?

– Perfeito. O seu lar é maravilhoso.

– Lar – disse Meghann, com uma risada. – Que engraçado. Eu nunca penso dessa forma, mas é mesmo, claro. Obrigada.

Era isso. Aquilo não era um lar. Era uma bela suíte de hotel. Cinco estrelas, definitivamente, porém fria. Impessoal.

– Você mesma que decorou?

– Está de brincadeira? A última coisa que eu escolhi sozinha foi o vestido de noiva com manga de paraquedas. Contratei uma decoradora. Uma alemã que não fala inglês. – Ela serviu a comida. – Vamos comer lá no terraço. – Meg levou seu prato e o drinque para fora. – Vamos ter que sentar no chão. A decoradora escolheu os móveis mais desconfortáveis do mundo para colocar aqui. Eu devolvi tudo e ainda não tive tempo de comprar os novos.

– Há quanto tempo você mora aqui?

– Sete anos.

Claire acompanhou a irmã até o terraço. A noite estava linda. O céu, todo estrelado.

Enquanto comiam, um silêncio se abateu sobre elas. Meg disse umas coisas estranhas, constrangedoras, com certeza ditas para descontrair, mas como as ondas do mar, o silêncio sempre retornava.

– Eu te agradeci pelo vestido?

– Agradeceu. Não tem de quê.

Meg apoiou o prato vazio no chão e se recostou.

– Que engraçado – disse Claire. – Aqui é barulhento à noite, com todo o trânsito, as balsas e o bonde, mas mesmo assim... parece vazio. Meio solitário.

– Cidade grande é assim mesmo.

Claire olhou para Meghann e pela primeira vez não viu a irmã dura e crítica de sempre. Nem a irmã mais velha que um dia amara tanto. Agora via uma mulher pálida, que pouco sorria, que parecia não ter vida além do trabalho. Uma mulher solitária que tivera o coração partido muito tempo atrás e agora não se permitia mais acreditar no amor.

Ela não pôde evitar relembrar o passado, quando as duas eram melhores amigas. Pela primeira vez em anos, se perguntou se aquilo poderia voltar a acontecer. Se fosse o caso, uma das duas tinha que dar o primeiro passo.

Claire resolveu arriscar.

– Talvez você pudesse passar uns dias lá em casa, enquanto organiza o casamento.

– Sério? – perguntou Meghann, claramente surpresa.

– Mas você deve estar ocupada demais.

– Na verdade, não. Eu estou... em um intervalo entre casos agora. E preciso mesmo passar um tempo em Hayden. Organizando tudo, você sabe. Na verdade, eu tenho uma reunião amanhã lá. Com o cerimonialista do casamento. Mas não quero atrapalhar.

Grande erro, Claire. Imenso, enorme, gigantesco erro.

– Então está combinado. Você vai passar uns dias lá em casa.

CATORZE

Meghann estacionou o carro e saiu para a calçada. Conferiu novamente o endereço, então olhou a rua.

Hayden cintilava sob a luz quente e amarelada do sol. Transeuntes circulavam pelas ruas e calçadas, reuniam-se aqui e ali em grupinhos fofoqueiros, acenavam uns para os outros e seguiam em frente.

Do outro lado da rua, uma adolescente de cabelos cor-de-rosa vestia uma calça bastante larga.

Meghann sabia como a garota se sentia naquela bela cidadezinha. Deslocada. Excluída. Bairros pobres ficavam sempre do lado errado da cidade, não importava qual lado fosse. E se suas roupas fossem ruins e seu endereço pior ainda, você sempre era tratada como uma vagabunda, quer fosse verdade ou não. Cedo ou tarde – e, com Meghann, tinha sido cedo –, a pessoa cedia e começava a encarnar o personagem.

Não era surpresa que sua mãe nunca parasse em cidades como Hayden. *Um bar e quatro igrejas? Por esse buraco vamos passar direto.* Ela gostava do tipo de lugar onde ninguém se conhecia pelo nome... onde era impossível encontrar aqueles que fugiam no meio da noite, devendo três meses de aluguel.

Meghann caminhou dois quarteirões, então virou à direita na Azalea Street.

Seu destino era de fácil localização: uma estreita casa vitoriana, com pintura amarelo-ovo e acabamentos em púrpura. Uma placa torta pendia da cerca de madeira logo à frente: *Cerimonial Royal Event.* As letras, em tons de rosa, eram contornadas por flores purpurinadas.

Meghann quase passou direto. Não tinha chance de que alguém que usava tinta com purpurina planejasse um casamento elegante.

No entanto, aquele seria o dia de Claire e ela queria um casamento simples e casual.

– Está me ouvindo, Meg? Estou falando sério – repetira Claire três vezes na noite anterior, e mais duas naquela manhã.

– Como assim, sem banda nem esculturas de gelo? – implicara Meghann.

– Esculturas de gelo? Espero que você esteja brincando. Mas eu estou falando sério, Meg. *Simples* é palavra que você deve ter em mente. A gente também não precisa de bufê. Cada convidado vai levar uma comida.

Meghann resistira nesse quesito.

– É um casamento, não um funeral, e por mais que eu veja certas semelhanças entre os dois eventos, eu não vou... repito, *não vou*... deixar você ter um casamento cafona.

– Mas...

– Enroladinho de salsicha e gelatina rosa em formato de aliança? – indagara ela, estremecendo. – Nem pensar.

– Meg – dissera Claire –, por favor, não começa.

– Beleza. Eu sou advogada. Consigo chegar a um acordo. A comida pode ser bem simples.

– E a recepção tem que ser ao ar livre.

– Ao ar livre. Onde chove? Onde a mosquitada voa? Tipo isso?

Àquela altura, Claire sorria.

– Ao ar livre. Em Hayden.

– Que bom que você tocou no assunto. Pode ser que eu, por acidente, tenha reservado a data na Bloedel Reserve, em Bainbridge Island. Lá é lindo. E não é muito longe daqui – acrescentara Meg, em tom esperançoso.

– Hayden.

– Tudo bem, mas provavelmente um passarinho vai cagar na sua cabeça durante a cerimônia.

Claire dera uma risada, então ficara séria de repente.

– Você não precisa fazer isso, sabia? De verdade. Dá muito trabalho organizar um casamento em nove dias.

Meg sabia que Claire não a queria realmente à frente da organização, e isso era doloroso. Mas, como sempre, a resistência fortalecera sua determinação de fazer um bom trabalho.

– Eu tenho uma reunião na cidade, então preciso correr.

Quando Meg estava de saída, Claire dissera:

– Não esquece o chá de panela. Amanhã, na casa da Gina.

Meghann se forçara a manter o sorriso. Sem dúvida, além de Gina, ela seria a única mulher solteira no recinto.

Que divertido.

Ela abriu o portão da cerca de madeira e entrou em um jardim surreal que parecia mágico. Um caminho de grama sintética levava aos degraus da varanda, que rangeram sob o peso de Meghann. Ela parou em frente à porta cor de salmão e bateu.

A porta começou a se abrir, então travou em alguma coisa.

– Bosta de porta – xingou uma voz em tom grosseiro.

Então a porta se abriu por completo.

Uma velha de cabelos coloridos surgiu, sentada em uma cadeira de rodas motorizada, com um cilindro de oxigênio ao lado. Tubos transparentes desciam pelas duas narinas, cruzavam seu rosto ossudo e encovado e se escondiam atrás das orelhas.

– É para eu adivinhar? – disse ela, de cenho franzido.

– Oi?

– O que você quer, pelo amor de Deus? Você bateu na porcaria da porta, não foi?

– Ah. Eu vim ver o cerimonialista de eventos.

– Sou eu. O que você quer? Strippers masculinos?

– Ai, vovó – disse uma voz fina de homem, lá de dentro. – Você sabe que se aposentou faz vinte anos.

A mulher recuou, rodopiou a cadeira de rodas e foi embora.

– A Erica está encrencada. Melhor eu ir.

– Perdoe a minha avó – disse o homem alto que se aproximou da porta.

Tinha cabelos cacheados pintados de loiro e um bronzeado praiano. Os óculos eram pesados, de aro preto. Usava calças justas de couro preto e uma camisa colada ao corpo, revelando braços finos.

– De vez em quando ela tem umas perdas de memória. Você deve ser Meghann Dontess. Eu sou Roy Royal.

Ela tentou segurar uma risada.

– Tudo bem, pode rir. Por sorte o meu nome do meio não é “Al”. – Ele apoiou uma das mãos na cintura. – Sua roupa é bem elegante, Sra. Dontess. Não se vê muito Marc Jacobs em Hayden. Ficamos mais com Levi’s e Wrangler. Não posso imaginar o que te traz aqui.

– Eu sou irmã da Claire Cavenaugh. Estou organizando o casamento dela.

Ele literalmente deu um salto e soltou um grito.

– Claire! Claro, menina! Bom, vamos nos adiantar. Para a Claire, só o melhor. – Ele acompanhou Meg até a sala de estar, apontando um sofá de dois lugares de veludo rosa. – Casamento na Igreja Episcopal, claro. Recepção no Moose Lodge, bufê do Chuck Wagon. Podemos arrumar um monte de flores de seda na Target, e depois podem ser reutilizadas.

Simples e casual, simples e casual, pensou Meghann.

Não ia conseguir.

– Espera.

Roy parou no meio do discurso animado.

– Sim?

– É assim que são os casamentos em Hayden?

– De primeira classe. Só o da Missy Henshaw foi melhor, e ela fez na sede do clube de golfe em Monroe. – Ele se inclinou para a frente. – Tinha champanhe, não era só cerveja.

– E quanto é que custa um casamento por aqui?

– Não igual ao da Missy, mas um evento bom, caprichado? Digamos... uns 2 mil dólares. – Ele a encarou. – Talvez um pouco menos, se alguém da faculdade comunitária for o fotógrafo.

Meg se inclinou para a frente.

– Você lê a revista *People*, Roy? Ou a *In Style*?

Ele riu.

– Está brincando? De cabo a rabo.

– Então você sabe como são os casamentos das celebridades. Ainda mais os que chamam de "simples e elegante".

Ele fez um gesto com a mão e estalou os dedos.

– Está de brincadeira, meu bem? O casamento da Denise Richards supostamente foi simples e tinha flor suficiente para encher um carro da Parada das Rosas de Pasadena. Simples, em Hollywood, é sinônimo de muito, muito caro, só que sem damas de honra e com recepção ao ar livre.

– Você consegue guardar um segredo, Roy?

– Eu passei toda a era Reagan no armário. Acredite, meu bem, essa boquinha aqui guarda tudo.

– Eu quero um casamento que esta cidade nunca viu. Mas... e isso é importante... ninguém além de nós dois pode saber que foi coisa cara. Você vai ter que dominar a arte de repetir "estava em promoção". Combinado?

– Fala sério. – Ele sorriu e bateu palmas. – Qual é o seu orçamento?

– A perfeição. O sonho de toda garota.

– Em outras palavras...

– A gente não precisa se preocupar com dinheiro.

Ele balançou a cabeça e deu uma piscadela.

– Meu bem, essa é uma frase que eu *nunca* ouvi na vida. Eu realmente acho que você é a mulher mais elegante que já vi. – Ele estendeu a mão para a mesinha de centro e pegou um exemplar da revista *Bride*. – Vamos começar com o vestido. É...

– Vestido ela já tem – disse Meghann. – Vera Wang.

– Vera Wang – repetiu ele, em tom de reverência, e fechou a revista. – Ok. Mãos à obra.

– Tem que ser ao ar livre.

– Ah. Uma tenda. Perfeito. Vamos começar com a iluminação...

Meghann mal escutou enquanto a voz do homem zunia sobre um milhão de detalhes. Iluminação. Flores. Arranjos de mesa. Bolo de noiva, pelo amor de Deus.

Ela *definitivamente* havia tomado a decisão certa ao procurá-lo. Só precisaria assinar os cheques.

Joe estava com os braços enfiados até os cotovelos debaixo da carroceria de um antigo trator Kubota, trocando o óleo, quando ouviu um carro se aproximar. Apurou os ouvidos para a voz retumbante de Smitty, sempre animado ao receber os clientes da oficina, mas não se ouviu nada além dos acordes arranhados de uma antiga música de Hank Williams tocando no rádio.

– Alguém aí? – gritou uma voz. – Smitty?

Joe saiu de baixo do trator e se levantou. Tinha acabado de colocar o boné e puxar a aba sobre os olhos quando um sujeito corado e atarracado entrou na oficina.

Joe o reconheceu; era Reb Tribbs, ex-lenhador que havia perdido um braço em serviço.

Ele baixou ainda mais o boné, sem fazer contato visual.

– Pois não?

– Meu caminhão está morrendo de novo. Acabei de trazer essa porcaria para o Smitty. Ele disse que tinha consertado. Belo trabalho que ele fez. Não vou pagar enquanto não estiver andando.

– Isso o senhor tem que resolver com o Smitty. Mas, se quiser trazer o caminhão até a oficina, eu...

– Eu te conheço? – indagou Reb, franzindo o cenho. Empurrou o chapéu de caubói para trás e se aproximou. – Eu nunca esqueço uma voz. Não enxergo bosta nenhuma, mas tenho ouvido de lobo.

Eu te conheço? Essa era a pergunta que Joe ouvira em todas as cidades de Washington.

– Tenho um rosto comum. Todo mundo sempre acha que me conhece. Mas então, se você quiser trazer o caminhão...

– Joe Wyatt. Caramba. – Red soltou um assobio. – É você, não é?

Joe suspirou, derrotado.

– Oi, Reb.

Fez-se uma longa pausa enquanto Reb observava Joe com a cabeça inclinada como se estivesse captando alguma coisa.

– Mas é muita coragem sua voltar aqui, rapaz. O pessoal lembra o que você fez. Caramba, eu achei que você estivesse preso.

– Não.

Joe resistiu ao ímpeto de se afastar. Em vez disso, ficou ouvindo. Merecia cada palavra.

– É melhor você tomar o seu rumo. O pai dela não precisa ficar sabendo que você voltou para a cidade.

– Eu não encontrei o pai dela.

– Claro que não. Um covarde que nem você não tem colhões para isso. É melhor dar o fora daqui, Joe Wyatt. Esta cidade não precisa de um homem feito você.

– Já chega, Reb.

Era a voz de Smitty. Ele estava à porta da oficina, segurando um sanduíche pela metade em uma das mãos e uma lata de Coca-Cola na outra.

– Não acredito que você contratou esse verme – afirmou Reb.

– Eu disse que já chega.

– Eu não vou deixar meu caminhão na mão desse cara.

– Acho que consigo sobreviver sem esse serviço – respondeu Smitty.

Reb soltou um resmungo, deu meia-volta e saiu andando.

– Você vai se arrepender, Zeb Smith – disse ele, ao entrar no caminhão. – Um lixo de homem feito ele não tem espaço nessa cidade.

Depois que ele se afastou, Smitty apoiou a mão no ombro de Joe.

– Lixo é ele, Joe. Sempre foi. Ruim feito o diabo.

Joe olhou pela janela, observando o velho caminhão vermelho descer a estrada.

– Você vai perder clientes quando a notícia se espalhar.

– Não importa. A minha casa está quitada. O meu terreno está quitado. Eu alugo uma casa na cidade que me rende 500 dólares por mês. Eu e a Helga recebemos aposentadoria. Não preciso de nenhuma porcaria de cliente.

– Mesmo assim. A sua reputação é importante.

Smitty apertou o ombro dele.

– Da última vez que a Helga e eu tivemos notícia do nosso Philly, ele estava morando em Seattle. Debaixo do viaduto. Heroína. Todos os dias eu rezo para que alguém estenda a mão a ele.

Joe assentiu, sem saber o que dizer.

– Eu preciso ir ao mercado – disse Smitty, por fim. – Acha que dá conta da oficina pelas próximas duas horas?

– Se os clientes forem como o Reb, não.

– Não são. – Smitty jogou as chaves para Joe. – Pode fechar a hora que quiser – disse ele, então saiu.

Joe terminou os serviços do dia, incapaz de esquecer o incidente com Reb. As palavras do velho pairavam pela oficina, envenenando o ar.

Esta cidade não precisa de um homem feito você.

Ao fechar a loja, sentia-se vazio outra vez, angustiado pela verdade do que Reb dissera.

Então pensou em Gina. Agora tinha sua família por perto; não precisava ficar sozinho.

Foi até o escritório e ligou para ela. A secretária eletrônica atendeu. Joe desligou sem deixar recado.

Pensou um pouco e resolveu ir dormir. Estava quase se virando para o casebre quando olhou por acaso para a rua.

O letreiro iluminado do bar do Mo, com propaganda da cerveja Redhook, chamou-lhe a atenção.

De repente, sentiu sede. Queria entrar naquele local escuro e fumacento e beber até aplacar a dor em seu peito.

Baixou o boné e atravessou a rua. Parou em frente ao bar, rezou para que não houvesse nenhum conhecido lá dentro e empurrou a velha porta de madeira.

Ao olhar em volta, não viu nenhum rosto familiar e respirou aliviado. Foi andando até uma mesa nos fundos, a mais distante das luzes do teto. Minutos depois, surgiu uma garçonete com cara de cansada. Ela anotou seu pedido – uma garrafa de cerveja – e então saiu. Em um segundo retornou com a bebida.

Ele se serviu uma caneca. Infelizmente, as três cadeiras vazias em torno da mesa o faziam se lembrar de outros tempos; de outra vida, na verdade. Naquela época, ele nunca bebia sozinho.

Fazia mais de uma década que Meghann não comparecia a um chá de panelas. Suas amigas e colegas passavam anos morando com os namorados, então – às vezes – se casavam discretamente. Ela não fazia ideia de como se enturmar com aquele pessoal do interior, como se misturar. A última coisa que queria era chamar atenção.

No dia anterior, depois da reunião de quatro horas com Roy, Meghann passara outras duas horas em uma loja de artigos para casa. Embora não cozinhasse, conhecia todos os aparelhos e apetrechos. Às vezes, durante as noites de insônia, assistia a programas de culinária na tevê. Por isso sabia como equipar uma cozinha. Comprou para Claire (e Bobby, por mais que não os visse como um casal) um processador de alimentos.

Ao retornar à casa da irmã, estava cansada, e sentar-se à mesa para jantar não ajudou. Durante a refeição, foi se sentindo cada vez mais distante, uma mulher sozinha mesmo em meio à família.

Tentou conversar, mas foi difícil. Claire e Bobby quase não desviavam os olhos um do outro e Alison não parava de falar – principalmente com a mãe e com Bobby. Nos raríssimos instantes em que Meghann conseguia dizer alguma coisa entre os solilóquios da criança, recebia em resposta um silêncio entediado.

Oi?, perguntara Bobby duas vezes, piscando devagar ao desviar os olhos de Claire.

Meghann já não se lembrava das próprias palavras. Só sabia que haviam sido as erradas. Tinha certeza de que não devia ter mencionado o trabalho. Quando fez um comentário inocente sobre um pai caloteiro, Alison perguntou bem alto:

– Você e o Bobby vão se divorciar um dia, mãe?

Claire não achou engraçado.

– Não, meu amor. Não escuta a tia Meg. Quando se trata de casamento, ela é o Anticristo.

– É o quê?

Bobby riu tanto que cuspiu o leite. Isso fez Alison gargalhar, e Claire também. Era impressionante como a risada de outras pessoas podia excluir alguém.

Meghann era a única séria enquanto os outros limpavam o leite derramado. Ela pediu licença – alegou dor de cabeça –, saiu da mesa e correu para o andar de cima.

Naquele momento, quase uma hora depois, sentia-se melhor. Uma olhadela no relógio da mesinha de cabeceira informou que eram 18h40.

Vamos lá, Meg. Está na hora – de novo – de celebrar a decisão da sua irmã de se casar com um vagabundo de quinta categoria. Não esqueça o presente! Ela desceu até o corredor e se enfiou no banheiro, onde prendeu seu volumoso cabelo preto em um coque e disfarçou com maquiagem as olheiras causadas pela falta de sono. Então retornou ao quarto e abriu o armário. Passou um tempo decidindo o que vestir no chá de panelas. Felizmente, havia levado muitas opções.

No fim, escolheu um vestidinho preto. Com Armani não havia como errar. Acrescentou uma meia-calça preta e saltos altos, então desceu.

A casa estava silenciosa.

– Claire?

Sem resposta.

Foi quando viu o bilhete sobre a mesa da cozinha:

Querida Meg, que pena que você não está se sentindo bem. Fique em casa e descanse. Beijos, C.

Eles tinham saído sem ela. Meghann olhou o relógio. Eram sete horas. Claro que tinham saído. Eram os convidados de honra. Não podiam se atrasar.

– Droga.

Ela considerou ficar em casa.

Desculpa, Claire. Eu...

...me perdi no caminho.

...passei mal depois do jantar.

...tive um problema com o carro.

Todas as desculpas funcionariam. Na verdade, Claire certamente adoraria que Meg ficasse em casa. Mas seria outro tijolo cravado na muralha que as separava.

Já havia tijolos demais.

Ela vasculhou a bolsa atrás do convite lilás. *Chá de Panela de Claire e Bobby, 19 horas.* O endereço estava no verso.

Ela não se lembrava da última vez que caminhara tão devagar até o carro, ou que levara tão a sério os limites de velocidade. Mesmo assim, Hayden era uma cidade pequena, e era muito fácil chegar aos locais. Ela levou menos de dez minutos para encontrar a casa de Gina. Estacionou atrás de uma picape vermelha velha, com um suporte para armas saindo pela janela e um adesivo onde se lia "Dane-se a coruja-pintada".

Um ativista do Greenpeace, sem sombra de dúvida.

Ela saiu do carro e avançou pela calçada de concreto inclinada que levava a uma grande casa de madeira com varanda circular. Gerânios vermelhos e lobélias roxas pendiam em cascata de vasos suspensos. Rododendros com flores do tamanho de pratos se espalhavam por toda parte. Ela ouvia o murmúrio de conversas pelas janelas abertas. De algum canto da casa vinha a batida pulsante de uma antiga música do Queen, "Another One Bites the Dust".

Meghann sorriu, divertindo-se por terem escolhido aquela música. Com o presente debaixo do braço, subiu a escada da varanda e bateu à porta da frente. *Você consegue. É capaz de se enturmar com as amigas dela. É só sorrir, assentir e beber uma jarra de margarita.*

Ouviu o som de passos apressados, depois a porta se abriu.

Gina surgiu, o rosto contorcido em uma risada. Até que viu Meghann.

– Ah. – Ela deu um passo atrás para abrir passagem. – Que bom que você melhorou.

Meghann encarou Gina, de calça jeans capri e camisetão preto. E descalça. *Que ótimo.*

– Eu estou arrumada demais.

– Está brincando? Se eu não tivesse engordado uns 7 quilos desde que o Rex foi embora, também estaria arrumada. Entra. Você vai ser o meu par hoje à noite. – Gina sorriu. – Achei que ia ter que segurar vela.

Ela pegou Meghann pelo braço e a conduziu por um amplo corredor, em direção à barulheira. Por fim chegaram a um cômodo espaçoso – uma combinação de sala de estar e de jantar – com vista para um lindo jardim de fundos.

– Claire! Olha quem chegou – disse ela, alto o suficiente para ser ouvida acima do falatório.

Todos pararam de falar e se viraram para elas. A multidão era um mar de jeans e camisetas.

Exceto por Meghann, claro, que parecia pronta para uma festa em um salão chique.

Claire se desvencilhou do homem-polvo e correu em direção a ela. Estava linda, usando uma calça de algodão azul-claro e um suéter branco de gola canoa. Seus compridos cabelos loiros estavam presos por um elástico branco. Ela abriu um sorriso luminoso.

– Estou tão feliz por você ter vindo! Achei que estava com enxaqueca. Quando eu tenho, fico horas sem conseguir me mexer.

Meghann parecia Jacqueline Kennedy em uma chopada universitária.

– Eu não devia ter vindo. Vou para casa.

– Por favor, não faz isso – disse a irmã. – Estou feliz que você veio. De verdade.

Bobby atravessou a multidão, parou ao lado de Claire e passou um braço por sua cintura. Meghann teve que admitir que ele era bonito. Demais. Não ia apenas partir o coração de sua irmã; ia destroçá-lo.

– E aí, Meghann? – disse ele, com um sorriso largo. – Que bom que você veio.

Ela se irritou por ser recebida na festa da própria irmã por aquele caipira. Precisou forçar um sorriso.

– Obrigada, Bobby.

E eles mergulharam mais uma vez naquele silêncio constrangedor.

– Aposto que você quer um drinque – disse Gina, por fim.

Meghann assentiu.

– Sem dúvida.

– Vem aqui na cozinha comigo – disse Gina. – Vamos pegar uma margarita gigante.

– Não demorem – disse Claire. – As brincadeiras já vão começar.

Meghann chegou a tropeçar.

Brincadeiras.

Agora Meghann realmente estava com dor de cabeça.

Estava sentada na beirada do sofá de pernas bem fechadas, com um prato de papel com biscoitos caseiros no colo. Os outros convidados (aos pares, feito na arca de Noé) estavam sentados em círculo no chão de madeira. Todos falavam ao mesmo tempo, revivendo lembranças e momentos de uma época que Meghann desconhecia.

Lembra quando a Claire caiu do trampolim no Island Lake Camp...

E quando ela escondeu a régua preferida da Sra. Testern...

Quando ela ligou para a Vigilância Sanitária porque pegou a Ali bebendo desinfetante...

Os últimos anos da escola, os anos de diversão com as amigas, os anos de Alison. Tudo aquilo era um mistério para Meghann. Ela tinha histórias para contar, claro, histórias sobre uma menininha que um dia cortou o cabelo para ficar parecida com uma atriz de seriado, que chorava todas as noites em que a mãe não voltava para casa, que dormia enroscada nos braços da irmã em uma cama minúscula.

– Oi, irmã mais velha de Claire – disse uma mulher de cabelos castanhos, vestindo uma calça jeans desbotada e uma camiseta da Old Navy. Sua aliança ostentava um diamante do tamanho de uma borracha de lápis. Ela se sentou ao lado de Meghann. – Eu sou a Karen. A gente se conheceu faz muitos anos. Que vestido lindo.

– Obrigada.

– Ouvi dizer que você quer que a Claire assine um acordo pré-nupcial.

– Pulamos a conversinha fiada, hein?

– Nós cuidamos umas das outras.

Na verdade, Meghann ficava feliz por isso. Sabia que fracassara em cuidar de Claire. Por isso estava ali, muito bem-vestida e deslocada, fingindo amar biscoitinhos caseiros.

– Que bom. Ela tem sorte de ter vocês como amigas.

– Nós todas temos sorte. Ela não vai assinar nada, você sabe disso. Eu dei o mesmo conselho.

– Deu?

Ela remexeu os dedos da mão esquerda.

– Sobrevivente da guerra do divórcio. Aquele cara ali, mastigando que nem um esquilo, é o Harold.

– Você podia conversar com a Claire. Não é muito esperto se meter em algo assim sem nenhuma proteção.

– Esse algo se chama casamento, e é um investimento de fé. A sua irmã acredita com fervor no casamento. Não tire isso dela.

– Na faculdade de Direito, a nossa fé é extraída a fórceps.

– O meu palpite é que a sua foi perdida bem antes disso. Não fique tão chocada. Eu não sou vidente nem nada. A gente conta tudo uma pra outra. Sei que vocês tiveram uma infância difícil.

Meghann se remexeu, incomodada. Não estava acostumada a ter a vida tão exposta. Não aos amigos e sem dúvida não a desconhecidos. Ela nunca compartilhava nada a respeito de sua infância com ninguém, nem com Elizabeth. Tinha lembrança dos olhares que recebia quando criança, como se fosse lixo; não queria que isso a acompanhasse pela vida adulta.

Karen parecia esperar uma resposta. O instante se alongou entre as duas. O coração de Meg acelerou. Não queria levar aquela conversa adiante. Aquelas Azuladas eram diretas demais.

– Ok, pessoal, está na hora das brincadeiras! – gritou Gina de repente, se erguendo de um salto.

Meghann soltou um suspiro de alívio.

– A Gina adora brincadeiras – disse Karen. – Só espero que ninguém passe vergonha. Foi bom te ver outra vez. Melhor eu ir. O Harold está começando a parecer agitado.

Então, em um piscar de olhos, ela voltou para o marido.

– Todo mundo lá para fora – disse Gina, batendo palmas e conduzindo os convidados à área externa, onde donuts pendiam ao longo de um varal baixo. – Cada um escolhe um donut e fica parado na frente dele.

Os convidados avançaram e se enfileiraram.

Meghann ficou parada junto ao batente da porta.

– Vem, Meg – chamou Gina. – Tem lugar para você também.

Todos se viraram para encará-la.

Ela desceu rápido pela varanda e entrou no quintal. O doce aroma de madressilva e rosas preenchia o ar noturno. Em algum lugar ali perto devia haver um laguinho, pois os sapos coaxavam em massa. Dava à noite um ar estranho e surreal – ou talvez fossem os donuts pendurados.

– Quando eu iniciar o cronômetro, todo mundo começa a lamber o açúcar dos donuts. O vencedor ganha o prêmio de melhor beijoqueiro.

Um homem gargalhou. Meghann pensou ser o marido de Charlotte.

– Se quer saber qual é a melhor língua, a gente devia era estar lambendo...

– *Não ouse* concluir essa frase – retrucou Charlotte, rindo.

– Valendo. E sem usar as mãos.

O grupo partiu para os doces. Em segundos, estavam todos às gargalhadas.

Meghann se esforçou, de verdade, mas na primeira tentativa a rosquinha bateu em seu nariz e o açúcar branco se espalhou pelo seu Armani.

– Acabei! – gritou Bobby, erguendo as mãos como se tivesse feito o ponto da vitória.

Claire o abraçou.

– Eis o *verdadeiro* motivo do nosso casamento.

Meghann se afastou da rosquinha oscilante. Mais uma vez, era a única que não gargalhava; seu silêncio pesou no peito.

Gina entregou a Bobby um CD.

– O vencedor. E, devo dizer, nenhum de nós nunca mais vai te olhar do mesmo jeito.

Ela correu de volta para casa e voltou com uma grande vasilha de porcelana.

– A próxima brincadeira se chama "M&M da Verdade". Cada um pega quantos quiser e escolhe um lugar para sentar.

Ela percorreu o grupo, distribuindo os docinhos.

Meghann não era a única desconfiada. Ninguém pegou uma mão cheia. Meg escolheu dois e sentou-se no degrau do topo da escada. Os outros convidados acomodaram-se na grama.

– Para cada M&M, vocês terão que contar uma verdade sobre a noiva ou o noivo e fazer uma previsão para o futuro.

Um resmungo coletivo se espalhou entre os homens.

Harold revirou os olhos; Karen deu um cutucão nele.

– Eu começo – disse Charlotte. – Peguei três. A Claire tem um sorriso lindo e eu prevejo que o Bobby vai fazê-la sorrir sempre. Ela também é uma cozinheira de mão cheia, e eu prevejo que aos 40 anos o Bobby vai estar obeso. Por último, ela odeia lavar roupa, então eu prevejo que o Bobby vai ter que aprender a gostar de um visual amarrotado e manchado.

Claire gargalhou mais que todo mundo.

– Agora eu – disse Karen. – Estou de dieta, para variar, então só peguei um. A Claire desenvolveu uma... afeição por apetrechos elétricos. Eu prevejo que ela não vai mais precisar deles.

– Karen! – gritou Claire, enrubescendo e gargalhando.

O grupo seguiu com a brincadeira, e a cada comentário Meghann se sentia mais desconfortável. Até os maridos pareciam saber mais sobre a vida de Claire do que ela, e estava apavorada com a ideia de, ao fazer a previsão, soltar "eu prevejo que ele vai partir o coração dela". Ela terminou a segunda margarita de uma golada só.

– Meg? Meg? – disse Gina. – Sua vez.

Meghann baixou os olhos e encarou as mãos. O suor havia derretido os chocolatinhos.

– Eu tenho dois. – Ela tentou sorrir. – A Claire é... a melhor mãe que eu conheço, então eu prevejo que ela vai ter outro filho.

Claire sorriu para ela e abraçou Bobby, que sussurrou alguma coisa em seu ouvido.

– Mais uma, Meg.

Ela assentiu.

– A Claire sabe amar muito bem, mas não ama fácil, então eu prevejo... – disse Meghann, quase sem respirar. – Que desta vez é para valer.

Quando ela ergueu o olhar, Claire estava séria.

Meghann não sabia o que havia feito de errado. A frase lhe parecera animada, otimista e até romântica. Mas a irmã parecia prestes a chorar.

– Por último, eu – disse Gina, quebrando o súbito silêncio. – Eu só peguei um. A Claire é totalmente desafinada. Então eu prevejo que o Bobby nunca vai deixar que ela faça a segunda voz.

A frase fez o grupo voltar a gargalhar. Todos se levantaram e foram abraçar Claire e Bobby.

Meghann sentiu lágrimas brotarem. Levantou-se, desajeitada, percebendo que as margaritas estavam mais fortes do que imaginara. Ela deu as costas para a festa. Ficar bêbada seria a gota d'água. Quando ninguém estava olhando, entrou na casa e correu para o carro.

Pretendia ir embora, esperar Claire e pedir desculpas por qualquer coisa que tivesse feito de errado.

Então avistou o bar.

QUINZE

Meghann tirou o pé do acelerador e o Porsche diminuiu de velocidade. Pelo vidro cinza enfumaçado da janela do bar, ela distinguia figuras sombrias do lado de dentro, espremidas ao longo do balcão.

Era fácil se perder em uma multidão feito aquela, onde ninguém perguntava o nome de ninguém nem a razão de estar ali. Ela sabia que, se entrasse para tomar um drinque – ou dois, ou três –, ia se sentir melhor.

Talvez até conhecesse alguém... que a levasse para casa por algumas horas e a ajudasse a esquecer aquilo tudo. Que a ajudasse a dormir.

A experiência lhe ensinara que, em uma noite daquelas, quando suas imperfeições pareciam afiadas como cacos de vidro contra a pele, ela deitaria em sua cama solitária e encararia o teto, incapaz de dormir. De manhã, acordaria com o rosto enrugado e os olhos tristes e cansados.

Meghann pisou fundo no acelerador. O carro roncou. Ela avançou dois quarteirões, encontrou uma vaga e estacionou. Ao desligar o motor e sair do carro, percebeu como a noite estava tranquila. A constelação da Ursa Maior cintilava na direção do rio.

A maioria das lojas estava fechada. Só umas poucas ainda tinham os letreiros iluminados. A cada 5 metros, mais ou menos, um poste verde forjado em ferro iluminava mais adiante, criando um caminho recortado como uma renda ao longo da calçada escurecida.

Meghann ajeitou a alça do vestido, prendeu a bolsa sob o cotovelo e rumou para o bar. Não vacilou ao chegar à porta aberta; apenas se virou e entrou.

O lugar era igual a centenas de outros bares onde ela havia pisado. A fumaça se acumulava no teto acústico azulejado, rastejando feito um fantasma sob a iluminação embutida. O balcão ocupava todo o lado direito, uma imensa peça de mogno com uns 100 anos de idade. O espelho atrás tinha pouco menos de 2 metros de altura, com veios de manchas douradas, já em um tom de prata fosca, de tão velho. Nele, os clientes pareciam mais altos e magros, como um espelho de casa maluca que passava despercebido pelos beberrões.

Ela viu as pessoas aglomeradas junto ao bar, sentadas em banquetas de madeira. Havia mais garrafas de cerveja do que gente, além de um cigarro aceso em cada mão.

Aqueles eram bêbados de primeira categoria, do tipo que às dez da manhã já encontrava um lugar no bar para chamar de seu.

Do lado esquerdo havia mesas redondas, a maioria ocupada. Em meio ao ar fumacento, ela viu a silhueta indistinta de uma mesa de sinuca e ouviu os baques da partida em curso. Uma antiga música do Springsteen tocava na jukebox. "Glory Days."

Perfeito. Com certeza tinha sido escolhida pelo sujeito de jaqueta esportiva sentado no bar e que já tinha perdido o cabelo fazia muito tempo.

Ela foi avançando pela névoa. Seu coração estava acelerado. A fumaça e a ansiedade fizeram seus olhos lacrimejar. Meghann caminhou até uma área vazia do balcão, onde um sujeito de aspecto cansado se ocupava de secar uma pocinha de cerveja. Ao vê-la, o homem suspirou e ergueu o olhar. Se ficou surpreso com sua chegada – afinal de contas, não era todo dia que uma mulher como ela brotava sozinha em um bar feito aquele –, disfarçou bem.

– O que é que vai ser? – disse ele, jogando o pano de lado e pegando seu cigarro de um cinzeiro.

– Um dirty martíni – respondeu ela com um sorriso forçado.

– A gente não tem licença para vender destilado, mamãe.

– Eu estava brincando. Quero uma taça de vinho branco. Vouvray, se você tiver.

– Tenho Inglenook ou Gallo.

– Inglenook.

Ele deu meia-volta e se afastou. Em um instante retornou com a taça de vinho.

Ela pôs o cartão de crédito Platinum no balcão.

– Pode deixar a conta aberta.

A jukebox emitiu um clique, depois um zumbido. Uma velha canção do Aerosmith começou a tocar. Ela teve uma súbita lembrança da juventude – no estádio Kingdome, em meio à multidão, proclamando aos berros seu amor por Steven Tyler.

Meg pegou o cartão de volta do bartender, enfiou na bolsa e se dirigiu à mesa mais próxima, onde três homens conversavam alto.

Normalmente ela encontraria uma mesa vazia, se sentaria e esperaria para ver quem se aproximava; naquela noite, no entanto, estava tensa, nervosa. Cansada de ficar sozinha.

– Oi, rapazes – disse ela, deslizando para um espaço vazio entre dois dos homens.

Os três pararam de conversar. O súbito silêncio a fez ranger os dentes. Foi quando percebeu que todos usavam aliança.

Ela sustentou o sorriso. Não foi fácil.

– Oi – respondeu um dos homens, remexendo-se no banco, incomodado.

– Oi.

– Oi – disseram os outros dois. Nenhum fez contato visual.

– Eu preciso ir, pessoal – disse o primeiro, afastando-se da mesa.

– Eu também.

– Eu também.

Então, em um piscar de olhos, eles desapareceram.

Meghann acenou para as costas deles.

– Até logo – disse ela, em tom alegre. – Dirijam com cuidado.

Só por garantia, caso alguém tivesse testemunhado sua humilhação.

Em silêncio, contou até cinco e deu meia-volta. Havia outra mesa, não muito longe. Naquela só havia um homem rabiscando um bloquinho, fazendo anotações a partir de um livro aberto. Estava tão atento ao trabalho que não testemunhara seu fracasso na outra mesa.

Ela andou até ele.

– Posso te fazer companhia?

Quando o rapaz ergueu o olhar, Meghann viu que ele era jovem. Talvez 21 ou 22 anos. Tinha os olhos vulneráveis, tomados pela infinita esperança inerente à juventude. Ela se sentiu atraída por aquele otimismo, acolhida.

– Desculpa. O que foi que a senhora disse?

Senhora.

– Pode me chamar de Meg.

Ele franziu o cenho.

– Seu rosto não me é estranho. A senhora é amiga da minha mãe? Sada Carlyle.

Ela se sentiu como a velhinha de *Titanic.*

– Não. Não a conheço. Eu... achei que conhecesse você, mas me enganei. Desculpa.

Ela apertou a taça de vinho com mais força. O desespero surgiu, chegando cada vez mais perto.

Controle-se.

Ela se aproximou de outra mesa. Ao chegar mais perto, uma mulher ocupou a cadeira vazia e se inclinou para beijar o homem.

Meghann desviou para a esquerda e trombou com um sujeito desgrenhado, com ar desamparado, que obviamente retornava do bar.

– Desculpa – disse ela. – Eu devia ter dado seta antes de fazer a curva.

– Sem problemas.

Ele retornou para a mesa e se sentou, levemente trôpego.

Meg ficou ali parada, sozinha no meio do bar lotado. Três novos homens rodeavam a mesa de sinuca. Dois pareciam ameaçadores, vestidos em couro preto com várias correntes. O terceiro tinha tantas tatuagens na cabeça careca que parecia a Terra vista do espaço.

Ela sentiu a pressão do desespero, mas era inútil. Aquela não seria uma boa noite. Teria que retornar ao quartinho de hóspedes de Claire, confortável e acolhedor, deitar-se sozinha na cama e passar a noite em claro, se revirando, cheia de desejo. Mais do que tudo, cheia de desejo.

Ela olhou o sujeito desamparado. Tinha ombros largos; a camiseta preta estava esticada no alto das costas. A calça jeans velha estava larga na cintura, como se ele tivesse perdido peso, mas não quisesse se dar ao trabalho de ajustar a roupa.

Era ele... ou a solidão.

Ela foi até a mesa e parou ao lado do sujeito.

– Posso me sentar?

Ele não ergueu os olhos da cerveja.

– Eu sou o quê, sua quinta tentativa?

– Você estava *contando*?

– Não é difícil. Você fez a ronda mais rápido que um guarda em festa de faculdade.

Ela puxou uma cadeira e sentou na frente dele. "Lookin' for Love" tocava na jukebox. *In all the wrong places...*

Por fim, o homem ergueu os olhos. Sob a franja meio grisalha, decerto aparada com uma navalha, olhos azuis a encararam. Com espanto, Meghann percebeu que ele não era muito mais velho que ela. E era quase bonito, em um estilo Sam Elliott no papel de um forasteiro. Parecia o tipo de homem que havia passado por poucas e boas na vida.

– Seja lá o que você estiver procurando – disse ele –, não vai encontrar aqui.

Meghann se preparou para flertar, para soltar uma piadinha sarcástica, mas antes de sua língua formar a primeira palavra, hesitou. Havia alguma coisa nele...

– A gente já se conhece? – indagou ela.

Tinha orgulho da própria memória; raramente esquecia um rosto. A não ser o dos homens que pegava; *esses* ela esquecia na mesma hora. *Por favor, Deus, não me diga que eu já transei com esse cara.*

– As pessoas sempre me dizem isso. – Ele suspirou. – Devo ter um rosto comum, eu acho.

Não, não era isso. Ela tinha certeza de que já o vira antes, mas não importava, para falar a verdade. Além do mais, seu objetivo ali era permanecer anônima, não fazer amizade.

– Seu rosto está longe de ser comum. Você é daqui?

– Agora sou.

– O que você faz da vida?

– Eu tenho cara de quem *faz alguma coisa* da vida? Eu me viro, só isso.

– Todo mundo se vira, na verdade.

– Olha, dona...

– Meghann. Meus amigos me chamam de Meg.

– Meghann. Eu não vou te levar para casa. Estamos claros?

A frase a fez sorrir.

– Não me lembro de te pedir para me levar para casa. Só perguntei se podia me sentar. Você está tirando conclusões precipitadas.

Ele recuou um pouco, meio constrangido.

– Desculpa. Faz um tempo que eu... vivo sozinho. Virei uma péssima companhia.

Péssima companhia. O sujeito parecia ter educação.

Ela se inclinou um pouco para observá-lo. Embora a iluminação estivesse fraca, com uma fumaceira de cigarro pairando no ar, gostou do rosto dele. Pelo menos o suficiente para uma noite.

– E se *eu* quisesse ir para casa com você?

Quando ele voltou a erguer o olhar, Meghann podia jurar que tinha empalidecido. Seus olhos eram azul-piscina.

Passou-se uma eternidade até que ele respondesse.

– Eu diria que não ia significar nada. – A voz soou tensa.

Ele parecia assustado. Meghann franziu o cenho.

– O sexo?

Ele assentiu.

Subitamente, Meghann sentiu o estímulo da caça, o coração acelerando. Estendeu o braço e tocou o dorso da mão dele com o indicador.

– E se eu disser que tudo bem? Que eu não quero que signifique nada?

– Eu diria que isso é triste.

Meghann recolheu a mão, ferida pelo comentário. De repente, sentiu-se transparente, como se aqueles olhos azuis pudessem enxergar através dela.

– Você quer transar ou não? Sem compromisso. Sem futuro. Só essa noite. Algum tempo juntos.

Ela ouviu a própria voz rascante; era um som fraco, quase desesperado. Envergonhada, calou-se.

Mais uma eternidade se passou.

– Eu não sei se seria bom nisso – disse ele, por fim.

– Eu sou.

Ela apertou os lábios para não dizer uma bobagem. Era ridículo, mas estava nervosa. Queria ser desejada por ele, mais do que podia compreender. Aquele sujeito não significava nada, só mais um elo na cadeia de homens indisponíveis e totalmente descartáveis com quem dormira desde o divórcio. Até onde sabia, ele não tinha nada que justificasse aquela palpitação no peito. Mas Meg estava com medo de ser rejeitada.

– Talvez a gente torne a noite um do outro mais suportável.

Ele se levantou tão depressa que a cadeira bamboleou e quase caiu.

– Eu moro no fim da rua.

Ela não o tocou, não o pegou pela mão, não fez nenhum gesto possessivo. Não fingiu nenhum afeto.

– Eu te sigo – disse apenas.

Joe sentia o calor do corpo dela ao lado dele, o toque acidental de suas mãos de vez em quando.

Pare com isso agora, pensou ele. *É só virar para ela, pedir desculpas e dizer que cometeu um erro.* Mas seguiu em frente, um passo depois do outro.

Sentia o perfume dela. Amadeirado, doce e sensual; o aroma lembrava verões no sul do país. Flores perfumadas, noites escuras e quentes.

Ele estava perdendo a cabeça. Talvez estivesse mais bêbado do que imaginara.

Não podia fazer isso. Nem sequer lembrava como era. (Não o sexo – *isso* ele recordava; era o resto que desaprendera... a conversa, o toque, a companhia de outra pessoa.)

De repente, se viu parado em frente ao casebre. Haviam percorrido três quarteirões sem engatar nenhuma conversa. Joe não sabia se ficava grato por isso ou não. Se Meghann tivesse tagarelado qualquer bobajada ridícula, talvez ele tivesse tido forças para se afastar, arranjar uma desculpa. O silêncio acabou com ele.

– É aqui que estou morando agora – disse ele, parado com ela em frente à porta sem saber muito bem o que fazer.

– Agora, é?

Aquilo o surpreendeu. Ela ressaltou a única parte da frase que revelava alguma coisa. Joe precisava ter cuidado perto dela.

Ele abriu a porta e deu um passo para o lado, convidando-a a entrar primeiro.

Meghann franziu o cenho de leve, passou por ele e mergulhou na escuridão.

Joe foi atrás, deixando as luzes apagadas de propósito. Havia fotos de Diana espalhadas por todo lado. Ele não queria explicar por que vivia daquele jeito;

não àquela mulher de vestido de marca e joias caras. Na verdade, não queria falar nada.

Ele foi até a cozinha e pegou umas velas. Havia muitas disponíveis, mantidas à mão para o caso de alguma nevasca acabar com a eletricidade. Sem dizer nada, distribuiu-as pelo quarto; então as acendeu uma a uma. Ao terminar, se virou e lá estava ela, parada ao pé da cama, segurando a bolsa como se ele fosse roubá-la.

Joe soltou um suspiro contido. Ela era linda. Cabelos negros, pele clara, olhos verdes amendoados, lábios que relutavam em sorrir. O que estava fazendo ali com ele? E o que ele estava fazendo ali com ela? Desde Diana não estivera com nenhuma mulher.

Ela pegou algo na bolsa...

Uma camisinha. Meu Deus.

...e a largou no chão. Enquanto caminhava até ele, balançando de leve os quadris, foi abrindo o vestido. A parte de cima deslizou por seus braços, revelando o sutiã de renda preta e o colo pálido.

Vai embora, ele quis dizer, mas em vez disso puxou-a para si. O corpo dela se moldou ao dele, então, lentamente, começou a se mover.

Quando encontrou forças para recuar, Joe tremia.

– Tudo bem? – perguntou ela.

Ele não pensou, não falou, apenas tomou-a nos braços e a levou para a cama.

Os dois caíram sobre os lençóis amarrotados, ela por baixo. Joe a pressionou com o corpo, em um gesto possessivo, e gostou da sensação. Ela ergueu os quadris para encontrá-lo.

Com um gemido, ele a beijou. O toque suave e delicado de seus lábios o transportou de volta no tempo.

Diana.

– O quê?

Ele recuou, a encarando.

Meghann.

Desta vez, ao beijá-la, manteve os olhos abertos. Ela retribuiu com uma ferocidade que o deixou sem fôlego.

Meghann enfiou a mão sob a camisa de Joe e suas unhas lhe arranharam as costas.

– Tira a calça – disse ela com voz rouca. – Eu quero te tocar.

Eles se afastaram. Joe desceu da cama e se despiu, os dedos trêmulos demais para desabotoar a calça de primeira.

Nus, os dois caíram outra vez na cama. Ele esfregou a ereção nela, beijando-lhe a boca aberta, o queixo, os olhos fechados. Meghann o envolveu com as pernas e o puxou para si com força. Ele sentiu a umidade dela em sua coxa.

Meghann baixou a mão e seus dedos o envolveram em um toque firme. Subindo e descendo. Subindo e descendo. Ele sentiu a camisinha deslizar em um movimento habilidoso.

Joe gemeu ao penetrá-la, investindo uma vez com um prazer agoniante, então se afastou antes que fosse tarde. Deslizou pelo corpo dela, beijando-lhe o queixo, o pescoço, os seios. Provou um mamilo, encaixou-o na boca e sugou sua doçura. Afastou as pernas dela e desceu, beijando o umbigo, os pelos pubianos.

Ela tentou afastá-lo.

Ele a segurou, descendo os beijos até estar dentro dela. Gemendo, Meghann agarrou seu cabelo e abriu ainda mais as pernas. Ele a explorou com a língua, sentiu seu gosto, deslizando para cima e para baixo, para dentro e para fora.

– Ah... meu... Deus... – disse ela, ofegante. – *Vem cá.*

Ele a puxou para si, em um movimento rápido, e a penetrou.

Meghann arqueou o corpo e se agarrou a ele, acompanhando-o em cada investida.

Joe teve um orgasmo diferente de tudo que já sentira antes.

– Uau – disse ela, afastando o cabelo úmido do rosto. – Com certeza foi a montanha-russa mais empolgante do parque.

Ele se recostou na cabeceira bamba da cama. Sentia o corpo inteiro fraco, trêmulo.

Meghann o encarou com um sorriso largo, ainda ofegante.

– Qual é o seu nome?

– Joe.

– Bom, Joe. Isso foi incrível.

Depois de um longo instante, ele arriscou passar o braço pela cintura dela, puxando-a contra si. Abraçado a ela, fechou os olhos.

Pela primeira vez em anos, adormeceu com uma mulher nos braços.

Ao acordar, estava sozinho outra vez.

DEZESSEIS

— Vau! – disse Claire, largando-se de volta nos travesseiros. – Eu nem lembro a última vez que me dei bem logo de manhã. – Ela afastou o cabelo do rosto e sorriu para Bobby. – Você deve me amar muito mesmo, para me beijar antes de eu escovar os dentes.

Ele se virou para ficar de lado. Seu belo rosto estava enrugado pelas marcas do lençol.

– Você ainda tem dúvida, não é?

– Não – respondeu ela, rápido demais.

Ele tocou seu rosto, uma carícia tão suave que a fez suspirar.

– Eu te amo, Claire Cavenaugh. E tenho vontade de socar o sujeito que te deixou com tanto medo de acreditar no amor.

Ela sabia que seu sorriso era tristonho. Não havia nada a fazer em relação a isso.

– Não foram só os homens.

– Mas eu não posso bater na sua mãe. Nem na sua irmã.

Ela riu.

– É só provar que a Meg está errada. Nada a deixa mais enfurecida.

– Ela está tentando, você sabe.

Claire sentou-se na cama.

– Pois é. Estou vendo. Soltou aquela palhaçada sobre eu não saber amar ninguém, depois fugiu da festa.

– E comprou pra você um vestido mais caro que o meu carro.

– Dinheiro para a Meg não é nada. Ela tem de sobra. Pode confirmar com ela.

Bobby se recostou na cabeceira. O cobertor deslizou por seu peito nu e parou no colo.

– Ela também cresceu com a sua mãe, e não teve um pai para segurar as pontas. Deve ter sido difícil cuidar de você por tantos anos, então ver o Sam chegar e substituí-la.

– Não acredito que você está defendendo a Meg! Ela falou que era burrice casar com você.

Ele abriu aquele sorriso lento, que sempre a deixava de pernas bambas.

– Amor, você não pode se irritar por isso. Ela está tentando te proteger.

– "Controlar" é uma palavra mais apropriada.

– Vem cá – sussurrou ele.

Ela se aproximou. Seus seios nus tocaram o peito de Bobby enquanto se beijavam. Ele segurou sua nuca e a beijou até que ela esquecesse toda aquela conversa. Quando se afastaram, Claire estava tonta e ofegante.

– Estou começando a te conhecer, Claire Cavenaugh, que em breve será Austin – sussurrou ele, os lábios colados aos dela. – Você ficou com dor de cabeça depois da história do vestido de noiva, e de novo ontem à noite. Quando a Meghann te magoa, você diz que não liga, mas começa a tomar aspirina. Eu já passei por isso. Sei que o importante é que ela é sua irmã. A única que você tem.

Claire quis discordar, mas sabia que não podia. Ela *queria* se reaproximar da irmã. Nos últimos dias se pegara relembrando cada vez mais a antiga Meg. De como era o amor entre elas.

– Estou cansada dessa nossa relação – admitiu ela.

– Como assim?

– Ninguém me afeta tanto quanto a Meghann. Ela tem o maior talento para falar besteira.

– Pois é. O meu pai era assim. A gente nunca conseguiu se entender de verdade. Agora que ele morreu, eu queria que a gente tivesse se esforçado mais.

– Beleza, Sigmund Freud. Eu vou tentar falar com ela. Outra vez.

– E chega de aspirina.

Ela o beijou outra vez, devagar, então caminhou nua até o banheiro. Quando terminou de tomar banho e se vestir, ele havia saído.

Claire fez a cama e cruzou o corredor até o quarto de Ali. A filha ainda estava deitada, escondida sob uma pilha de lençóis e cobertores azuis e verdes, com temática da Pequena Sereia.

– Oi, lindinha – disse ela, sentando-se na beira da cama. – Hora de acordar.

Alison se espreguiçou e rolou para deitar de costas.

– A gente ganhou um gatinho?

– Não. Por quê?

– Acho que ouvi um gatinho miando hoje de manhã.

Claire mordeu o lábio inferior para refrear o sorriso. *Nota mental: goze baixinho.*

– Não, nada de gatinho. Você deve ter sonhado.

– E eu ouvi um barulho estranho...

– Eu... é... desci para fazer café.

– Ah. Então, a gente *pode* ter um cachorrinho? Amy Schmidt tem, e a mãe dela é alérgica a cachorro.

– Que tal um peixinho dourado?

– Ma-nhê. O último peixinho desceu pela descarga.

– Eu vou pensar, está bem? Agora corre lá para baixo. Vou fazer panquecas com mirtilo para o café.

Claire desceu para preparar o café da manhã. Quando Alison chegou à cozinha, arrastando a boneca Groovy Girl, os ovos e as panquecas estavam prontos.

Alison subiu em sua cadeirinha, acomodou a boneca no colo e começou a cobrir as panquecas de mel.

– Já está bom de mel – disse Claire enquanto virava outra panqueca na frigideira de Teflon.

– Você e o Bobby e a tia Meghann tomaram chá ontem de noite? Teve que fazer muito chá para todo mundo?

Claire deu uma risada.

– Não foi chá de verdade. É uma festa para quem vai se casar. Feito uma festa de aniversário, sabe?

– Vocês fizeram brincadeiras?

– Claro.

– Ganharam presente?

– Pode crer.

– Tipo o quê?

Calcinha fio-dental. Pintura corporal de chocolate. Uma caixa gigante de camisinhas.

– A tia Meghann me deu um processador. – Diante do olhar confuso de Ali, ela acrescentou: – É para cortar alimentos. Muito legal.

– Ah. O vovô vai me levar para pescar hoje. No lago Tidwell.

– Vai ser divertido.

– Ele disse que você tinha umas merdas do casamento para resolver.

– Alison Katherine. Você sabe muito bem que não é para repetir os palavrões do seu avô.

– Ops.

Ali se inclinou e começou a lamber o mel do prato. Em pouco tempo estava limpo.

– Sabia que se a gente cortar uma minhoca no meio, ela cresce de novo?

– Eu sabia, sim.

Ela desceu da cadeirinha.

– Mas a Lily France cortou o dedo e ele não cresceu de volta. – Ali pensou um pouco. – Acho que Deus gosta mais das minhocas que da Lily. É porque ela fura fila na hora do lanche.

– Bom, eu não...

– Tchau, mãe! – Alison jogou um beijo e saiu correndo. A porta de tela se fechou atrás dela e um instante depois Claire ouviu a voz aguda da filha: – Cheguei, vovô! Você estava me procurando?

Claire sorriu, desligou o fogo, serviu outra xícara de café e saiu para a varanda dos fundos, sentando-se no balanço de madeira.

Ela começou a se balançar lentamente, enrolando-se num cobertor de lã e encarando a curva prateada da água que delimitava os fundos da propriedade. A casa ficava bem afastada do rio, em uma colina, mas em um dia como aquele, com o céu tão azul e a grama dourada por conta da semana inesperada de sol, era quase impossível lembrar como o rio podia ser perigoso.

A porta de tela se abriu e fechou com um rangido. Meghann surgiu na varanda. Usava uma bata preta com franjas e calça jeans de boca larga. Seu cabelo caía pelas costas em cachos bagunçados. Estava linda.

– Bom dia.

Claire puxou o cobertor para esconder o moletom velho e surrado.

– Quer panqueca?

Meg sentou-se na cadeira de madeira em frente ao balanço.

– Não, obrigada. Ainda estou tentando metabolizar o bolo de ontem à noite.

– Você saiu da festa mais cedo. – Claire procurou soar casual, não magoada.

– A festa foi boa. A sua amiga Gina tem um ótimo senso de humor.

– Tem mesmo.

– Deve ser difícil para ela... ver você se casar tão pouco tempo depois do divórcio.

Claire assentiu.

– Ela está passando por um momento difícil.

– É sempre ruim descobrir que a gente se casou com o homem errado.

– Eles ficaram quinze anos casados. Só porque se divorciaram não significa que ele era o homem errado.

Meg a encarou.

– Eu acho que significa exatamente isso.

– O Eric te magoou de verdade, não foi?

– Acho que sim.

Claire tomou um gole de café. Pensou em deixar tudo de lado e fazer o que sempre fazia na presença de Meg: calar a boca e fingir que não estava magoada. Então se lembrou da conversa com Bobby.

– Você não me falou – disse, devagar. – Por que saiu cedo do chá?
– Não foi tão cedo. E os presentes, foram bons?
– Ótimos. Aliás, obrigada pelo processador. Mas... por que você saiu cedo?
Meg fechou os olhos, depois os abriu lentamente. Parecia assustada.
Claire ficou tão chocada que se empertigou.
– Meg?
– Foi o jogo do M&M – respondeu ela. – Tentei entrar na brincadeira, levar na esportiva, mas eu mal te conheço, então falei besteira. Ainda não sei bem o que foi.
– Você disse que eu sei amar muito bem, mas não amo fácil.
– Isso.
– Eu não acho que é verdade. E isso me magoou.
– Para mim, é verdade – disse Meg.
Claire se inclinou para a frente. Enfim estavam falando sobre algo importante.
– Às vezes é difícil te amar, Meg.
– Eu sei disso, pode acreditar.
Ela riu; o som saiu amargo, gutural.
– Você julga os outros... me julga... de maneira muito dura. As suas opiniões parecem açoites, deixam marcas profundas.
– As pessoas, sim. Mas eu não julgo você.
– Eu saí da faculdade. Abandonei o curso de cosmetologia. Nunca saí de Hayden. Me visto mal. Tive uma filha com um homem que descobri que já era casado. Agora estou me casando com um zé-ninguém de quinta categoria e sou burra demais para me proteger com um acordo pré-nupcial. Pode me mandar parar quando achar que está de bom tamanho.
Meg fez uma careta.
– Eu usei tudo isso contra você?
– Feito um arsenal. Eu não consigo conversar com você sem me sentir um lixo, uma derrotada. E você, claro, é rica e perfeita.
– Essa parte é verdade. – Meg viu que a tentativa de fazer graça pegou mal. – A minha psiquiatra diz que eu sou controladora.
– Ora, *não diga*. Você parece muito a mamãe, sabia? As duas precisam estar sempre no centro das atenções.
– A diferença é que ela é psicótica. Eu sou neurótica. Mas ela com certeza passou adiante a má sorte com os homens. – Meghann olhou a irmã. – Você já quebrou essa maldição?
Na noite anterior, Claire teria ficado irritada com a pergunta. Agora compreendia. O legado que a mãe transmitira a Claire era a crença de que cedo ou

tarde o amor acabava. Meg herdara algo totalmente diferente: ela nem sequer acreditava que o amor existia.

– Quebrei, Meg. De verdade.

Meg sorriu, mas com tristeza nos olhos.

– Eu queria ter a sua fé.

Pela primeira vez, Claire se sentiu a irmã mais forte.

– O amor existe. Sinto isso em cada momento que eu passo com Ali e com meu pai. Talvez, se você... tivesse um pai, pudesse acreditar nisso.

Claire viu a palidez no rosto da irmã e soube que tinha ido longe demais.

– Você tem sorte de ter o Sam – disse Meg, devagar.

Claire não pôde evitar recordar o verão em que seu pai tentara acolher Meg. Tinha sido um pesadelo. Meg e Sam brigaram pelo amor de Claire, em uma disputa para ver quem sabia o que era melhor para ela. A própria Claire encerrou a pior das brigas. *Para de gritar com o meu pai*, berrara ela. Foi a primeira vez que viu a irmã chorar. No dia seguinte, Meg foi embora. Só voltou a ligar para Claire anos depois, quando já estava na faculdade e tinha a própria vida.

– Ele quis cuidar de você também – disse Claire, em um tom amável.

– Ele não era o meu pai.

Depois disso, um silêncio se abateu sobre elas. A quietude incomodou Claire; quis dizer alguma coisa, mas não sabia o quê.

Foi salva pelo toque do telefone. Com um salto, ela correu para atender.

– Alô?

– Ligação de Eliana Sullivan, por favor, aguarde.

Claire ouviu Meg se aproximar. *Mamãe*, disse com o movimento dos lábios.

– Lá vem – disse Meg, servindo uma xícara de café.

– Alô? – falou a mãe. – Alô?

– Oi, mãe, sou eu, Claire.

A mãe soltou aquela risada profunda e sexy que cultivara ao longo dos anos.

– Acho que sei para qual das minhas filhas telefonei, Claire.

– Claro – respondeu ela, embora a mãe confundisse as duas o tempo todo.

Suas lembranças eram totalmente confusas. *Tanto faz*, respondia a mãe, em tom casual, quando elas chamavam a atenção para esse fato. *Vocês duas eram unha e carne naquela época. Como é que eu vou lembrar com clareza de cada detalhezinho?*

– Bom, meu amor, pode falar. O menino aqui de casa disse que você me deixou um recado. O que houve?

Claire odiava aquele falso sotaque sulista. Cada vogal estendida a fazia recordar que, em última instância, sua mãe a tratava como "plateia".

– Eu te liguei para contar que vou me casar.

– Ora, não diga! Eu achei que você ia morrer uma velha solteirona.

– Valeu, mãe.

– Pois bem, quem é ele?

– Você vai adorá-lo, mãe. É um bom menino do Texas.

– Menino? Achei que era a sua irmã que gostava disso.

Claire soltou uma gargalhada genuína.

– É um homem, mãe. Tem 37 anos.

– E quanto é que ele ganha?

– Isso não tem importância para mim.

– Já vi que é pobre. Bom, eu vou te dar um conselho, meu anjo: é mais fácil casar com os ricos. Mas enfim, parabéns. Quando é que vai ser a cerimônia?

– Sábado, dia 23.

– De junho? No sábado que vem?

– Isso mesmo. Eu teria te avisado com mais antecedência, se você retornasse as minhas ligações.

– Eu estava encenando Shakespeare no parque. Com o Charlie Sheen, inclusive.

– Todas as noites?

– Olha, meu bem, você *sabe* que eu tenho que dar atenção aos meus fãs. Eles são tudo na minha vida. Aliás, você viu a minha foto na *People*? Só eu e a Jules Asner tendo uma conversinha íntima.

– Não vi. Foi mal.

– Eu fiz uma assinatura para você. O que é que vocês fazem, deixam a revista rolando pela casa?

– Eu estava ocupada com a organização do casamento.

– Ah. Claro. Bom, no sábado fica difícil para mim, meu bem. Que tal no primeiro fim de semana de agosto?

Claire revirou os olhos.

– Por mais que eu me interesse pela sua agenda, mãe, os convites já foram enviados. A Meg está muito ocupada planejando o grande dia. Não dá mais para mudar a data.

A mãe riu.

– A *Meg* está organizando o seu casamento? Meu bem, isso é pior do que chamar o papa para planejar um *bar mitzvah.*

– O casamento vai ser no sábado. Espero que você venha.

Claire estava soando rígida e formal de novo, o que era sua reação costumeira ao estresse.

Meghann entregou-lhe uma aspirina, e ela não pôde deixar de sorrir.

– *Eu* tenho enxaqueca toda vez que falo com ela – disse Meg. – Ela ainda está tagarelando?

Claire assentiu.

– Claire? – chamou a mãe em um tom ríspido. – Você está ouvindo?

– Claro, mãe. Cada palavra sua é uma pérola.

– Que horas no sábado? Já perguntei duas vezes.

– A cerimônia começa às sete da noite. Recepção em seguida.

Mamãe suspirou.

– Sábado. Eu estou há três meses esperando para fazer o cabelo com o José. Talvez ele consiga me encaixar mais cedo.

Claire não aguentava mais.

– Eu tenho que ir, mãe. Vou estar na igreja episcopal de Hayden no sábado, às sete da noite. Espero que você apareça, mas claro que vou entender se você estiver ocupada.

– Eu *sou* ocupada. Mas quantas vezes a gente vê uma filha se casar?

– Na nossa família, é coisa rara.

– Seja sincera, meu bem. Você acha que isso vai durar? Eu odiaria desmarcar meu cabeleireiro para...

– Eu tenho que ir, mãe. Tchau.

– Ok, meu bem. Eu também. E parabéns. Estou muito feliz por você.

– Obrigada, mãe. Tchau.

Claire olhou para Meghann, tentando sorrir.

– Sábado fica ruim para ela.

– Por quê? Ela vai participar de algum programa de auditório?

– Tem horário para fazer o cabelo com o José.

– A gente devia ter mandado o convite depois da data.

– Eu não sei por que ainda espero alguma coisa dela – comentou Claire.

Meg balançou a cabeça.

– Pois é. Até uma mãe jacaré protege os seus ovinhos.

– A mamãe faria uma omelete.

As duas riram juntas.

Claire olhou a luz do sol banhando seu quintal, trazendo um brilho dourado às flores. Aquela visão lhe trouxe paz; ela se lembrou de todas as maravilhas do mundo. Era melhor esquecer a mãe.

– Vamos falar sobre os preparativos do casamento – disse, por fim.

– Perfeito. Podemos repassar o cardápio.

Claire se animou.

– Claro. Eu pensei naqueles sanduíches a metro. Eles rendem para muita gente, e os homens adoram. A salada de batatas da Gina é ótima para acompanhar.

Meghann encarou a irmã.

– Salada de batata e pão a metro. Seria... – Ela fez uma pausa. – Delicioso.

– Você hesitou.

– Ah, foi? Só estava respirando.

– Eu conheço essa hesitação. É você me julgando.

– Não. Não. É que eu tinha acabado de falar com uma amiga minha. A Carla. Ela é chef de cozinha, acabou de se formar e está precisando de uma grana. Está devendo aluguel. Daí ela se ofereceu para fazer uns aperitivos a preço de custo, com mão de obra bem baratinha. Ela precisa da propaganda boca a boca, você sabe. Mas não esquenta. Eu posso ir comprar a comida no mercado, se você preferir.

Claire pensou um pouco.

– Isso ajudaria mesmo a sua amiga? Preparar o bufê?

– Ajudaria, mas isso não é o mais importante. O importante é que o casamento seja do *seu* jeito.

– Quanto é que custaria?

– O mesmo que sanduíche a metro e salada de batata.

– Sério? Bom, então acho que tudo bem. Desde que a gente inclua aqueles enroladinhos de salsicha. O Bobby *adora*.

– Enroladinho de salsicha. *Claro*. Eu também teria pensado nisso.

Claire pensou ter visto a irmã hesitar outra vez, mas não teve certeza.

Meg deu um sorriso forçado.

– Agora, por mais estranho que pareça, eu também conheço uma doceira que está sem trabalho, e que pode fazer um bolo de quatro andares decorado com flores frescas. Ela recomenda violetas, mas é você que decide, claro.

– Quer saber, Meg? Você é um verdadeiro pé no saco.

– Eu sei. Crítica e impiedosa.

– Totalmente. Mas sabe comandar muito bem.

O sorriso de Meghann murchou. Claire sabia que a irmã estava pensando naquele verão, tantos anos antes, em que Meg assumira o comando e mudara a vida das duas.

– Eu não falei por mal – completou Claire em tom suave. – A nossa relação é uma droga de um campo minado.

– Eu sei.

– Agora, em relação ao bolo...

DEZESSETE

— Consegui a permissão do parque e confirmei o aluguel da tenda. Amanhã, a caminho do mercado, vou repassar os detalhes finais da organização com eles – disse Roy, sentando-se com um floreio. – É isso.

– E a iluminação? – indagou Meghann, riscando a tenda da lista.

– São 10 mil luzinhas de Natal brancas, 42 lanternas chinesas e vinte pendentes. Resolvido.

Meghann fez outro risco na lista. Pronto. Estava tudo resolvido. Nos últimos dois dias, trabalhara feito uma condenada, conferindo cada detalhe. Providenciara tudo o que Roy queria. Aquele seria, como ele declarava pelo menos três vezes por dia, o melhor casamento que Hayden já vira.

Meghann não achava que isso fosse um grande parâmetro, mas estava aprendendo a guardar para si os pensamentos sarcásticos. Andara trabalhando tanto que até conseguia dormir à noite. O único problema agora eram os sonhos.

Joe aparecia em todos. Quando fechava os olhos, se lembrava daquela noite. Os olhos azuis tão tristes... um sussurro – um nome, talvez – enquanto faziam amor.

Faziam amor.

Ela nunca pensara nesses termos com ninguém.

– Meghann? Você está fazendo aquela cara triste de novo. Está pensando nos aperitivos?

Ela sorriu para Roy.

– Você tinha que ver a cara da Carla quando eu falei que ela ia ter que fazer enroladinhos de salsicha.

– Eu odeio admitir, mas... é gostoso, não é? Com um pouco de ketchup, ou algum molho. Provavelmente vai acabar antes do queijo brie e do patê.

– Eu não deixei ela fazer patê.

Meghann consultou a lista outra vez. Checar tudo várias vezes era um hábito.

Roy tocou seu braço.

– Está tudo pronto, minha linda. Você agora só precisa ir ao jantar de ensaio hoje e ter uma boa noite de sono.

– Obrigada, Roy. Eu não sei o que teria feito sem você.

– Pode acreditar, foi um prazer inesperado trabalhar nesse casamento. Meu próximo evento é uma chopada no pasto dos Clausens para comemorar o ingresso do pequeno Todd numa faculdade comunitária.

Depois da reunião, Meghann voltou ao carro. Tinha caminhado vários quarteirões até perceber que estava indo no sentido errado. Quando estava prestes a dar meia-volta, viu a oficina. Enfiado em um pequeno aglomerado de árvores e moitas estava o casebre de Joe.

Meghann sentiu um súbito ímpeto de ir até lá, dizer oi e segui-lo até a cama. O sexo tinha sido ótimo. Na verdade, tinha sido mais que ótimo. Tão bom que ela saíra de fininho no meio da noite. Sempre fora melhor em fugir do que em dar bom-dia.

A luz da cozinha estava acesa. Ela viu uma sombra cruzar a janela, um lampejo de cabelo grisalho.

Quase foi até lá.

Quase.

A única coisa de que ela tinha certeza – aprendera por experiência – era que sexo casual era o máximo com que podia lidar.

Meghann deu meia-volta e caminhou até o carro.

Joe estava parado em frente à pia da cozinha, escutando a água da torneira descer pelos canos enferrujados. Devia estar lavando a louça do almoço – para isso fora até ali, afinal –, mas não conseguia controlar as próprias mãos.

Ela estava parada do outro lado da rua, observando a casa.

Meghann. *Meus amigos me chamam de Meg.*

Estava imóvel, os braços cruzados, o queixo fino levemente erguido. Ao lado dela, um imenso vaso de flores vermelhas lançava uma chuva de pétalas sobre seu braço esquerdo. Ela nem percebeu. Tampouco devia notar o aroma. Não parecia uma mulher romântica.

– Meghann – ele disse o nome baixinho, surpreso pela inesperada onda de desejo.

Desde o encontro, Joe pensava nela com muita frequência. Tentou se convencer de que não significava nada, de que aquilo não passava de hormônios sobrando em um corpo que passara muitos anos sem contato íntimo. Agora, no entanto, olhando para ela, desejando-a outra vez, soube que estava mentindo para si mesmo.

Do outro lado da rua, ela quase deu um passo em direção ao casebre.

O coração de Joe acelerou, suas mãos se fecharam.

Então ela deu meia-volta e se afastou rapidamente.

– Graças a Deus – disse ele, desejando que fosse verdade.

Ele fechou a torneira e secou as mãos. Devagar, foi até a cornija da lareira e parou diante de uma fotografia de Diana. Ela acenava para ele em frente ao Arco do Triunfo, em Paris. Tinha um grande sorriso.

– Me perdoa – sussurrou ele, tocando o vidro.

O telefone tocou, assustando-o.

Ele sabia quem era, claro.

– Oi, Gina – disse, pegando as luvas de trabalho.

– Oi, mano. Eu sei que está meio em cima da hora, mas vai rolar um jantar pré-casamento aqui em casa hoje. Pensei que você podia se animar e vir.

Um jantar pré-casamento.

– Acho que não, desculpa.

– É para a Claire Cavenaugh. Ela enfim vai se casar.

Joe fechou os olhos, lembrando-se de Claire.

– Desculpa, Gigi – disse ele, por fim. – Não dá.

A única coisa pior do que um casamento seria um hospital.

– Eu entendo, Joey. De verdade. Te ligo semana que vem.

Claire aguardava na sala de espera do médico, lendo a última edição da revista *People*. Viu uma foto de sua mãe no parque de alguma cidade, rodeada por fãs usando figurinos espaciais. *Eliana Sullivan comemora com os fãs 25 anos do primeiro episódio de* Starbase IV, dizia a legenda.

– Ai, faça-me o favor. No segundo ano eu fazia fantasias de Halloween melhores do que isso.

– O quê, mãe?

Claire abriu um sorriso para a filha, sentada de pernas cruzadas no tapete cinza-claro, brincando com um bonequinho do Gatola na Cartola.

– Nada, meu amor.

– Ah. Falta muito ainda? Estou com fome.

– Não muito. O Dr. Roloff está ocupado com quem está muito doente. Você viu o Sammy Chan entrar... ele quebrou o braço.

Alison franziu o cenho.

– Você não está doente, está?

– Claro que não. Vim para a minha consulta anual. Você sempre vem comigo.

– É.

Ali voltou a brincar. Minutos depois, Monica Lundberg, a recepcionista, entrou na sala de espera. Estava linda, como sempre, dessa vez em um vestido de verão verde-claro.

– O doutor está te esperando.

Claire olhou para Alison.

– Fica aqui, meu amor. Eu já volto.

– Eu fico de olho nela – disse Monica. – Pode entrar no consultório quatro.

– Obrigada.

Claire cruzou o corredor e entrou na última sala à esquerda.

– Oi, Claire, como estão indo os preparativos para o casamento?

Ela sorriu para Bess, a enfermeira que trabalhava para o Dr. Roloff desde que o mundo era mundo.

– Tudo ótimo. Vai ser bem simples.

– Claro.

Bess aferiu a temperatura e a pressão de Claire.

– A pressão está ótima, menina. Você deve estar se cuidando direitinho.

Ela colheu uma pequena amostra de sangue, depositou no armário sobre a pia e entregou a Claire um pequeno frasco coletor.

– Você já sabe como funciona. Deixe a amostra no armário do banheiro. O doutor já está vindo.

– Obrigada, Bess.

A enfermeira deu uma piscadela.

– Te vejo amanhã. Tchau.

Claire atravessou depressa o corredor, deixou uma amostra de urina no banheiro e retornou ao consultório, onde vestiu a roupinha de hospital e subiu na maca de exame revestida de papel.

Instantes depois, o Dr. Roloff chegou. Era um homem alto e grisalho, de olhos duros e sorriso discreto. Fora o médico de Claire durante a maior parte de sua vida. Cuidara das otites, das acnes e da gravidez. Agora era o médico de Alison. E de Sam também.

Ele se sentou em um banquinho com rodas e se aproximou.

– Como estão os preparativos para o casamento?

– Tudo ótimo. Você e a Tina vão poder ir?

– Eu não perderia por nada.

Ele fez uma pausa e baixou o olhar por um instante. Claire sabia que estava pensando na filha que havia perdido.

– A Diana ia adorar o seu casamento.

Claire engoliu em seco. Era verdade. Uma das partes mais difíceis daquela comemoração era a ausência da amiga. As Azuladas sempre haviam sido muito unidas.

– Ela sempre disse que eu estava esperando o meu príncipe encantado.

Ele enfim ergueu os olhos e abriu seu sorriso cansado e um tanto abatido.

– Está sabendo do Joe? Ele voltou para a cidade.

– Eu soube. Como é que ele está?

Henry soltou um suspiro pesado.

– Eu não sei. Não veio falar comigo nem com a Tina. – A mágoa em sua voz era óbvia.

– Com certeza uma hora ele vai aparecer.

– É. Com certeza. – O Dr. Roloff ajeitou os óculos no nariz e endireitou o corpo. – Bom, vamos ao que interessa. – Ele abriu a ficha de Claire e a analisou. – Está tudo bem com você?

– Está.

– Sua consulta era daqui a dois meses. Por que veio antes, Claire? Normalmente a gente precisa te avisar com um mês de antecedência e ainda ligar para te arrastar até aqui.

– Anticoncepcional – disse ela, sentindo as bochechas corarem. Era ridículo; tinha 35 anos. Não havia razão para ficar constrangida. Mas estava. – A gente quer esperar um pouco antes de engravidar.

Ele tornou a olhar a ficha dela, então assentiu.

– Não aconselharia que você tomasse por muitos anos, mas por enquanto está bem. Podemos começar com a minipílula.

– Ótimo.

O Dr. Roloff deixou a ficha de lado.

– Vamos fazer o preventivo.

Quando ele terminou, Claire se sentou.

– O seu pai me contou que você teve dores de cabeça semana passada – disse ele, removendo as luvas. – E que torceu o tornozelo esquerdo.

Vida em cidade pequena. Claire suspirou. Desde que se entendia por gente, seu pai corria para o médico sempre que ela machucava o dedão ou um dente caía. Sua chegada à vida adulta não alterara esse comportamento.

– Ano passado ele achou que eu estava com a doença de Ménière quando fiquei tonta na roda gigante.

O médico riu com o comentário.

– O Sam é mesmo muito cuidadoso com saúde, isso é verdade. Você tinha que ver quando era pequenininha. Ele me ligava umas três vezes por semana para perguntar se tal coisa era normal. Se você espirrasse três vezes seguidas, ele já ficava de orelha em pé. Mas isso não quer dizer que ele seja um bobão. As dores de cabeça parecem ter alguma relação com o seu ciclo?

– Eu tenho 35 anos – disse ela, com uma risada. – Parece que estou sempre ovulando ou menstruando. Então sim, talvez.

– E você faz exercícios?

– Fiz bastante no oitavo ano. Comecei a correr e a jogar vôlei.

Ele anotou alguma coisa na ficha. "Preguiçosa", provavelmente.

– Está dormindo bem?

– Feito um bebê. Desde que conheci o Bobby... – Ela enrubesceu outra vez. – Bom, você sabe. Estou dormindo muito bem.

– Que boa notícia. Algum estresse?

– Eu tenho uma filha e estou para me casar pela primeira vez. A minha irmã, com quem mal tenho contato, está organizando o casamento, *e* a minha mãe está pensando em vir. Então, sim, estou um pouco estressada.

– Ok. Diga ao seu pai que eu falei que está tudo bem. Sem preocupações. Mas é importante fazer algum exercício. É o melhor tratamento para estresse. Além do mais, nos últimos exames deu que você está outra vez um pouco anêmica. Isso também pode estar causando a dor de cabeça. Então vamos aumentar a ingestão de ferro, está bem?

– Beleza.

– Agora leve sua linda menininha para casa e comece a entrar no papel de noiva. A cidade inteira está ansiosíssima.

– É isso que acontece com quem resolve se casar quinze anos depois de todas as amigas de escola.

– Você estava prestes a ser nomeada a solteirona da cidade. Agora não sei quem vai ser o alvo de Bess e Tina.

Por trás dos óculos redondos e pequeninos, seus olhos cintilaram.

– Obrigada, doutor.

Ele deu um tapinha no ombro dela.

– Estou feliz por você, Claire. Todo mundo está.

DEZOITO

A tarde ficou cinzenta e fria. A chuva fina caía em intervalos ritmados, quase invisível a olho nu.

Claire passou o resto do dia fingindo trabalhar.

– Vai para casa, Claire – dizia o pai toda vez que passava pelo escritório e a via ali.

– Tenho trabalho para fazer – era a resposta padrão; cada vez que ela repetia, o pai gargalhava.

– Pois é. Você está ajudando muito hoje. Vai tomar um banho. Fazer as unhas.

Ela estava nervosa demais para tomar um banho ou fazer as unhas. Trinta e cinco anos era tarde demais para se casar pela primeira vez. Como podia estar fazendo a coisa certa?

No entanto, cada vez que suas preocupações ameaçavam dominá-la, Claire dobrava uma curva ou abria uma porta e via Bobby. Na primeira vez que olhou, ele estava pintando a cerca em volta da lavanderia; na segunda, esfregando as canoas.

Das duas vezes que ela se aproximou, ele a encarou.

– Oi, querida – disse ele, sorrindo. – Eu te amo.

Apenas isso, essas poucas palavras preciosas, e Claire voltava a respirar normalmente por cerca de uma hora, até ser outra vez assomada pelas dúvidas.

Por fim, perto das três da tarde, ela desistiu e caminhou de volta para casa. Havia vários brinquedos espalhados pelo quintal da frente: uma Barbie meio vestida, um baldinho de plástico cor-de-rosa com uma pazinha, um celeiro vermelho em miniatura cheio de animaizinhos da fazenda. Ela recolheu tudo e entrou em casa.

– Olha ela aí – disse Meghann ao vê-la.

– Oi – cumprimentou Claire com um suspiro, então foi até a caixa de brinquedos e guardou tudo.

– Tudo bem com você?

– Tudo ótimo. – Ela não estava a fim de debater as inseguranças sobre o casamento com a Sra. Acordo Pré-Nupcial.

Meghann se levantou. Claire sentia o olhar da irmã; era intenso e profissional. Nem de longe um olhar fraternal.

– Eu estava indo pegar um chá gelado. Você quer?

– Acho que uma margarita cairia melhor.

– Você que manda. Senta aí.

Claire desabou no sofá e apoiou os pés na mesinha de centro coberta de revistas.

Meg voltou logo, trazendo duas taças.

– Prontinho.

Claire pegou sua taça e provou a margarita.

– Está ótimo. Obrigada.

Meg se sentou na cadeira de balanço junto à lareira.

– Você está com medo – disse ela, baixinho.

Claire pulou de susto, como se alguém tivesse gritado.

– Qualquer pessoa estaria.

Deu outro gole da bebida, tomando o cuidado de não fazer contato visual. Sentia-se um esquilo diante de uma cobra venenosa.

Meg foi até o sofá e sentou-se ao lado de Claire.

– É normal, acredite. Se você não estivesse com medo, eu ia querer medir seus batimentos.

– Você acha que eu *devia* estar com medo.

– Eu lembro quando a Elizabeth e o Jack se casaram. Estavam mais apaixonados que qualquer casal que eu já tinha visto. E *mesmo assim* ela precisou de dois martínis para chegar ao altar. Só uma boba não sentiria medo, Claire. Deve ser por isso que casamentos acontecem nas igrejas... porque são um ato de fé.

– Eu amo o Bobby.

– Eu sei disso.

– Mas eu devia assinar um acordo pré-nupcial para proteger os meus bens em caso de divórcio.

– Eu sou advogada. É meu trabalho proteger as pessoas.

– Você protege desconhecidos. Com a família é outra história.

– Acho que sim – concordou Meghann, baixinho, encarando o drinque.

Claire desejou poder voltar atrás naquele comentário maldoso. O que havia no passado das duas que fazia com que se magoassem com tanta facilidade?

– Eu sei que você está tentando ajudar, mas como? Você não acredita no amor. Nem no casamento.

Meg levou um instante para responder; ao falar, sua voz saiu tranquila.

– Eu nunca vi um filhote de corvo.
– Oi?
– No caminho para o meu trabalho, vejo um monte de corvos nos fios dos postes do parque. Então eu sei que toda primavera tem ninhos por ali, com filhotinhos de corvo.
– Meg, você está delirando?
– A questão é a seguinte: eu sei que existem coisas que nunca vi. O amor é uma delas. Estou tentando acreditar nisso, por você.
Claire sabia quanto era difícil para a irmã dizer aquilo. Ninguém que havia crescido à sombra da mãe delas consideraria fácil acreditar no amor. Meghann tentar, pelo bem de Claire, significava muito.
– Obrigada. E obrigada por organizar o casamento. Mesmo tendo guardado segredo de tudo.
– Está sendo mais divertido do que eu imaginei. É tipo fazer parte do comitê de formatura... não que eu já tenha participado de um.
– Eu fui a Rainha do Baile – respondeu Claire, com um sorriso. – Sério mesmo. E também Princesa dos Rododendros, no Festival de Alpinismo.
Meghann riu, claramente aliviada por voltarem a uma conversa leve.
– O que é que faz a Princesa dos Rododendros?
– Senta no banco de trás de uma picape usando um vestido rosa-choque e acena para a multidão. O Clubinho de Jovens foi desfilando atrás da gente. Estava chovendo tanto que eu fiquei ensopada. O papai tirou umas mil fotos e guardou num álbum.
Meghann baixou o olhar para o drinque outra vez.
– É uma lembrança legal.
Claire no mesmo instante se arrependeu do comentário. Ele só ressaltava que Meghann não tinha pai.
– Desculpa.
– Você teve sorte de ter o Sam. E a Ali tem sorte de te ter. Você é uma ótima mãe.
– Você se arrepende? – indagou Claire, surpreendendo as duas com uma pergunta tão íntima. – De não ter tido filhos, quer dizer.
– Ser especialista em divórcios me deixou estéril.
– Meghann.
Meg enfim encarou a irmã.
– Eu não acho que teria sido uma boa mãe. Vamos deixar assim.
– Você foi uma boa mãe para mim. Durante um tempo.
– "Durante um tempo" não serve para muita coisa.
Claire se aproximou.

– Eu queria que você cuidasse da Alison na semana que vem. Enquanto eu e o Bobby estivermos em lua de mel.

– Achei que vocês não iam ter lua de mel.

– O papai insistiu. E deu de presente de casamento uma viagem para Kauai.

– E você quer que *eu* cuide da sua filha?

Claire sorriu.

– Seria importante para mim. A Ali precisa te conhecer melhor.

Meghann soltou um suspiro trêmulo. Parecia nervosa.

– Você confia em mim para isso?

– Claro que sim.

Meg se recostou. Um sorriso hesitante curvou seus lábios.

– Ok.

Claire sorriu de volta.

– Nada de levá-la ao clube de tiro, nem para pular de *bungee-jump*.

– Nada de paraquedismo, então. Mas andar de pônei pode?

As duas ainda estavam rindo quando Sam entrou na sala. Já estava arrumado para o jantar, de calça preta recém-passada e uma blusa clara de brim com o logo do River's Edge no bolso. Os cabelos castanhos estavam aparados e penteados para trás. Claire desconfiou que ele tivesse usado gel.

– Oi, pai. Você está bem bonitão.

– Obrigado. – Ele abriu um sorriso constrangido para Meg. – Oi.

– Oi, Sam – respondeu ela em tom rígido, e se levantou. – Preciso me vestir.

Ao ver Meghann desaparecer escada acima, ele suspirou e balançou a cabeça.

– Eu me sinto uma formiguinha quando ela me olha.

– Sei como é. O que está rolando, pai? Eu preciso me arrumar. – Ela olhou para atrás dele. – Achei que você estava jogando dama com a Ali.

– O Bobby está tentando fazer uma trança embutida nela.

Claire deu uma risada e rumou para a escada.

– Vou refazer antes de ir. Quer vir me buscar em uns 45 minutos?

– Antes eu preciso falar com você. Só um minuto. Não sei se devia falar com o Bobby ao mesmo tempo...

Ela sorriu.

– Espero que não seja aquela conversa muito atrasada sobre sexo.

– A gente já conversou sobre sexo.

– "Não transe" não é uma conversa.

– Espertinha. – Ele meneou a cabeça para o sofá. – Senta aí. E não faça gracinhas. Vai ser só um segundo.

Ele se sentou na mesinha de centro.

– Já estão tomando margarita? – perguntou, olhando a taça de Meg.

– Eu estava meio nervosa.

– Isso me lembra de quando casei com a sua mãe.

– Deixa eu adivinhar... ela passou o dia bebendo.

– Nós dois passamos.

Ele deu um sorriso triste, que de alguma forma excluía Claire.

Depois de uma breve pausa, ele pôs a mão no bolso, pegou uma caixinha preta e abriu.

Dentro havia um diamante amarelo de corte marquise, cravado em um anel de platina.

– É o anel da sua avó Myrtle. Ela queria que fosse seu.

O anel despertou inúmeras lembranças felizes. Sempre que a avó distribuía as cartas de um baralho, aquele diamante cintilava nas paredes feito um caleidoscópio.

O pai estendeu o braço e segurou sua mão.

– Eu nunca ia deixar a minha menininha se casar com uma aliança de papel-alumínio.

Claire experimentou o anel no dedo. Parecia feito para ela. Então se inclinou e abraçou o pai.

– Obrigada, pai.

Sam cheirava a fumaça de lenha e loção pós-barba, como sempre, e, naquele momento, com o rosto junto ao dele, Claire se lembrou de sua juventude. As noites de boliche e jantar no Zeke's Drive-In... a luz da varanda se acendendo dez segundos depois que ela e cada namoradinho chegavam de carro... as histórias que ele contava na hora de dormir, quando ela sentia medo e solidão e saudade da irmã mais velha.

No dia seguinte, Claire seria uma mulher casada. Outro homem seria o centro de sua vida, outro braço seria seu esteio. Dali em diante, ela seria a esposa de Bobby, não a filhinha de Sam Cavenaugh.

Quando o pai se afastou, tinha lágrimas nos olhos, e ela soube que ele estava pensando a mesma coisa.

– Sempre – sussurrou ela.

Ele assentiu, compreendendo.

– Sempre.

DEZENOVE

Meghann desejou nunca ter concordado que Gina organizasse aquele jantar. Cada instante foi um pesadelo.

Você veio sozinha?

Cadê o seu marido?

Você não tem filhos? Nossa. Que sorte, às vezes tenho vontade de dar os meus. Essa frase foi acompanhada de uma risada constrangida.

Sem marido, hein? Deve ser ótimo ser tão independente. Essa veio com uma testa franzida.

Meghann sabia que as amigas de Claire estavam apenas tentando puxar papo, mas não sabiam o que dizer. Como saberiam? Não tinha outro assunto além de suas famílias. As colônias de férias de verão eram um tema recorrente, bem como quais resorts no lago Chelan e da costa de Oregon possuíam estrutura para crianças. Meghann não fazia ideia do que significava "estrutura para crianças". Talvez fossem lugares que servissem tudo com ketchup.

Elas estavam tentando enturmá-la, sobretudo as Azuladas; no entanto, quanto mais tentavam, mais deslocada Meghann se sentia. Podia conversar sobre um monte de coisas – política mundial, a situação no Oriente Médio, onde encontrar roupas de marca em promoção, mercado imobiliário e Wall Street. Mas não sabia conversar sobre família. Ou sobre crianças.

Meghann parou junto à lareira da casa lindamente decorada de Gina, bebendo a segunda margarita. Como a primeira, estava acabando depressa demais. Havia grupinhos em todos os cantos – no terraço, na sala, sentadas à mesa de jantar –, conversando e rindo entre si. Claire estava com Gina, do outro lado da sala, no balcão da cozinha transformado em bar, comendo batatas fritas e gargalhando. Enquanto Meghann observava, Bobby chegou por trás dela e sussurrou algo em seu ouvido. No mesmo instante, Claire se virou para abraçá-lo. Os dois se encaixavam perfeitamente, feito peças de um quebra-cabeça; quando Claire olhava para Bobby, seu rosto se iluminava.

Amor.

Lá estava ele, em todo o seu esplendor.

Por favor, meu Deus, ela se viu rezando pela primeira vez em anos, *permita que seja verdadeiro.*

– Beleza, pessoal – disse Gina, indo para o meio do cômodo. – Está na hora da segunda parte da noite.

Fez-se silêncio. Todos ergueram o olhar.

Gina sorriu.

– O Hector vai abrir a pista de boliche só para a gente! Vamos sair em quinze minutos.

Boliche. Sapatos alugados. Camisetas de poliéster. Pessoas divididas em equipes.

Meg se afastou da lareira, deu uma golada do drinque e percebeu que havia terminado.

– Droga – deixou escapar em voz alta.

– A gente ainda não foi apresentado. Sou Harold Banner. Marido da Karen.

Meghann se assustou com a presença do homem. Não o ouvira se aproximar.

– Oi, Harold.

Era um homem alto e magro, com espessas sobrancelhas pretas e um sorriso um pouco largo, como se abrigasse dentes demais.

– Ouvi dizer que você é advogada.

– Isso.

– Então deixa eu te fazer uma pergunta...

Ela tentou não suspirar

Ele soltou uma risada.

– Estou brincando. Eu sou médico. Passo pela mesma coisa o tempo todo. Cada pessoa que eu conheço menciona alguma dor.

De cabeça, talvez. Ela assentiu e tornou a olhar a taça vazia.

– Imagino que você deixou seu marido em casa, não é? Sujeito de sorte. A Karen me obriga a comparecer a tudo.

– Eu sou solteira.

Ela tentou não ranger os dentes, mas aquela era a décima vez na noite que repetia a informação.

– Ah. Livre, leve e solta. Sorte a sua. Tem filhos?

Ela sabia que ele só estava sendo simpático, tentando encontrar assuntos em comum, mas não importava. Aquela noite havia sido brutal. Mais um lembrete de que era uma mulher sozinha no mundo e Meghann estaria prestes a explodir. Em geral tinha orgulho da própria independência, mas o povo daquela cidadezinha a fazia sentir que estava perdendo algo muito importante.

– Me desculpa, Harold. Eu preciso ir.

– Mas e o boliche?

– Eu não jogo boliche.

Ela atravessou a sala, foi até Claire e pousou delicadamente a mão no ombro da irmã.

Claire se virou. Parecia tão feliz que Meghann ficou sem ar. Ao vê-la, Claire soltou uma risada.

– Deixa eu adivinhar. Você não joga boliche.

– Não, eu adoro boliche. Sério mesmo – acrescentou frente ao olhar de desconfiança da irmã. – Tenho até minha própria bola.

Ela soube de imediato que exagerara na mentira.

– Ah, é? – indagou Claire, recostada em Bobby, que conversava animadamente com o marido de Charlotte.

– Infelizmente, eu ainda tenho uns últimos detalhes para acertar, para amanhã. Preciso acordar cedo.

Claire assentiu.

– Eu entendo, Meg. De verdade.

– Pensei em ligar outra vez para a mamãe também.

O olhar alegre de Claire esmoreceu.

– Você acha que ela vem?

Meghann desejou poder proteger a irmã.

– Vou fazer o possível.

Claire fez que sim.

– Bom, então tchau. Vou lá me despedir da Gina.

Quinze minutos depois, Meghann estava no carro, acelerando pela estrada em direção a Hayden. Havia baixado a capota e o ar frio da noite lhe bagunçava os cabelos.

Ela tentou esquecer o jantar, tirar da cabeça as lembranças dolorosas, mas foi em vão. Os amigos bem-intencionados de Claire haviam conseguido ressaltar o vazio de sua vida.

Ao ver o letreiro do bar do Mo, ela pisou no freio.

Era má ideia entrar, sabia disso. Só ia arrumar problemas. Mesmo assim...

Ela estacionou na rua e entrou no bar fumacento. Estava cheio.

Sexta-feira. Claro.

Havia homens em cada banqueta do bar, em cada mesa. Algumas mulheres circulavam aqui e ali, mas eram pouquíssimas.

Meghann percorreu o salão, conferindo cada homem com audácia. Ganhou sorrisos suficientes para ter certeza de que encontraria companhia para aquela noite.

Ela tinha contornado todo o bar e retornado à porta da frente quando percebeu, surpresa, por que de fato estava ali.

– Joe – sussurrou.

Realmente não tinha percebido que era ele quem desejava.

Isso não era bom.

Ela saiu do bar. Na rua, respirou fundo o ar doce da montanha. Meghann nunca dormia duas vezes com o mesmo homem. Ou quase nunca, pelo menos. Como sua amiga Elizabeth comentara certa vez, Meghann às vezes prometia parar de transar com universitários, então passava uma ou duas semanas saindo com homens carecas, mas essa era basicamente a extensão de sua vida amorosa.

O mais impressionante era que ela não queria avaliar suas possibilidades no bar e levar um estranho para casa.

Ela queria...

Joe.

Ficou parada ao lado do carro, olhando a rua adiante, o casebre dele. Uma luz discreta cintilava na janela.

– Não – disse Meghann em voz alta.

Não devia, mas começou a caminhar mesmo assim, atravessando a rua e entrando no jardim dele, que cheirava a madressilva e jasmim. Quando parou à porta, se perguntou que droga estava fazendo.

Então bateu. Fez-se um longo silêncio. Ninguém atendeu.

Ela girou a maçaneta e entrou. O casebre estava escuro e silencioso. Uma única lâmpada reluzia, com luz fraca, e a lenha crepitava na lareira.

– Joe?

Ela deu um passo hesitante à frente.

Sem resposta.

Um arrepio percorreu seu corpo. Sentia que ele estava por perto, escondido na escuridão feito um animal ferido a observá-la.

Estava sendo ridícula. Ele apenas não estava em casa. E ela não devia estar ali.

Meghann começava a voltar para a porta quando viu os porta-retratos. Estavam por toda a parte: na mesa de centro, nas mesinhas laterais, nos peitoris das janelas, na cornija da lareira.

De cenho franzido, ela foi de canto a canto olhando as fotografias. Eram todas da mesma mulher, loira, linda e elegante como Grace Kelly. Havia algo de familiar nela. Meghann pegou uma das fotos e correu o dedo pela moldura de vidro. Naquela, a mulher estava claramente tentando preparar uma massa de torta. Havia farinha por todo lado. Ela usava um avental com os dizeres “Beije a chef”. Seu sorriso era contagiante. Meghann não pôde evitar sorrir também.

– Você sempre invade a casa dos outros e fuxica as coisas?

Meghann deu um pulo. Seus dedos paralisaram – só por um segundo, mas foi o suficiente para o porta-retratos cair no chão. Ela se virou, procurando por ele.

– Joe? Sou eu, Meghann.

– Eu sei que é você.

Ele estava sentado em um canto da sala, com uma perna dobrada e a outra estendida. A luz da lareira iluminava seu cabelo grisalho e metade de seu rosto. Ela não sabia se era a luz fraca, mas notou rugas entalhadas em torno dos olhos. Joe estava tomado de tristeza, e ela imaginou se ele andara chorando.

– Eu não devia ter entrado. Nem devia ter vindo aqui, na verdade – disse ela, constrangida. – Desculpa.

Ela deu meia-volta e foi em direção à porta.

– Toma um drinque comigo.

Meghann suspirou, percebendo no mesmo instante quanto desejara aquele convite.

– O que você quer? – perguntou ele.

– Martíni?

Joe riu. Um som seco, áspero, que não soava nada como uma risada verdadeira.

– Eu tenho uísque. E uísque.

Ela passou pela mesinha de centro e sentou-se no sofá de couro surrado.

– Então pode ser um uísque.

Ele se levantou e atravessou a sala. Ela agora entendia por que ele estava tão invisível: usava jeans preto e camiseta preta.

Meghann ouviu um som líquido, então uma chacoalhada de gelo. Enquanto ele servia o drinque, ela observou o recinto. Todas aquelas fotografias da sósia da Grace Kelly a deixavam desconfortável. Aquilo não era decoração; era uma obsessão descarada. Tentou descobrir de onde conhecia aquela mulher, mas não conseguiu.

– Aqui.

Ela ergueu o olhar.

Joe estava parado diante dela. Os dois primeiros botões da calça jeans estavam abertos e a camiseta estava rasgada na gola, revelando uma parte dos pelos no peito.

– Obrigada – disse ela.

Ele bebeu um gole direto da garrafa e limpou a boca com o dorso da mão.

– Sem problema.

Ele não se afastou; apenas olhou para ela.

– Você está bêbado – disse Meghann, enfim compreendendo.

– Hoje é 22 de junho.

Ele sorriu, ou pelo menos tentou, mas a tristeza em seus olhos tornava impossível.

– Você tem alguma coisa contra o dia 22?

Joe lançou um olhar à mesinha lateral, para os porta-retratos, então voltou a encará-la depressa.

– Você esteve aqui outro dia. Não entrou.

Então ele a vira aquela tarde, parada na rua, olhando a casa. Meghann não soube como responder; então apenas bebeu seu uísque.

Joe se sentou ao lado.

Ela se virou para ele, percebendo tarde demais quanto estavam próximos. Podia sentir a respiração dele em seus lábios. Tentou se afastar.

Ele estendeu a mão e segurou seu pulso.

– Não vai embora.

– Eu não estava indo. Mas talvez devesse.

Ele a soltou subitamente.

– Talvez devesse.

E bebeu outro gole direto da garrafa.

– Quem é ela, Joe? – Ela falou com voz suave, mas na sala silenciosa soou muito alta, muito íntima.

Meghann se contraiu, desejando não ter feito aquela pergunta, surpresa por se importar tanto.

– A minha esposa. Diana.

– Você é casado?

– Não sou mais. Ela... se foi.

– No dia 22 de junho.

– Como você sabe?

– Eu entendo de divórcios. Os aniversários podem ser infernais.

Meghann encarou aqueles olhos tristes, tentando não sentir nada. Era melhor assim, mais seguro. No entanto, sentada ali ao lado dele, ao alcance de seus braços, ela se sentiu... carente. Desesperada, talvez. De repente, quis algo de Joe; algo além de sexo.

– Acho melhor eu ir. Você parece que quer ficar sozinho.

– Eu já fiquei sozinho.

Meghann compreendeu a solidão na voz dele, e isso a atraiu.

– Eu também.

Joe estendeu o braço e tocou seu rosto.

– Eu não posso te oferecer nada, Meghann.

A forma como ele disse seu nome, tão triste, lenta e arrastada, causou um arrepio. Ela quis dizer que não queria nada além de uma noite em sua cama, mas não conseguiu formar as palavras.

- Tudo bem.

- Você devia querer mais.

- Você também.

Sentia-se vulnerável, como se aquele homem desconhecido pudesse partir seu coração.

- A gente está falando demais, Joe. Me beija.

Um pedaço de lenha crepitou na lareira, fagulhas inundaram a sala.

Com um gemido, ele a tomou nos braços.

VINTE

Na manhã seguinte, o tempo em Hayden estava perfeito. O sol brilhava alto em um céu muito azul e sem nuvens. Uma brisa leve e fresca soprava por entre as arvores, fazendo música nas escuras folhas de bordo. Às cinco horas, Claire estava pronta para se vestir. O problema era que estava paralisada.

Atrás dela, ecoou uma batida à porta.

– Entra – respondeu Claire, grata pela distração.

Meghann surgiu à porta, segurando uma pilha de roupas envoltas em plástico. Parecia nervosa e indecisa, o que era bastante incomum.

– Achei que de repente a gente podia se vestir juntas – disse ela, e como Claire não respondeu, Meghann completou: – Você deve achar uma ideia idiota.

Ela foi saindo do quarto.

– Espera. Eu acho que seria ótimo.

– Sério?

– Sério. Só preciso tomar um banho.

– Eu também. Volto em dez minutos.

De fato, dez minutos depois Meghann estava de volta, enrolada em uma toalha. Já no quarto, vestiu calcinha e sutiã, secou os cabelos e os penteou em uma bela trança embutida.

– Está lindo – disse Claire.

– Se você quiser, eu posso fazer o seu cabelo.

– Jura?

– Claro. Eu sempre fazia quando você era pequena.

Claire não se lembrava disso, mas atravessou o quarto e instintivamente se ajoelhou diante da cama.

Meghann se acomodou atrás dela e começou a pentear seus cabelos, murmurando uma melodia.

Claire fechou os olhos. Era tão gostoso ter alguém penteando seus cabelos!

Então uma memória ressurgiu, flutuando na melodia cantarolada pela irmã.

– Você vai ser a menininha mais linda do jardim de infância de Barstow, Clarinha. Vou botar essa fita rosa na sua trança e ela vai te proteger.

– Uma fita mágica?

– Isso. Exatamente. Agora fica quietinha e deixa eu terminar.

Claire voltou ao presente.

– Você *realmente* penteava o meu cabelo quando eu era pequena.

A escova parou por uns segundos.

– Pois é.

– Eu queria me lembrar mais daqueles anos.

– Eu queria lembrar menos.

Claire não soube o que responder, então mudou de assunto.

– Teve notícias da mamãe?

– Não. Deixei três recados ontem. O *menino* disse que ela me ia me ligar de volta depois.

– Não adianta ficar irritada. Ela é assim mesmo.

– Pois é. Sempre foi mais atriz do que mãe.

Claire deu uma risada.

– Acho que ela não ia concordar com esse "foi atriz".

– Verdade. Afinal de contas, ela acabou de encenar Shakespeare em Cleveland. Pronto. Acabei.

Claire se levantou e foi andando para o banheiro.

– Espera. – Meghann puxou-a de volta para a cama. – Senta aí. Ninguém faz a própria maquiagem no dia do casamento.

Meg se levantou e correu até seu quarto, então voltou com uma caixa tão grande que mais parecia conter ferramentas.

Claire franziu o cenho e se sentou.

– Pega leve. Não quero ficar parecendo uma palhaça.

– Sério? Achei que quisesse.

Meghann abriu a caixa. Dentro havia dezenas de potinhos pretos com o logotipo da Chanel.

Claire sorriu.

– Acho que você passa tempo demais no shopping.

– Fecha o olho.

Claire obedeceu. Cerdas muito suaves roçaram suas pálpebras e bochechas.

– Eu chamo de beijinhos de fada – dissera Meghann no Halloween do ano em que estavam morando em Medford, Oregon.

Naquela época, a mãe trabalhava de garçonete durante o dia e dançava em um clube de strip à noite.

– Você pode me transformar numa princesa, Meggy? – perguntara Claire, olhando a caixa de maquiagem da mãe, na qual eram proibidas de mexer.

– Claro que posso, bobinha. Agora fecha os olhos.

– Ok. Prontinho – anunciou Meg naquele momento.

Claire se levantou com as pernas bambas. Olhou para Meghann, de joelhos na cama, com a caixa de maquiagem aberta ao lado, e por uma fração de segundo se sentiu novamente aquela princesinha de 6 anos, de mãos dadas com a irmã mais velha na noite de Halloween.

– Vai lá ver.

Claire foi até o banheiro e se olhou no espelho.

Seu cabelo loiro estava preso em um coque frouxo e elegante. A maquiagem ressaltava suas maçãs do rosto e aumentava os olhos. Ela nunca estivera tão bonita. Nunca.

– Nossa – foi tudo que disse.

– Você não gostou. Posso trocar. Vem cá.

Claire se virou para a irmã. As duas viviam fazendo aquilo, interpretando errado, pensando o pior. Não admirava que se magoassem com toda conversa.

– Eu amei – respondeu ela.

– Tem certeza? – indagou Meghann, com um sorriso ofuscante.

Claire deu um passo em direção a ela.

– O que aconteceu com a gente, Meg?

O sorriso desvaneceu.

– Você sabe o que aconteceu. Por favor, não vamos conversar sobre isso. Hoje não.

– Já faz anos que a gente fala "hoje não". Acho que essa estratégia não funcionou, não é?

Meghann soltou um suspiro pesado.

– Tem coisa que dói demais para conversar.

Claire sabia disso. Era o princípio que norteava toda aquela relação. Infelizmente, isso só as afastava.

– Às vezes o silêncio machuca mais que tudo. – Ela ouviu a dor na própria voz; não havia como disfarçar.

– A gente é a prova viva disso – concordou Meghann.

As duas se encararam.

De repente, a porta se escancarou.

– Mãe!

Ali entrou correndo no quarto, já usando o lindo vestido de seda azul-gelo de daminha de honra.

– Corre, mãe, vem ver.

Ela agarrou a mão de Claire, arrastando-a até a porta.

– Só um segundo, querida.

Claire jogou um roupão para Meghann, enfiou uma camisola pela cabeça e seguiu Ali até o andar de baixo. Lá fora, na entrada da garagem, seu pai, Bobby e Alison estavam parados ao lado de um conversível vermelho-vivo.

Claire se juntou aos três, de cenho franzido. Foi quando percebeu o laço no capô.

– O que é isso?

O pai entregou a ela um bilhete.

Queridos Claire e Bobby,
Desejo o melhor a vocês neste grande dia.
Ainda espero chegar a tempo.
Abraços e beijos,
Mamãe

Claire ficou um bom tempo encarando o carro. Sabia o que significava: a mãe não iria ao casamento. Decerto havia preferido o cabeleireiro famoso.

Meg se aproximou e tocou seu ombro.

– Deixa eu adivinhar: presente de casamento da mamãe.

Claire suspirou.

– É mesmo a cara dela me dar um carro de só dois lugares. E a Ali vai como, correndo atrás da gente?

Então ela riu. O que mais podia fazer?

Claire estava no vestiário da pequena igreja episcopal, na Front Street. Não havia parado um minuto na última hora, e ela e Meghann não tiveram tempo para conversar.

As Azuladas entravam e saíam o tempo todo, comentando e admirando o vestido, enquanto Meghann se ocupava de repassar os detalhes, de bloquinho na mão. Ali perguntara vinte vezes em qual degrau tinha que parar.

Naquele momento, porém, o recinto estava milagrosamente silencioso. Claire parou em frente ao espelho de corpo inteiro, incapaz de compreender que a mulher no reflexo era ela. O vestido caía perfeitamente, deslizando até o chão em uma cascata de seda branca, e o véu a fazia parecer mesmo uma princesa.

Seu casamento.

Não dava para acreditar. Desde que conhecera Bobby, toda noite ia dormir se perguntando se ele estaria lá na manhã seguinte. Quando o sol nascia, ficava surpresa de encontrá-lo a seu lado.

Outro medo adorável que trouxera da infância, provavelmente.

Dentro em breve, porém, seria a Sra. Robert Jackson Austin.

Ouviu uma batida à porta.

Era Meghann.

– A igreja está lotada. Você está pronta?

Claire engoliu em seco.

– Estou.

Meghann lhe ofereceu o braço e cruzou com ela o pequeno vestíbulo da igreja, por atrás das portas fechadas. Seu pai já estava lá, esperando com Ali.

– Ah, Ali Kat, você está parecendo uma princesa – disse Claire, ajoelhando-se para beijar a filha.

Alison deu uma risadinha e um rodopio.

– Eu amei o meu vestido, mãe.

Atrás das portas, a música começou. Estava na hora.

Meghann se ajoelhou para falar com Alison.

– Está pronta, querida? Anda bem devagar... como a gente treinou, ok?

Ali deu pulinhos.

– Estou pronta.

Meghann abriu um pouco a porta. Ali passou pelo vão e desapareceu.

Sam se virou para Claire e seus olhos se encheram de lágrimas.

– Acho que você não é mais a minha garotinha.

– Fiquem a postos – disse Meghann.

Um segundo depois, o órgão começou a tocar a marcha nupcial e ela abriu as portas. Claire deu o braço ao pai e os dois caminharam lentamente pelo corredor. Bobby esperava na outra ponta, usando um smoking preto, acompanhado de seu irmão, Tommy Clinton. Os dois exibiam largos sorrisos.

O pai parou e se virou para Claire, então ergueu o véu, deu um beijo em seu rosto e se afastou; de repente, Bobby estava a seu lado, tomando-a pelo braço e conduzindo-a ao altar.

Claire o encarou com tanto amor que chegava a assustar. Era arriscado amar alguém tanto assim...

Não tenha medo, disse Bobby apenas movendo os lábios, e apertou sua mão.

Ela focou na sensação do toque dele, em como era seguro e confortável tê-lo a seu lado.

O padre Tim discursou, mas Claire não ouvia nada além das batidas do próprio coração. Quando chegou a hora dos votos, entrou em pânico, com medo de não conseguir ouvir ou repetir.

Mas conseguiu. Quando enfim disse "aceito", seu coração pareceu expandir no peito. Naquele momento, diante dos amigos e da família, encarando os olhos azuis de Bobby, ela começou a chorar.

O padre Tim sorriu para eles.

– Eu vos declaro marido e...

Com um baque surdo, as portas da igreja se abriram.

Uma mulher surgiu na soleira, de braços abertos, um cigarro em uma das mãos. Usava um vestido prateado de lamê que acentuava suas curvas, e atrás dela havia pelo menos uma dúzia de pessoas: seguranças, repórteres e fotógrafos.

– Não *acredito* que vocês começaram sem mim.

Um burburinho ecoou pela igreja quando a reconheceram.

– É *ela* – sussurrou alguém.

Bobby franziu o cenho.

Claire suspirou e esfregou os olhos. Devia ter imaginado.

– Bobby, você está prestes a conhecer a minha mãe.

– Eu vou *matar* ela.

Meghann secou as lágrimas inesperadas e se levantou às pressas. Pedindo licença aos convidados surpresos, avançou até o corredor.

– Aí está a minha outra menina.

A mãe abriu os braços. Os flashes das câmeras irromperam em espasmos de luz ofuscante.

Meghann a agarrou pelo braço e cruzou as portas da igreja. Os paparazzi foram atrás, todos falando ao mesmo tempo. Por um segundo assustador, a mãe cambaleou nos ridículos saltos altos e Meghann temeu que um efeito dominó se formasse no carpete vermelho, mas conseguiu segurar a mãe e evitar o desastre.

Lá dentro, atrás das portas novamente fechadas, ouviu o padre Tim fazer a segunda tentativa de declarar Bobby e Claire marido e esposa. Um instante depois, uma salva de palmas ecoou pela igreja.

Meghann puxou a mãe para o vestiário e fechou a porta.

– O que foi? – resmungou a mulher, incapaz de franzir a testa, por causa do excesso de botox.

Um cachorro latiu e ela encarou a bolsinha de viagem St. John que tinha nos braços.

– Está tudo bem, meu amor. A Meggy está fazendo tempestade em copo d'água.

– Você trouxe o *cachorro*?

Ela pressionou uma das mãos contra os seios enormes.

– Você sabe que o Elvis detesta ficar sozinho.

– Mãe, faz anos que você não fica sozinha. Além do babaca com quem está dormindo agora, tem três jardineiros, duas domésticas, um assistente pessoal e um mordomo. Com certeza algum deles podia ficar cuidando do cachorro.

– Eu não preciso ficar te explicando o meu estilo de vida, Meggy. Agora, por que você me tirou do casamento da minha própria filha?

Meghann sentiu um ímpeto de raiva impotente. Era como conversar com uma criança. Não havia como fazer sua mãe compreender o erro.

– Você chegou atrasada.

Mamãe abanou a mão.

– Querida, eu sou uma celebridade. Estamos *sempre* atrasadas.

– Hoje é o dia da Claire. Você entende isso, mãe? O dia *dela*. E você entrou no momento mais importante e roubou a cena. O que estava fazendo aqui fora, *esperando* o momento perfeito?

Ela desviou o olhar por um segundo, mas foi o suficiente para confirmar a suspeita de Meghann. A mãe *havia* planejado aquela entrada.

– Ai, mãe – disse Meg, balançando a cabeça. – Que baixaria. Até para você. E quem é toda essa gente? Você acha que precisa de seguranças em um casamento em Hayden?

– Você sempre menospreza a minha carreira, mas eu tenho fãs por toda parte. E às vezes eles me assustam.

Meghann soltou uma risada.

– Guarde a atuação para a *People*.

– Você viu o artigo? Eu estava linda, não estava? – indagou ela, caminhando até o espelho para retocar a maquiagem.

– Assim que a igreja esvaziar, eu vou falar com o seu séquito. Eles vieram de carro; podem ficar sentadinhos lá mesmo até a hora de ir embora. Eu te protejo da sua horda de fãs.

– Caramba, Meggy. Quem é que vai tirar as minhas fotos no casamento? Uma mulher da minha idade precisa de filtros.

A mãe meteu a mão em sua bolsa de festa cravejada de cristais e pegou um tubo preto de batom, então inclinou-se para o espelho.

– Mãe – disse Meghann, devagar –, a Claire esperou muito tempo por este dia.

– Nisso você tem razão. Eu estava começando a achar que ela e aquelas amigas dela eram lésbicas. – Ela fechou o batom e sorriu para o próprio reflexo.

– A questão é que hoje as atenções são todas *para ela*. Para as necessidades dela.

A mãe se virou.

– Assim você me magoa. Quando foi que eu botei as minhas necessidades na frente das minhas filhas?

Meghann ficou sem palavras. O mais impressionante daquela cena surreal era que a mãe realmente acreditava naquilo.

– Olha, mãe, eu não quero discutir com você neste dia tão especial. Nós vamos juntas para a festa e vamos dizer a Claire quanto estamos felizes por ela.

– Eu estou mesmo feliz por ela. Casar é a sensação mais incrível do mundo. Nossa, eu me lembro de quando me casei com o pai dela, estava caidinha por ele.

Você fica caidinha toda hora... Meghann manteve a boca fechada e o sorriso firme. Não lembrou a mãe que o casamento com Sam havia durado menos de seis meses, nem que ela o havia abandonado no meio da noite, depois de mandá-lo à farmácia para comprar absorventes. Meghann passara anos imaginando Sam voltando ao estacionamento de trailers Chief Sealth, em Concrete, Washington, naquela noite chuvosa, parando em frente à vaga vazia com um pacote de absorventes na mão. Ele vivera dez anos sem saber – até Meghann telefonar – que seu casamento havia gerado uma filha.

– Isso mesmo, mãe. Desfia o seu rosário. Mas... – advertiu Meghann, encarando o rosto repuxado da mãe. – Você pode levar um fotógrafo. Um. Sem segurança e sem cachorro. Essas regras não são negociáveis.

– Você é um pé no saco, Meghann – disse a mãe. O sotaque era tão forte que só um ouvido treinado era capaz de compreender. – Por isso que não consegue segurar um homem.

– Falou a mulher que se casou quantas vezes? Seis? Daqui a pouco você e a Elizabeth Taylor vão ter que começar a revezar os maridos, senão os homens vão acabar.

– Você não tem romance na alma.

– Por que será, tendo crescido em um lar com tanto amor como eu cresci?

As duas se encararam a centímetros de distância.

Então a mãe riu. De verdade, desta vez. Não o riso de gatinha sensual que usava em Hollywood, mas a risada sonora e vulgar que Meghann ouvira desde o nascimento.

– Meggy, meu amor, você sempre me tira do sério. Você me mostrou o dedo do meio quando tinha 8 meses... eu já te contei essa?

Meghann sorriu a contragosto. Era sempre assim entre elas. Como podia se irritar com uma mulher rasa como sua mãe? No fim das contas, às vezes não havia nada a fazer além de rir e seguir em frente.

– Acho que não, mãe.

Ela abraçou Meghann apertado, fazendo-a recordar muitos momentos de sua infância e adolescência. Viviam brigando feito cão e gato, mas sempre acabavam rindo. Sem dúvida porque preferiam rir a chorar.

– Sério. Você olhou para mim, sorriu e me mostrou o dedo. Foi a coisa mais engraçada do mundo.

– Já repeti isso algumas vezes desde então.

– Deve ter repetido. É assim mesmo. Você saberia, se tivesse filhos.

– Não começa, mãe.

– Ah, deixa de besteira. É preciso ter colhões para ser mãe. Você não tem, só isso. Olha como largou a sua irmã. Não precisa se envergonhar.

– Não acho que você tenha moral para me dizer o que é ser mãe. Se quiser, eu posso te lembrar de umas coisas que você finge esquecer. Tipo, que cuidar da Claire era obrigação sua, não minha.

– Pois bem, nós vamos ou não vamos para essa festa? Meu voo de volta sai à meia-noite. Mas não se preocupe, para estrelas como eu não tem essa coisa de chegar duas horas antes. Preciso estar no aeroporto à onze.

– Ou seja, tem que sair daqui umas oito e meia. Então vamos. Estou falando sério, mãe, se comporta.

– Ai, meu anjo, você sabe que nós sulistas somos educadas de berço.

– Ah, *fala sério*. Você é tão sulista quanto o Tony Soprano.

A mãe fungou.

– Eu juro, devia ter te abandonado na beira da estrada em Wheeling.

– Você *me abandonou* lá mesmo.

– Você sempre foi difícil, não perdoa ninguém. Isso é uma falha, Meggy. E daí que eu esqueci uma das minhas filhas? Acontece. O meu *erro* foi ter voltado para te buscar.

Meghann suspirou. Não tinha como ganhar uma discussão com sua mãe.

– Vamos lá. A Claire já deve estar achando que eu te assassinei.

VINTE E UM

Claire se recusou a pensar no desastre com a mãe. Agarrou o braço de Bobby e se deixou conduzir. Era o centro das gargalhadas, do falatório, dos parabéns. Nunca se sentira tão especial, tão amada. A cidade quase inteira havia comparecido ao casamento, e todos paravam Claire para dizer que ela era a noiva mais linda do mundo.

Era difícil não se deslumbrar com esse tipo de coisa. Às vezes, no meio da agitação da vida de mãe solo, ela se esquecia de como era ser o centro das atenções.

Bobby a abraçou pela cintura e a puxou para perto.

– Eu já te disse que você está linda?

Claire se virou para ele, toda derretida. Os convidados passavam direto por eles, seguindo em frente.

– Já.

– Quando você apareceu na igreja, eu perdi o fôlego. Eu te amo, Sra. Austin.

Ela sentiu as lágrimas voltarem. Não era surpresa. Havia passado o dia inteiro chorosa.

Abraçados, os dois foram acompanhando a multidão, andando bem devagar.

– Não entendi por que todo mundo estacionou no Riverfront Park. Normalmente tem bastante espaço perto da igreja. A gente pode fazer uns comboios até a festa no resort.

Bobby deu de ombros.

– Só estou seguindo o fluxo. A Gina disse que a limusine estava esperando a gente no parque.

Claire deu uma risada.

– É a cara da Meghann alugar uma limusine para a gente andar menos de 10 quilômetros.

Mas não podia negar que estava empolgada. Nunca entrara em uma limusine.

Na frente deles, a multidão parou; parecendo ensaiados, eles se dividiram, abrindo caminho.

– Vem! – gritou Gina, acenando para os dois.

Claire segurou a mão de Bobby e tomou a dianteira. À volta deles, os convidados batiam palmas e davam vivas. Uma chuva de arroz caiu do céu, batendo em seus rostos e estalando sob seus pés.

Os dois chegaram ao fim do corredor humano.

– Ai, meu Deus.

Claire girou, procurando Meghann na multidão, mas ela não estava à vista. Não conseguia acreditar em seus olhos. O Riverfront Park, o lugar onde passara a infância, onde quebrara o tornozelo jogando bola, onde dera seu primeiro beijo, havia sido transformado.

A noite deixara o espesso gramado preto retinto. À direita, o rio tranquilo era uma faixa prateada que capturava e refletia o luar.

Uma imensa tenda branca havia sido montada no parque. Milhares de luzinhas de Natal envolviam postes e corriam pelo teto improvisado. Mesmo dali, Claire podia ver as mesas dispostas no interior da tenda. Cintilantes toalhas prateadas cobriam cada uma. Lanternas chinesas moldavam a luz, formando estrelas e luas pelo chão e nas paredes.

Ela avançou. Um doce perfume de rosas preenchia o ar noturno. Ela viu que em cada mesa havia um arranjo de flores frescas, um vasinho simples de vidro com rosas brancas. Uma mesa comprida com toalha prateada fora disposta em um dos lados, repleta de elegantes *réchauds* e bandejas de prata. Em um canto, um trio de homens de terno branco tocava uma música romântica dos anos 1940, uma melodia suave e expressiva.

– Uau – disse Bobby.

A banda começou a tocar uma linda versão de "Isn't It Romantic?".

– Dança comigo, Sra. Austin?

Claire o acompanhou até a pista de dança. Sob os olhos de todos os amigos e da família, dançou com seu marido.

Quando a música terminou, Claire enfim viu a irmã. Estava colada na mãe, que entrara em sua postura de "encontro com os fãs".

– Vem, Bobby – disse ela, tomando-o pela mão e puxando-o para fora da pista.

Pareceram levar horas para passar por todos que queriam desejar felicidades; cada pessoa tinha algo a dizer. Mas por fim chegaram ao bar, onde a mãe entretinha um grupinho fascinado com suas histórias da vida a bordo do USS *Star Seeker*. A mãe de Claire a viu chegando e parou no meio de uma frase. Um sorriso genuíno surgiu em seus lábios.

– Claire – disse ela, estendendo as mãos. – Me desculpa pelo atraso, querida. A vida de uma estrela é comandada pelos outros. Mas você realmente é a noiva mais linda que eu já vi. – A voz dela embargou um pouquinho. – De verdade, Claire – concluiu, mais baixo, apenas para os ouvidos da filha –, você me deixou muito orgulhosa.

Elas se encararam; Claire viu uma alegria genuína nos olhos escuros da mãe, e ficou comovida.

– Pois então – disse a mãe depressa, tornando a sorrir –, onde está o meu novo genro?

– Estou aqui, Sra. Sullivan.

– Pode me chamar de Ellie. Toda a família chama assim. – Ela se aproximou com um leve assobio. – Você é bonito até para os padrões de Hollywood.

Era o maior elogio que ela podia fazer.

– Obrigada, senhora.

Uma expressão irritada cruzou o rosto dela, e sumiu em uma fração de segundo.

– De verdade, me chame de Ellie. Ouvi dizer que você é cantor. A Meggy não sabe se é dos bons.

– Eu sou.

Ellie pegou a mão dele.

– Se sua voz for tão bonita quanto você, vai fazer sucesso rapidinho. Vem, me conta sobre a sua carreira enquanto a gente dança.

– Seria uma honra dançar com a minha sogra.

Ele abriu um sorrisinho para Claire e se afastou.

Claire enfim virou-se para Meghann, que permanecera calada durante toda a conversa.

– Tudo bem com você?

– A mamãe trouxe o cachorro. E um séquito de seguranças.

– É que pode ser derrubada pela horda de fãs a qualquer momento – zombou Claire, forçando um sotaque sulista.

Meghann abriu um sorriso.

– Ela tem que sair às oito e meia.

– Tem manicure com o Rollo?

– Deve ser. Seja lá o que for, agradeço por levá-la daqui.

A banda começou a tocar uma versão doce e sentimental de "As Time Goes By".

Claire encarou a irmã, tentando encontrar palavras para expressar sua emoção.

– Este casamento... – começou, mas sua voz falhou. Ela engoliu em seco.

– Eu fiz alguma coisa errada, não fiz?

Claire sentiu a dor de toda aquela relação, pelos anos que haviam sido perdidos e pelos que jamais existiram.

– Você gastou uma fortuna.

– Não. – Meghann balançou a cabeça. – Quase tudo estava em promoção. As luzes de Natal são minhas. A tenda...

Claire tocou os lábios da irmã, fazendo-a se calar.

– Estou tentando agradecer.

– Ah.

– Eu queria...

Ela nem sequer sabia como expressar em palavras aquela súbita saudade da irmã. Parecia um sentimento profundo demais para algo tênue como palavras.

– Eu sei – disse Meghann, baixinho. – Talvez as coisas mudem agora. Esse tempo juntas... me fez lembrar de como a gente era antes.

– Você era a minha melhor amiga – disse Claire, enxugando os olhos com cuidado, para não borrar a maquiagem. – Eu senti sua falta quando você...

Foi embora. Ela não conseguiu dizer isso, não naquela hora.

– Eu também senti a sua falta.

– Mãe! Mãe! Vem dançar com a gente.

Claire deu um giro e viu seu pai e Alison a poucos metros.

– Acho que é de praxe a noiva dançar com o pai – disse ele, sorrindo e estendendo a mão calejada.

– E com a filha! O vovô me carrega – disse Alison, com pulinhos animados.

Claire entregou sua taça de champanhe a Meghann, que disse "Vai" sem fazer som. Então ela foi novamente puxada para a pista de dança.

– Um dia – disse Sam, enquanto caminhavam até o centro da pista –, a Ali vai se casar e você vai entender o que estou sentindo. São todas as emoções de uma vez só.

– Me pega, vovô!

Ele se abaixou e pegou Alison no colo. Os três dançaram abraçadinhos, ao ritmo de "The Very Thought of You".

Claire desviou o olhar por um momento – antes que Ali perguntasse por que estava chorando. À esquerda, sua mãe girava Bobby como se ele fosse um pião. Clair soltou uma gargalhada e soube exatamente o que seu pai queria dizer.

Todas as emoções.

Foi o que aquela noite representou. Por toda a vida, retornaria àquele momento e lembraria como tudo era bom, quanto amava e era amada.

Foi isso o que Meghann fez por ela.

Já no fim da noite, Meghann olhou o gramado escuro do parque. Do outro lado da rua se via o barracão metálico, banhado pelo luar. Atrás dela, a banda desmontava os equipamentos. Haviam sobrado apenas alguns convidados. Sua mãe havia ido embora horas antes, bem como Sam e Ali. Os outros, incluindo os noivos, saíram em torno da meia-noite. Meghann tinha ficado para supervisionar a limpeza, mas agora estava tudo terminado.

Ela deu um gole no champanhe e olhou a rua outra vez. Seu carro estava estacionado em frente à casa de Joe. Ela se perguntou se havia sido uma escolha consciente.

Ele provavelmente estava dormindo.

Sabia que era ridículo ir até lá, talvez até perigoso, mas havia algo no ar aquela noite. Uma combinação inebriante de magia e romance. O ar cheirava a rosas, fazendo-a acreditar que tudo era possível. Pelo menos naquela noite.

Ela não se permitiu pensar a respeito. Se pensasse, se acharia boba e se controlaria. Então decidiu seguir em frente e atravessar o caminho de cascalho. Ao chegar à faixa escura de asfalto, virou à direita.

Diante do portão, ela parou. As luzes estavam acesas.

Aquela atitude não combinava com ela.

Meg afastou o pensamento e foi até a porta. Refletiu por um minuto ou dois, então bateu.

Instantes depois, Joe abriu. Tinha o cabelo desgrenhado, como se estivesse dormindo; estava só de calça jeans. Esperou que ela dissesse alguma coisa, mas a voz de Meghann havia desaparecido. Ela ficou parada feito uma idiota, encarando seu peito nu.

– Você vai ficar aí parada?

Ela ergueu a mão, revelando a garrafa de champanhe que trouxera.

Joe ficou encarando-a sem dizer nada. Quando o silêncio se tornou constrangedor, pegou uma camiseta preta no sofá e vestiu, então voltou à porta.

– Você deve estar com tesão. Foi por isso que você veio, não foi?

Meghann se retraiu com o comentário. Pensou em se impor, em dar um tapa nele até, mas seria só encenação. Quando se fazia sexo casual, não havia espaço para esses dramas. Ele estava sendo honesto, mas havia algo mais. Joe parecia irritado com ela. Meghann não imaginava por quê. E o pior era perceber que se importava.

– Não. Pensei que a gente podia sair.

– Você quer sair, tipo em um *encontro*? À uma da manhã?

– Claro. Por que não?

– E por que sim?

Ela o encarou e sentiu o pulso acelerar. Não podia expressar a resposta em palavras. Não ousava encarar de perto as próprias motivações.

– Olha, Joe, eu estava de bom humor. Talvez tenha bebido demais. – Sua voz falhou; a carência a atrapalhava. Humilhada, Meg fechou os olhos. – Eu não devia ter vindo. Me desculpa.

Ao abrir os olhos, ela viu que Joe se aproximara. Não seria nenhum esforço para ele beijá-la, mal teria que se mover.

– Eu não sou muito de sair.

– Ah.

– Mas não me incomodo se você quiser entrar.

Ela sentiu o início de um sorriso se formando.

– Que bom.

– O que me *incomoda* – disse ele – é acordar sozinho. Se você não quiser passar a noite, tudo bem, mas não saia de fininho feito uma garota de programa.

Então era isso.

– Desculpa.

Ele sorriu. Seu rosto inteiro se iluminou, o que o fez parecer dez anos mais jovem.

– Ok. Entra.

Ela tocou o braço dele.

– É a primeira vez que eu te vejo sorrir.

– Pois é – respondeu ele baixinho, talvez com tristeza. – Já faz um tempo.

Meghann dormiu a noite inteira. Quando o sol nasceu através das janelinhas encardidas do casebre, ela acordou assustada. Em vez de nervosa e mal-humorada – seu humor costumeiro após uma noite de insônia –, ela se sentia descansada e relaxada. Não era capaz de recordar a última vez que teve um despertar tão doce.

Sentiu o peso da perna nua de Joe por cima da dela; o braço dele a contornava, prendendo-a. Mesmo dormindo, o indicador dele pressionava possessivamente sua pele.

Ela devia se afastar. Era uma manobra que aperfeiçoara ao longo dos anos: rolar pela cama, cair silenciosamente no chão, trocar de roupa bem quieta e sair sem fazer alarde.

O que me incomoda, dissera ele na noite anterior, *é acordar sozinho.*

Ela não podia sair de fininho.

A surpresa, na verdade, era que não queria. Sentia que *devia*, como uma espécie de estratégia básica de sobrevivência, mas na verdade era gostoso estar outra vez nos braços de um homem. Deitada na cama, ouvindo a respiração lenta e cadenciada de Joe, sentindo o braço dele em torno de seu corpo, foi impossível não se dar conta de como vivera tão poucos momentos de intimidade. Estava sempre tão no controle, tentando conquistar a vida que desejava para si, que jamais se permitia reduzir a velocidade a ponto de sentir qualquer coisa. Não era real, claro, aquela intimidade que tinha com Joe. Não se conheciam direito nem se gostavam a fundo, mas para Meghann aquele "quase" já era mais do que sentira em anos.

O sexo na noite anterior também tinha sido diferente. Mais carinhoso, mais gentil. Em vez de uma transa rápida, tinham agido como se tivessem todo o tempo do mundo. Os beijos longos e lentos de Joe a deixaram louca de desejo. E também não foi só tesão; pelo menos a sensação foi essa. Achou que podia existir algo mais entre eles.

Isso a preocupava. Carência ela compreendia, aceitava. Em um mundo cinzento, a carência se destacava.

Já sentimento era totalmente diferente. Mesmo que não se transformasse em amor, era um problema. A última coisa que Meghann queria era sentir afeto por alguém.

No entanto...

Ela nunca foi de se enganar, e deitada nua ali nos braços de Joe, admitia que havia algo entre os dois. Não amor, mas *algo*. Quando ele a beijava, ela sentia como se fosse a primeira vez.

E lá estava, claro como um novo dia: o prelúdio de uma decepção.

Tinha chegado de mansinho. Ela abrira uma porta chamada sexo casual e de repente se viu em uma sala com inesperadas possibilidades.

Possibilidades que podiam partir seu coração.

Se desistisse dele, Joe viraria apenas uma boa lembrança. Talvez doesse pensar nele, mas seria uma dor agridoce, quase prazerosa. Sem dúvida melhor que o sofrimento que viria de tentar algo além de sexo.

Meg tinha que acabar com aquilo imediatamente, antes que deixasse marcas.

Pensar nisso a entristeceu, a fez sentir-se ainda mais solitária.

Não pôde evitar: inclinou-se e o beijou. *Faz amor comigo*, quis sussurrar, mas sabia que sua voz a trairia.

Então fechou os olhos e fingiu dormir. Não adiantou. Ela só conseguia pensar no momento em que o deixaria.

Sabia que não ia se despedir.

Joe acordou com Meghann nos braços, os corpos nus entrelaçados. Lembranças da noite anterior o atiçaram, deixando-o estranhamente tonto. Ele se lembrava principalmente do som rouco e desesperado da voz dela ao gritar seu nome.

Ele se mexeu com cuidado para mudar de posição e olhar para ela. Os cabelos negros estavam despenteados; ele se lembrou de pegá-los apaixonadamente, depois afagá-los enquanto ela adormecia. O rosto claro parecia ainda mais pálido contra a fronha do travesseiro, de algodão cinza. Ele via uma espécie de tristeza ao redor dos olhos e da boca de Meghann, como se nem à noite suas preocupações cessassem.

Que bela dupla. Haviam passado três noites juntos, sem trocar quase nenhum segredo.

O mais incrível era que ele já a desejava outra vez. Não apenas o corpo. Joe queria conhecê-la. Esse mero desejo pareceu mudar algo dentro dele. Como se uma luz se acendesse em um lugar que estivera escuro e frio.

Mas a sensação também o assustava.

Joe carregava muita culpa. Nos últimos anos, ela o havia dominado por inteiro. Por muitas noites, a culpa foi sua força, a única coisa que o mantinha vivo; a primeira coisa que recordava de manhã e seu último pensamento ao adormecer.

Se ele se livrasse da culpa – não de toda, claro, apenas o bastante para buscar uma vida diferente, uma mulher diferente –, será que também perderia as lembranças? Será que Diana havia se entrelaçado de tal forma a seu arrependimento que ele só podia ter as duas coisas ou nenhuma? Se fosse assim, será que podia *de fato* levar uma vida afastada da mulher que amara por tanto tempo?

Ele não sabia.

Porém, olhando para Meghann, sentindo a respiração suave dela contra sua pele, ele quis tentar. Estendeu a mão e afastou uma mecha sedosa de cabelo do rosto dela. Era o tipo de toque que passara anos sem fazer.

Ela acordou, piscando.

– Bom dia – disse com voz rouca.

Ele a beijou com delicadeza.

– Bom dia.

Meghann se afastou depressa, rolando para o outro lado.

– Eu preciso ir. Tenho que pegar a minha sobrinha às nove.

Ela jogou as cobertas para o lado e saiu da cama. Nua, cobriu-se com um travesseiro e correu até o banheiro. Ao retornar, vestida outra vez em fina seda lilás, ele também já estava de roupa.

Meghann pegou as sandálias com uma mão e pendurou a meia-calça no ombro.

– Eu tenho mesmo que ir.

Ela olhou a porta da frente e se virou para a saída.

Joe quis detê-la, mas não sabia como.

– Eu gostei muito de ontem.

Ela riu.

– Por isso que a gente fez duas vezes.

– Não faz isso – disse ele, aproximando-se.

Joe não fazia ideia do que havia entre os dois – se é que havia algo –, mas sabia que não era brincadeira.

Meghann tornou a olhar a porta, depois o encarou.

– Eu não posso ficar, Joe.

– Então depois a gente se vê.

Ele esperou uma resposta que não veio. Em vez disso, ela o beijou. Intensamente. Quando se afastou, Joe estava sem fôlego.

– Você é um bom homem, Joe – sussurrou Meghann.

E foi embora.

Ele foi até a janela e a observou se afastar. Meghann quase correu até o carro, mas ao chegar parou e olhou para trás, em direção à casa. Daquela distância, ela pareceu profundamente triste. Aquilo o fez perceber que realmente a conhecia muito pouco.

Joe queria mudar isso, queria acreditar que havia um futuro para ele, depois de tudo. Talvez até com ela.

No entanto, teria que se desligar do passado.

Não sabia como fazer isso, como recomeçar a vida e acreditar em uma vida diferente, mas sabia qual era o primeiro passo. Sempre soubera.

Precisava falar com os pais de Diana.

VINTE E DOIS

Meghann estacionou e saiu do carro. Bastou uma rápida olhadela para perceber que a casa estava vazia. As luzes estavam todas apagadas. Ela enfiou a meia-calça na bolsa, correu descalça pelo gramado e adentrou em silêncio a casa escura.

Meia hora depois, estava de banho tomado, vestindo jeans e camiseta e de malas prontas. Na saída, parou rapidamente para escrever um bilhete a Claire, que deixou no balcão da cozinha.

Claire e Bobby!
Bem-vindos!
Com amor, Meg.

Fez um desenho engraçadinho de taças de martíni ao lado de seu nome, então parou para dar uma última olhada na casa, que tanto se parecia com um lar. Achou estranhamente difícil ir embora. Seu apartamento era frio e vazio comparado àquele lugar.

Por fim, voltou para o carro e dirigiu lentamente pelo resort.

O lugar estava tranquilo, em um domingo tão cedo. Não havia crianças na piscina, nenhum hóspede fazendo caminhada. Uma dupla de pescadores solitários – pareciam pai e filho – se encontrava à margem do rio, jogando anzóis na água.

Nos limites da propriedade, ela virou à direita em direção a uma estradinha de cascalho esburacada. As árvores ali cresciam mais próximas e os troncos bloqueavam quase totalmente os intensos raios de sol da manhã. Por fim, ela chegou a uma clareira, um jardim em formato de ferradura cheio de enormes rododendros e imensas samambaias. Bem no meio do jardim, um trailer cinza se erguia sobre blocos de cimento, a fachada rodeada por um pequeno deque de cedro. Havia vasos de gerânios vermelhos e petúnias roxas por toda parte.

Meghann parou o carro. Como sempre, sentiu um aperto ao pensar em encontrar Sam. Precisava de muito esforço para olhar para ele e não relembrar o passado.

Vai. Só vai embora.

Você é igualzinha à sua mãe.

Ela agarrou a alça da bolsa e cruzou o caminho de cascalho até a varanda, que cheirava a madressilva e jasmim naquela manhã de junho.

Bateu à porta, a princípio bem baixinho. Sem resposta, bateu outra vez, mais forte.

A porta se abriu com um rangido e ele surgiu, preenchendo o batente, em um macacão velho e uma camiseta azul-clara com o logotipo do River's Edge. Seus cabelos castanhos estavam despenteados, à la Albert Einstein.

– Meg – disse ele, claramente forçando um sorriso. Deu um passo atrás. – Entra.

Ela cruzou a porta e se viu em uma sala de estar surpreendentemente aconchegante.

– Bom dia, Sam. Eu vim buscar a Alison.

– Claro. – Ele franziu o cenho. – Tem certeza que quer cuidar dela essa semana? Posso ficar com a Ali sem problemas.

– Sei que pode – respondeu ela, sentida. Era tudo muito parecido com a outra vez.

– Eu não falei por mal.

– Claro que não.

– Mas sei que você é muito ocupada.

Ela o encarou.

– Você ainda acha que eu sou má influência, não é?

Ele deu um passo em direção a ela, então parou.

– Eu nunca devia ter pensado isso. A Claire me contou como você era boa para ela. Naquela época eu não sabia nada de crianças, muito menos de adolescentes que...

– Por favor, nem termina essa frase. Você tem uma lista para me dar? Alergias, medicamentos, alguma coisa que eu deva saber?

– Ela costuma ir dormir às oito. Gosta que leiam historinhas para ela. *A pequena sereia* é a preferida.

– Ótimo. – Meghann espiou pelo corredor. – Ela está pronta?

– Está. Só está se despedindo do gato.

Meg aguardou. Em algum lugar da casa, um relógio marcou a passagem de um minuto, depois de outro.

– Ela tem uma festinha de aniversário para ir no sábado. Se chegarem aqui ao meio-dia, dá tempo – disse Sam, por fim. – Assim ela já fica para esperar a Claire e o Bobby voltarem, no domingo.

– Ela vai chegar a tempo – respondeu Meghann, já ciente do combinado. – Eu preciso levá-la para comprar um presentinho?

– Se você não se incomodar.

– Não me incomodo.

– Nada muito caro.

– Acho que consigo dar conta das compras, obrigada.

Outro silêncio se abateu, marcado pelos minutos do relógio.

Meghann buscava algo casual para dizer quando Alison chegou em disparada pelo corredor, carregando um gato preto cujo corpo se alongava quase até o chão.

– O Relâmpago quer ir comigo, vovô. Ele miou para mim. Posso levar ele comigo, tia Meg, posso?

Meg não fazia ideia se eram permitidos gatos em seu prédio.

Antes que ela pudesse responder, Sam se ajoelhou diante da neta e removeu delicadamente o gato de seus braços.

– O Relâmpago precisa ficar aqui, meu amor. Você sabe que ele gosta de brincar com os amiguinhos e caçar os ratinhos na mata. Ele é um gato de mato. Não ia gostar da cidade.

Os olhos de Alison pareciam imensos em seu rosto pálido em formato de coração.

– Mas eu também não sou uma menina da cidade – respondeu ela, fazendo um biquinho.

– Não, mas você é uma aventureira. Que nem a Mulan e a princesa Jasmine. Você acha que elas iam ficar nervosas com uma viagem à cidade grande?

Ali balançou a cabeça.

Sam lhe deu um abraço forte. Quando enfim a soltou, levantou-se devagar e olhou para Meghann.

– Cuide bem da minha neta.

A mesma coisa que ela dissera a Sam, tantos anos antes, ao ir embora de vez. *Cuide da minha irmã.* A única diferença era que ela estivera chorando.

– Vou cuidar.

Alison agarrou a mala e a mochila da Pequena Sereia.

– Estou pronta, tia Meg.

– Ok, então vamos.

Meg pegou a mala e foram embora. As duas entraram no carro e começaram a avançar pelo caminho de cascalho.

– Para! – gritou Alison, subitamente.

Meg afundou o pé no freio.

– O que houve?

Alison saiu de sua cadeirinha, abriu a porta do carro e correu de volta até a casa. Um instante depois retornou, agarrada a um cobertor rosa pequeno e surrado. Seus olhos estavam cheios de lágrimas.

– Eu não posso ir viajar sem a minha naninha.

Claire sempre se lembraria do momento em que chegou a Kauai.

Enquanto o avião se inclinava à esquerda e ia descendo, ela viu a água azul-turquesa que rodeava as praias de areia branca. O brilho negro dos corais reluzia sob a superfície.

– Ai, Bobby – disse ela, virando-se para encará-lo.

Ela queria explicar o que significava aquele momento para uma garotinha que crescera em trailers, sonhando com palmeiras. Mas as palavras que lhe vinham à cabeça eram muito pequenas, muito banais.

Uma hora depois, estavam acomodados no carro alugado – um Mustang conversível –, dirigindo rumo ao norte.

A cada quilômetro rodado, a ilha ficava mais verde, mais exuberante. Quando chegaram à famosa ponte Hanalei, onde os imensos campos de taro se agarravam às imponentes montanhas negras, pareciam estar em outro mundo. De um dos lados da estrada de mão dupla, os fazendeiros locais estavam enfiados dentro d'água, cuidando de suas safras de taro. Não se via uma casa ou estrada em quilômetros. Do lado direito, o serpeante rio Hanalei, ladeado por uma espessa vegetação verde, conduzia tranquilos viajantes a caiaque. À distância, as montanhas negras faziam forte contraste com o céu azul; umas poucas nuvens diáfanas sugeriam chuva para o dia seguinte, mas naquele momento o tempo estava perfeito.

– Aqui! Vira aqui – disse ela, um quarteirão depois de uma igreja.

As casas ao longo da orla se assentavam sobre os imensos terrenos à beira-mar. Claire havia se preparado para mansões no melhor estilo Bel Air. Foi desnecessário. A maioria das casas era antiquada, despretensiosa. No parque, os dois viraram de novo, e lá estava: a casa que seu pai havia alugado. A apenas uma quadra da praia, enfiada em uma rua sem saída, parecia perfeitamente comum.

Era tudo, menos isso. Pintada em um azul tropical com acabamentos em branco envernizado, a casa parecia uma caixinha de joias escondida em uma paisagem de verão. Uma espessa cerca viva delimitava a propriedade, bloqueando de maneira eficaz a vista dos vizinhos.

Dentro, as paredes eram brancas, o piso, de tábuas de pinheiro, e era mobiliada com claros móveis havaianos. No andar de cima, o quarto com decoração coloridíssima dava para uma varanda particular com vista para as cordilheiras. Parada ali, encarando a montanha decorada por cascatas, Claire ouvia a arrebentação ao longe.

Bobby chegou por trás e a abraçou.

– Quem sabe um dia eu fico rico e a gente vem morar aqui.

Ela se recostou nele. Era o mesmo sonho que nutrira durante anos; agora, porém, o havia deixado de lado.

– Eu não me importo em ficar rica, Bobby. A gente tem isso agora, e na verdade é muito mais do que eu sempre sonhei.

Ele a virou de frente para si. Havia uma tristeza incomum em seus olhos.

– Eu nunca vou te deixar, Claire. Como é que você ainda não sabe disso?

Claire quis sorrir, mas foi em vão.

– Eu sei.

– Não. Você ainda não sabe. Eu te amo. Acho que a única coisa que posso fazer é ficar repetindo isso. Eu não vou a lugar nenhum.

– Nem à praia?

Caminharam de mãos dadas pela estradinha que levava à orla. No pavilhão, um dos muitos pontos de acesso público, um grande grupo de havaianos celebrava uma reunião de família. Crianças de pele bronzeada e cabelos escuros em roupas de banho coloridas brincavam de correr na grama enquanto os adultos organizavam uma refeição do lado de dentro. Em algum lugar, alguém tocava um ukelele.

A baía de Hanalei despontou diante deles, um quilômetro e meio de areia branca no formato de uma gigantesca ferradura. Ao norte ficavam as montanhas, agora róseas por conta do sol poente.

Pequeninas ondas esbranquiçadas quebravam adiante, carregando crianças risonhas à areia. Mais ao longe, uns adolescentes se equilibravam em enormes pranchas de surfe. O instrutor, um lindo rapaz de chapéu de palha, dava um empurrãozinho em cada um quando uma onda parecia promissora.

Eles passaram o resto do dia nas areias mornas da baía de Hanalei, vendo o pôr do sol e conversando. Quando a praia ficou silenciosa e escura, com estrelas cintilantes refletindo na água negra, os dois enfim retornaram para casa. Juntos, fizeram o jantar e comeram em uma mesa de piquenique na varanda dos fundos, com lanternas e velas repelentes iluminando o caminho. Depois de terminado o jantar e lavadas as louças, foram incapazes de tirar as mãos um do outro.

Bobby tomou Claire nos braços e a carregou escada acima. Ela riu e se agarrou a ele, soltando-o apenas quando ele a deitou sobre a cama. Na mesma hora, ajoelhou-se e a encarou.

– Você é tão linda – disse ele, estendendo a mão e deslizando um dedo por sob a alça do biquíni.

O calor daquele toque contra sua pele arrepiada fez com que perdesse o fôlego.

Bobby se abaixou para tirar a roupa, então se endireitou. Ao ver seu corpo nu, rígido e pronto, Claire sentiu um calafrio e estendeu os braços.

Ele foi para a cama e ela sentiu a avidez trêmula de suas mãos, tirando seu biquíni, lhe tocando os seios. Por fim, ele a beijou. A boca, as pálpebras, o queixo, os mamilos.

Claire o enlaçou com os braços e o puxou para perto. Sentiu a mão dele deslizando por entre suas pernas, encontrando-a úmida. Com um gemido, abriu-se para ele. Quando Bobby enfim se deitou sobre ela, Claire cravou os dedos com força em suas costas e arqueou o corpo ao seu encontro. Chegaram ao clímax juntos, um gritando o nome do outro.

Depois, enroscada junto ao corpo quente e suado do marido, Claire adormeceu em meio a sua respiração cadenciada e ao zumbido constante do ventilador.

Meg levou Alison para um animado passeio pelo centro de Seattle. Foram ao aquário e viram lontras e focas sendo alimentadas. Meg até ousou dobrar as mangas de sua camisa de marca e enfiar a mão em um tanque de exploração, onde, junto a um ônibus inteiro de crianças de fora da cidade, ela e Alison tocaram em anêmonas, mexilhões e estrelas-do-mar.

Depois disso, comeram cachorro-quente em uma barraquinha de rua e caminharam até o cais. Na Ye Olde Curiosity Shop viram cabeças minúsculas, múmias egípcias e lembrancinhas vagabundas. (Meg não chamou a atenção para o pênis de baleia petrificado de 2,5 metros que pendia do teto; ficou só imaginando o que Ali diria aos amiguinhos.) Elas jantaram hambúrguer no Red Robin e terminaram o dia vendo um filme da Disney no cinema do Pacific Place.

Ao retornarem ao apartamento, Meg estava exausta.

Infelizmente, Alison tinha energia de sobra. Correu de um cômodo a outro, pegando tudo, olhando tudo e soltando gritinhos de espanto ao encontrar coisas feito uma escova de dentes elétrica.

Meg estava esparramada no sofá, com os pés na mesa de centro, quando Alison chegou correndo, trazendo o vaso Lalique que pegara no hall de entrada.

– Você viu isso, tia Meg? Essas meninas estão sem roupa. – Ela soltou uma risadinha.

– São anjos – disse Meg.

– Estão *peladas*. O Billy falou que o pai dele tem umas revistas com umas meninas peladas. Que nojo.

Meg se levantou e delicadamente removeu o vaso das mãos de Alison.

– O nojo está nos olhos do espectador.

Ela recolocou o vaso no lugar, na mesinha da entrada. Ao voltar para a sala, encontrou Alison de cara fechada.

– O que é espectador? É alguma coisa que espeta?

Meg estava cansada demais para pensar em uma resposta engraçadinha.

– Mais ou menos.

Ela tornou a desabar no sofá. Como conseguira fazer aquilo na adolescência?

– Você sabia que os filhotes de águia comem o vômito do pai?

– Fala sério. Até a *minha* comida é melhor que isso.

Alison deu uma risadinha.

– A mamãe cozinha muito bem.

No instante em que disse isso, seu lábio tremeu. Lágrimas irromperam em seus olhinhos verdes. Assim, prestes a chorar, Alison se parecia tanto com Claire que Meghann perdeu o fôlego. Relembrou todas as noites em que confortara a irmãzinha, que a abraçara com força e prometera que *logo, logo as coisas vão melhorar... e a mamãe vai voltar.*

– Vem cá, Ali – disse ela, com um nó na garganta.

Alison hesitou por um instante, apenas um instante, mas fez Meghann se lembrar dc que ela e a sobrinha se conheciam muito pouco.

Alison se sentou no sofá, mantendo uma pequena distância.

– Quer ligar para a sua mãe? Ela vai ligar para a gente às seis, mas...

– Quero! – gritou Alison, saltitando na almofada.

Meghann foi procurar o telefone. Encontrou-o no criado-mudo junto à cama. Depois de uma consulta rápida à agenda, ligou para o número fixo da casa de Kauai e entregou o telefone à sobrinha.

– Mãe? – disse Alison, depois de uns segundos. – Oi, mãe. Sou eu, Ali Kat.

Com um sorriso, Meg foi até a cozinha e começou a tirar das sacolas as compras feitas durante o dia. Coisas que não comprava havia anos – cereal, tortinhas, biscoito – e outras que nunca havia visto, como suco em saquinhos prateados e iogurte para preparar em casa. A compra mais importante fora um livrinho de atividades infantis. Ela queria que aquela semana fosse inesquecível para Alison.

– Ela quer falar com você, tia Meg – disse Alison, saltitando até a cozinha.

– Obrigada. – Meg pegou o telefone. – Alô?

– E aí, irmã, como está indo? Ela já parou de falar?

Meg riu.

– Nem de boca cheia.

– Essa é a minha Ali.

Alison puxou a calça de Meg.

– A mamãe falou que a areia lá é que nem açúcar. *Açúcar*. Posso comer uns biscoitinhos?

Meg entregou-lhe um Oreo.

– Só um antes de dormir – disse à sobrinha. – Preciso de uma margarita – completou, para Claire.

– Você vai ficar bem.

– Eu sei. Isso me lembra...

– De quê? – perguntou Claire, baixinho.

– Da gente. De você. Às vezes eu olho para a Ali e só consigo ver a gente.

– Então ela vai te amar, Meg.

Meghann fechou os olhos. Era tão bom conversar com Claire desse jeito, como irmãs de verdade, com algo em comum além de uma infância sórdida.

– Ela está com saudade de você.

– Pode ser difícil fazê-la dormir. Você vai ter que ler uma historinha para ela. – Claire soltou uma risada. – Estou te avisando, ela adora uma atenção.

– Vou ler *Moby Dick*. Ela teria que tomar anfetamina para conseguir ficar acordada.

Alison agarrou a calça de Meg outra vez.

– Acho que eu vou...

E vomitou bem em cima dos sapatos dela.

– Preciso ir, Claire. Aproveita a viagem. Amanhã a gente se fala.

Meghann desligou o telefone e o apoiou sobre o balcão.

Alison a encarou, sem graça.

– Eita.

– Acho que a dose dupla de banana split não foi boa ideia.

Ela tirou os sapatos, pegou Alison no colo e levou-a nos braços até o banheiro.

Alison parecia muito pequenina na enorme banheira de mármore.

– Isso aqui parece uma piscina – disse ela, sugando um bocado de água e cuspindo na parede de azulejos.

– Não vamos beber a água do banho, tá bom? É uma das coisas que nos separa dos primatas inferiores. Tipo os homens.

– O vovô deixa.

– Pois é. Agora vem cá, vamos lavar esse cabelo. – Meg pegou o frasco novinho de xampu infantil. O aroma lhe trouxe um sorriso. – Eu lavava o cabelo da sua mãe com esse xampu.

– Está caindo no meu olho.

– Era isso que ela dizia.

Meghann ainda sorria ao enxaguar os cabelos de Alison e ajudá-la a sair da banheira. Secou a menina, vestiu o pijaminha de flanela cor-de-rosa e a levou ao quarto de hóspedes.

– Que cama grande! – exclamou Alison.

– É porque é exclusiva para princesas.

– Eu sou uma princesa?

– Você é. – Meghann se curvou em uma mesura. – Milady – disse em um tom solene. – Qual é a próxima ordem que Vossa Alteza tem para mim?

Alison deu uma risadinha e se enfiou sob as cobertas.

– Lê uma historinha para mim. Eu quero... *Professor Wormbog em busca do Ziperampazu.*

Meg vasculhou a mala, encontrou o livro e começou a ler.

– Você tem que deitar na cama – disse Alison.

– Ah.

Meghann subiu na cama e se acomodou. No mesmo instante, Alison se aconchegou a seu lado, apoiando a cabeça em sua preciosa naninha.

Meg recomeçou a leitura.

Uma hora e seis livros depois, Alison enfim adormeceu. Meg beijou a bochecha rosada da sobrinha e saiu do quarto, com o cuidado de deixar a porta aberta.

Com medo de ligar a tevê ou o rádio – não queria acordar Alison –, começou a ler uma revista. Em minutos estava caindo no sono. Cambaleou até o quarto, botou a camisola dos Seahawks, escovou os dentes e se deitou.

De olhos fechados, pensou em tudo a ser feito no dia seguinte. Não ia conseguir dormir.

Zoológico de Woodland Park.

O Bom Gigante Amigo *no Teatro Infantil.*

GameWorks.

A clássica loja de brinquedos de Nova York, F.A.O. Schwarz.

Floresta Animada no Seattle Center.

Sua mente pulou da Floresta Animada à Floresta Nacional, a Hayden e a Joe.

Joe.

Seu beijo de despedida fora tão delicado na última manhã que passaram juntos. Ela se sentira inexplicavelmente vulnerável.

Queria vê-lo. E não só pelo sexo.

Para quê, então?

Ela o escolhera, em primeiro lugar, por seu jeito fechado. Qual tinha sido a primeira frase trocada, ou uma das primeiras?

Eu não vou te levar para casa.

Ou algo assim. Logo de cara, ele deixara bem claro que não estava disponível.

Então ela partiu para cima dele. Mas aonde poderiam ir, além da cama? Ele era um mecânico do interior, que ainda chorava pela ex-esposa.

Não havia futuro ali.

Ainda assim... quando fechava os olhos, ele surgia, esperando para beijá-la na escuridão de sua própria mente.

– Tia Meg?

Ela se sentou e acendeu a luz.

– O que foi?

Alison estava agarrada à naninha com o rosto molhado de lágrimas e os olhos vermelhos. Sob o batente da porta aberta, parecia impossivelmente pequena.

– Não consigo dormir.

Ela se parecia tanto com Claire...

– Vem cá, meu amor. Vem dormir comigo. Eu te protejo.

Alison disparou pelo quarto, subiu na cama e se aninhou junto a Meg, que a abraçou com força.

– A sua mãe dormia comigo quando sentia medo, você sabia?

Alison meteu o polegar na boca e fechou os olhos. Adormeceu quase na mesma hora.

Meghann adorava o cheirinho dela, aquela doçura de xampu infantil. Aconchegou-se junto à sobrinha e fechou os olhos, esperando começar a pensar outra vez no dia seguinte.

Surpreendentemente, pegou no sono.

Claire acordou com o telefone tocando e se sentou depressa.

– Que horas são? – Ela olhou em volta, procurando o relógio da mesinha de cabeceira. Eram 6h45 da manhã. *Ai, meu Deus.* – Bobby, o telefone...

Ela se inclinou por cima dele e pegou o aparelho.

– Alô? Meghann? Está tudo bem com a Ali?

– Oi, querida, como você está?

Claire soltou um suspiro pesado e se levantou da cama.

– Está tudo bem, mãe. São 6h45 em Kauai.
– Ah, é mesmo? Achei que fosse o mesmo fuso da Califórnia.
– Estamos quase na Ásia, mãe.
– Você sempre exagera, Claire. Eu *tenho* motivo para ligar, sabia?

Claire pegou o robe no armário e vestiu, então foi até a sacada. Do lado de fora, o céu ganhava um tom rosado. No quintal dos fundos, um galo passou pelo gramado; galinhas cacarejavam atrás. A manhã cheirava a doces flores tropicais e maresia.

– O que foi?
– Eu sei que você não me considera uma boa mãe.
– Isso não é verdade.

Ela bocejou, imaginando se conseguiria voltar a dormir. Pela janela, olhou para Bobby, agora sentado a encará-la.

– É, sim. Você e a Srta. Perfeitinha vivem me lembrando de que eu fui péssima na criação das duas. Eu considero ingratidão, para dizer o mínimo, mas a maternidade tem os seus fardos, como você sabe, e ser incompreendida é o meu.
– Está meio cedo para esse drama, mãe. Você não pode...
– A questão é que eu faço algumas coisas mal, e outras coisas bem. Nesse sentido, sou como as pessoas comuns.

Claire suspirou.

– Sim, mãe.
– Eu só quero que você se lembre disso. E conta para a sua irmã falastrona. Não importa quais são as lembranças de vocês, a verdade é que eu amo as duas. Sempre amei.
– Eu sei, mãe.

Ela sorriu para Bobby e disse apenas movendo os lábios: *Mamãe. Café.*

– Agora passa o telefone para o seu marido.
– O quê?
– Tem um homem na sua cama agora?

Claire deu uma risada.

– Tem.
– Eu quero falar com ele.
– Por quê?

Ellie soltou um suspiro dramático.

– Outro dos meus fardos é ter filhas desconfiadas. Tem a ver com um presente de casamento, se você quer saber. Ouvi dizer que não gostaram do carro.
– Não tem lugar para a Alison.
– Ela tem que ir para *todo canto* com vocês?

– Mãe...

– Põe o Bobby na linha. Esse presente é para ele, já que você foi tão ingrata.

– Beleza, mãe. Você que sabe. Só um segundo. – Ela entrou de novo em casa. – Ela quer falar com você.

Bobby se empertigou. *Não pode ser coisa boa*, sussurrou ele ao pegar o telefone.

– Como vai a sogra mais gata do mundo? – Depois de um instante, o sorriso dele se fechou. – O quê? Você está de brincadeira. Como foi que você conseguiu isso?

Claire se aproximou e pôs a mão no ombro dele.

– O que foi?

Bobby balançou a cabeça.

– Que coisa incrível, Ellie. De verdade. Eu não sei nem como te agradecer. Quando? – Ele franziu o cenho. – Você sabe que a gente está aqui... Ah. Claro. Entendi. No balcão da recepção. Sim. Beleza. Claro, vamos ligar agora mesmo. E muito obrigado. Eu não consigo nem expressar quanto isso significa. Sim. Tchau.

– O que foi que ela fez? – perguntou Claire quando ele desligou.

O sorriso de Bobby era tão grande que tomava o rosto inteiro.

– Ela conseguiu um teste para mim com o Kent Ames, da Down Home Records. Eu *não acredito*. Faz dez anos que eu toco em espeluncas de quinta categoria, esperando uma chance dessas.

Claire se jogou em cima dele e o abraçou forte. Disse a si mesma que tinha sido bobagem ficar com medo, mas suas mãos ainda tremiam. Tivera muitos anos ruins com a mãe. Sempre esperava o pior.

– Você vai arrasar.

Ele a girou até os dois caírem na gargalhada.

– Chegou a hora, Claire.

Ela ainda ria quando ele a botou de volta no chão.

– Mas... – disse ele, agora sério.

– O quê? – A preocupação retornou.

– O teste é na quinta-feira. Depois disso, o Kent vai passar um mês viajando.

– Nesta quinta?

– Em Nashville.

Claire encarou o marido, que tinha os sentimentos muito nítidos no olhar. Ela sabia que, se dissesse não, se argumentasse que ainda estariam em lua de mel, ele concordaria, lhe daria um beijo e diria "ok, de repente a gente liga para a sua mãe e tenta ver se dá para remarcar o teste para daqui a um mês". Saber disso tornou a resposta muito fácil.

– Eu sempre quis conhecer Opryland.

Bobby a tomou nos braços e a encarou.

– Eu teria desistido – admitiu, baixinho.

– Que seja uma lição – respondeu Claire, contente. – Agora me passa o telefone. É melhor avisarmos o papai e a Meghann que a gente vai estender a viagem por uns dias.

Os dias com Alison se transformaram em uma rotina confortável. No terceiro dia Meghann já tinha desistido da ideia de mostrar à sobrinha todas as atrações infantis da cidade. Em vez disso, fizeram coisas simples. Alugaram filmes, assaram biscoitos e jogaram Candy Land até Meg não aguentar mais.

Todas as noites Meg dormia agarradinha a Ali, e todas as manhãs acordava com a mesma empolgação. Agora sorria mais leve, ria com mais frequência. Tinha se esquecido de como era gostoso cuidar de outra pessoa.

Quando Claire ligou para falar sobre estender a lua de mel, Meg percebeu que a irmã ficou surpresa ao ouvi-la se oferecer – com prazer – para cuidar de Alison por mais uns dias. Infelizmente, a tal festa de aniversário superimportante estragou essa opção.

Quando o sábado enfim chegou, Meghann estranhou a profundidade de suas emoções. Precisou se esforçar para manter o sorriso por todo o trajeto até Hayden, enquanto Ali tagarelava sem parar e se remexia no assento. Na casa de Sam, Ali correu para os braços do avô e começou a contar como tinha sido a semana. Meg deu um beijo de despedida na sobrinha e saiu depressa do trailer. Naquela noite, quase não dormiu. Não conseguia afastar a solidão.

Na segunda-feira, voltou ao trabalho.

As horas se acumulavam, mais pesadas que de costume. Às três da tarde, já estava tão cansada que mal conseguia raciocinar.

Esperava que Harriet não percebesse.

Uma esperança inútil, claro.

– Você não está com uma cara muito boa – disse Harriet quando Meghann desabou na poltrona de sempre.

– Obrigada.

– Como foi o casamento?

– Foi legal – respondeu Meg, encarando as próprias mãos. – Nem a mamãe conseguiu estragar. Eu que planejei, sabia?

– Você?

– Não faz essa cara. Eu segui o seu conselho e fiquei de boca fechada. A Claire e eu... nos entendemos. Até cuidei da minha sobrinha durante a lua de mel. Mas agora...

- Agora o quê?

Meg deu de ombros.

- Voltei ao mundo real. - Ela ergueu os olhos. - O meu apartamento é tão silencioso. Eu nunca tinha percebido.

- A sua sobrinha é barulhenta?

- Não para de falar um minuto. Só quando está dormindo.

Meg sentiu um aperto no peito. Sentiria falta de dormir com Ali, de ter uma menininha para cuidar.

- Ela te fez lembrar da Claire.

- Ultimamente tudo me faz lembrar daquela época.

- Por quê?

- Nós éramos melhores amigas - disse Meg, baixinho.

- E agora?

Meghann suspirou.

- Agora ela está casada. Tem uma família. Tudo voltou a ser como antes. Provavelmente só vou ter notícias dela no meu aniversário.

- O telefone também serve para ligar.

- É. - Meghann olhou o relógio. Não queria mais falar sobre aquilo. Doía demais. - Eu tenho que ir, Harriet. Tchau.

Meghann encarou a cliente, esperando que o sorriso estampado em seu rosto não fosse tão falso quanto parecia.

Robin O'Houlihan andava de um lado para outro em frente à janela. Mais maquiada que Terence Stamp em *Priscilla, a rainha do deserto*, a mulher era a típica esposa de Hollywood. Muito magra, muito ambiciosa, muito tudo. Meg se perguntou por que nenhuma daquelas mulheres percebia que, a partir de certa idade, a magreza se tornava cadavérica. Quanto mais peso perdiam, menos atraentes ficavam, e o cabelo de Robin havia recebido tantas camadas de tinta loira que parecia uma peruca de palha.

- Não é o suficiente. Ponto final. Fim de papo.

- Robin - disse Meghann, em um esforço para manter a voz calma e contida. - Ele está oferecendo 20 mil dólares por mês, a casa no lago Washington e o apartamento em La Jolla. Honestamente, para um casamento de nove anos que não gerou filhos, eu acho...

– Eu *queria* filhos. – Ela praticamente cuspiu as palavras. – Era ele que não queria. Ele devia pagar por isso também. Ele roubou meus anos mais férteis.

– Robin. Você tem 49 anos.

– Está dizendo que estou *velha* para ter um filho?

Bom, não. Mas você já se casou seis vezes e tem a estabilidade mental e emocional de uma criança de 2 anos. Acredite, os seus filhos não concebidos agradecem.

– Claro que não, Robin. Só estou sugerindo que a abordagem das crianças não vai nos ajudar. O estado de Washington não pede comprovação de dolo, você sabe disso. As razões de um divórcio não interessam.

– Eu quero os cachorros.

– A gente já discutiu isso. Os cachorros eram dele antes do casamento. Parece razoável...

– Era *eu* quem mandava o Lupe dar comida e água para os cachorros. Sem mim, aqueles Lhasa Apsos estariam fritos. Mortinhos, à beira da piscina. Quero ficar com eles. E você devia parar de discutir comigo. Você é *minha* advogada, não dele. Mal dá para viver com 20 mil por mês. – Ela deu uma risada amarga. – Ele ainda tem o jatinho, a casa em Aspen, a casa de praia de Malibu e todos os nossos amigos. – A voz dela falhou e por um instante Meghann viu um lampejo da mulher que Robin O'Houlihan já fora.

Uma mulher comum, nascida em Snohomish, que um dia usara casamentos para subir na vida, mas que agora estava assustada.

Meghann quis ser delicada, dizer algo tranquilizador. Antigamente, teria sido fácil, mas aqueles dias haviam ficado para trás, pisoteados pelos saltos de centenas de esposas que não queriam trabalhar e não tinham a menor condição de viver com 20 mil por mês.

Ela fechou os olhos por um momento, querendo desanuviar a mente. No entanto, em vez de uma escuridão tranquila, vislumbrou uma imagem do Sr. O'Houlihan sentado tranquilamente na sala de reuniões, as mãos cerradas sobre a mesa, respondendo a todas as perguntas com uma sinceridade surpreendente.

Não fizemos acordo pré-nupcial, não. Eu achei que seria para sempre.

Eu a amava.

A minha primeira esposa morreu. Conheci a Robin quase dez anos depois.

Ah. Sim. Eu queria mais filhos. A Robin não queria.

Fora um daqueles momentos constrangedores que vez ou outra aconteciam a um advogado. Aquela nauseante percepção de estar jogando a favor do time errado.

Basicamente, Meghann havia acreditado nele. E isso não era bom.

– Oi? Estou falando com você.

Robin pegou um cigarro na bolsinha Chanel. Frente à súbita lembrança de que não podia fumar ali, guardou-o de volta.

– Então, como é que eu consigo a casa de Aspen? E os cachorros?

Meghann balançou a caneta entre o polegar e o indicador, pensativa. De vez em quando a caneta batia na pasta de papel pardo aberta à sua frente. O batuque soava vagamente como um tambor de guerra.

– Eu vou ligar para o Graham e debater isso. Parece que o seu marido está disposto a ser muito generoso, mas confie em mim, Robin. As pessoas se irritam por muito menos que um cachorro que elas amam. Se estiver disposta a brigar por Fluffy e Scruffy, se prepare para abrir mão de muita coisa. Seu marido pode tirar as casas da jogada em um piscar de olhos. É melhor você decidir quanta importância esses cachorros têm para você.

– Eu só quero atingi-lo.

Meghann pensou no homem que vira testemunhar mais de um mês antes. Ele parecera triste... cansado, até.

– Se serve de consolo, acho que você já atingiu.

Encarando a Bainbridge Island, Robin bateu a comprida unha escarlate contra o queixo.

– Eu não devia ter transado com o cara da piscina.

Nem com o entregador do mercado, nem com o dentista que fez seu clareamento.

– O estado de Washington não leva essas coisas em conta, lembra?

– Eu não estou falando do divórcio. Estou falando do casamento.

– Ah. – Outro lampejo de um ser humano de verdade surgiu escondido atrás da camada de maquiagem cara. – É fácil enxergar os erros depois. É muito ruim não poder viver de trás para a frente. Acho que foi Kierkegaard quem disse isso.

– Verdade. – Robin claramente não estava interessada. – Vou pensar sobre os cachorros e te aviso.

– Não demora. O Graham disse que essa última oferta expira em 36 horas. Depois disso, vamos para o ringue. Primeiro round.

Robin assentiu.

– Você parece muito contida para alguém que chamam de a Escrota de Belltown.

– Contida, não. Prática. Mas se você preferir outro advogado...

– Não. – Robin pendurou a bolsa no ombro e caminhou para a porta. – Te ligo amanhã.

Sem olhar para trás, ela saiu. A porta se fechou com um clique.

Meg soltou um suspiro pesado. Sentia-se esmagada; diminuída, de certa forma. Pôs a pasta de lado, pensando outra vez no rosto triste do Sr. O'Houlihan.

Não fizemos acordo pré-nupcial, não. Eu achei que seria para sempre.

Aquilo destroçaria o coração dele; não bastaria parti-lo. Ah, não. Meghann e Robin fariam pior: revelariam o verdadeiro caráter da mulher com quem ele se casara. O homem acharia quase impossível voltar a confiar no próprio coração.

Com um suspiro, ela conferiu sua agenda. Robin havia sido o último compromisso. Graças a Deus. Meghann não achava que aguentaria outra história triste de amor fracassado. Juntou os papéis, pegou a bolsa e a pasta e saiu do escritório.

Lá fora fazia uma agradável noite de início de verão. A barulheira da hora do rush preenchia as ruas. No mercado, os turistas ainda se apinhavam junto às barracas de peixe. Vendedores de avental branco jogavam um para o outro imensos salmões de 15 quilos. A cada arremesso, os turistas tiravam fotografias.

Meghann mal deu atenção àquela performance familiar. Já tinha passado o mercado de peixes e estava atravessando as barracas de vegetais quando percebeu a rota que havia escolhido.

O Athenian estava logo à frente.

Ela parou do lado de fora, sentindo o aroma familiar de cigarro e fritura, ouvindo o murmúrio das conversas de sempre, que no fim sempre voltavam ao bom e velho "você veio sozinha?".

Sozinha.

Era, sem dúvida, o adjetivo mais apropriado para descrever sua vida. Ainda mais agora, com a ausência de Ali. Era incrível o tamanho do buraco que sua sobrinha tão pequena havia deixado.

Ela não queria ir ao Athenian, pegar um desconhecido e levá-lo para sua cama.

Queria Joe.

Uma onda de melancolia a engoliu ao pensar nele.

Meghann se afastou do bar e foi para casa.

Na recepção do prédio, acenou para o porteiro, que começou a dizer qualquer coisa. Ela o ignorou e foi até o elevador, que parou com um silvo na cobertura, onde Meghann saiu.

A porta do apartamento estava aberta.

Ela franziu o cenho, pensando se teria deixado assim de manhã.

Não.

Estava pestes a correr de volta para o elevador quando uma mão surgiu no batente da porta; segurava uma garrafa cheia de tequila.

Elizabeth Shore surgiu no corredor.

– Ouvi o seu pedido de socorro do outro lado do Atlântico e trouxe o seu tranquilizante preferido.

Assustando até a si mesma, Meghann irrompeu em lágrimas.

VINTE E TRÊS

Joe estava quase terminando as tarefas do dia. O que era bom, porque precisava sair para fazer uma visita.

Ter alguma coisa para fazer lhe dava uma boa sensação, mesmo que fosse uma coisa dolorosa. Ele passara tanto tempo sozinho, vagando a esmo, que apenas ter um compromisso já era estranhamente reconfortante.

Estava deitado de costas, encarando a encardida parte de baixo de um velho Impala.

– Oi.

Joe franziu o cenho. Pensou ter ouvido alguma coisa, mas era difícil ter certeza. O rádio na bancada estava bem alto. Willie Nelson advertia as mamães sobre bebês que cresciam e viravam caubóis.

Então alguém chutou sua bota.

Joe saiu de debaixo do carro.

O rostinho à sua frente era pequeno, sardento e sorridente. Olhos verdes e sinceros o encaravam. A menina estreitou um pouquinho os olhos, o suficiente para Joe se perguntar se ela precisava de óculos, então percebeu que sua lanterna estava na cara dela. Então a desligou.

– O Smitty está no escritório – disse.

– Eu sei disso, seu bobo. Ele está sempre lá. Você sabia que a areia do Havaí é que nem açúcar? O Smitty me deixa brincar com as ferramentas. Quem é você?

Ele se levantou e limpou as mãos no macacão.

– Eu sou o Joe. Agora vai lá.

– Eu sou a Alison. A minha mãe me chama de Ali.

– Prazer em te conhecer, Ali.

Ele ergueu o olhar para o relógio. Eram quatro da tarde. Hora de ir.

– A minha mãe diz que não é para eu conversar com estranhos, mas você é o Joe. – Ela franziu o nariz e o encarou. – Por que seu cabelo é tão comprido? Parece de menina.

– Eu gosto assim.

Ele foi até a pia e lavou as mãos cheias de graxa.

– Eu tenho uma mochila da Ariel. Quer ver? – Sem esperar resposta, ela saiu correndo da garagem. – Fica aí! – gritou para ele.

Joe estava a meio caminho do casebre quando Alison surgiu outra vez a seu lado.

– Está vendo a Ariel? Desse lado ela é princesa, e desse lado é sereia.

Ele deu um tropecinho, mas seguiu em frente.

– Eu estou indo para casa. É melhor você tomar o seu rumo.

– Você tem que fazer cocô?

Joe foi pego de surpresa e soltou uma risada.

– Não.

– Você não ia me falar, se tivesse.

– Claro que não. Eu preciso me arrumar para sair. Mas foi legal te conhecer – disse ele, sem reduzir o passo.

Ela o acompanhou, falando animadamente sobre alguma coleguinha chamada Mulan, que tinha cortado o cabelo e brincava com facas.

– Esse tipo de coisa tem que ser conversada com o orientador da escola.

Alison deu uma risadinha e continuou falando.

Joe subiu a escada da varanda e abriu a porta.

– Bom, Alison, agora nós...

Ela disparou na frente dele e entrou na casa.

– Alison – disse Joe, em um tom severo. – Agora você tem que ir. Não é legal entr...

– A sua casa tem um cheiro esquisito. – Ela se sentou no sofá e deu uns pulinhos. – Quem é a mulher nas fotos?

Ele lhe deu as costas durante um segundo; ao olhar outra vez, Ali estava no peitoril da janela, fuxicando os porta-retratos.

– Larga isso – disse ele, num tom mais ríspido que o necessário.

Com uma expressão emburrada, ela largou.

– Eu também não gosto que os outros peguem nas minhas coisas.

Ela encarou a fileira de fotografias. Havia três na janela da sala e duas na cornija da lareira. Até uma criança sabia reconhecer uma obsessão.

– A mulher nas fotos é a minha esposa. Diana.

Ainda era doloroso dizer o nome em voz alta. Não havia aprendido a falar dela de maneira tranquila.

– Ela é bonita.

Ele olhou uma pequena montagem de fotos sobre a mesa ao lado. Gina havia tirado aquelas em uma festa de réveillon.

– É mesmo. – Ele pigarreou. Eram 16h15. Estava ficando tarde. – Você não tem que voltar?

– É. – Ela soltou um suspiro dramático. – Tenho que dar a minha Barbie para a Marybeth.

– Por quê?

– Eu quebrei a cabeça da Barbie dela. O vovô falou que eu tenho que pedir desculpa e dar a minha Barbie para ela. É para eu me sentir melhor.

Ele se agachou para encará-la.

– Bom, Ali, acho que no fim das contas a gente tem algo em comum. Eu também quebrei uma coisa muito especial, e agora preciso ir pedir desculpas.

Ela soltou um suspiro triste.

– Que pena.

Ele apoiou as mãos nas coxas e se levantou.

– Então, eu tenho mesmo que ir.

– Ok, Joe. – Ela foi até a porta e a abriu, então olhou para trás. – Você acha que a Marybeth vai voltar a brincar comigo, depois que eu pedir desculpas?

– Espero que sim – respondeu ele.

– Tchau, Joe.

– Até mais, Ali.

Com um sorrisinho, ela foi embora.

Joe ficou parado um instante, encarando a porta fechada. Por fim, deu meia-volta e cruzou o corredor. Levou uma hora fazendo a barba, tomando banho, vestindo as roupas surradas mais limpas que tinha e tentando formular as frases necessárias. Tentou pensar em palavras bonitas – *a morte da Diana dilacerou algo em mim* –, palavras duras – *eu ferrei com tudo* –, palavras dolorosas – *não aguentei vê-la morrer.*

Mas nada daquilo dizia tudo, nada daquilo expressava suas verdadeiras emoções.

Ainda não havia decidido o que diria quando virou na rua deles, nem uns minutos depois, ao chegar à caixa de correio.

Dr. e Sra. Roloff.

Incapaz de se conter, Joe correu os dedos pelas letras douradas gravadas na lateral da caixa de correio. Em Bainbridge havia uma caixa de correio como aquela, com os dizeres *Dr. e Sra. Wyatt.*

Uma vida inteira atrás.

Ele encarou a casa dos antigos sogros. Era igualzinha às suas lembranças de outro dia de junho, muito tempo antes, quando Joe e Di se casaram no quintal dos fundos, rodeados pelos amigos e pela família.

Ele quase sucumbiu ao pânico, quase deu meia-volta.

No entanto, não adiantaria fugir. Ele já tinha tentado, e acabara de volta ali, naquela casa, com aquelas pessoas que um dia amara tanto, para dizer...

Eu sinto muito.

Apenas isso.

Ele cruzou o caminho de tijolos rumo à casa de pilares brancos que a Sra. Roloff projetara com base na vila de Tara, na Irlanda. Havia rosas e cercas vivas dos dois lados, exalando um perfume doce e envolvente. De cada lado da porta da frente havia um leão esculpido em ferro.

Joe não se permitiu parar para pensar. Estendeu a mão e tocou a campainha.

Instantes depois, a porta se abriu. Henry Roloff surgiu, de cachimbo na mão, vestindo calça cáqui e blusa azul-marinho de gola alta.

– Boa t... – Ao ver Joe, ele fechou o sorriso. – Joey – balbuciou, o cachimbo agora tremendo em sua mão. – Ouvimos dizer que você tinha voltado.

Joe tentou desesperadamente sorrir.

– Quem é? – gritou Tina de dentro da casa.

– Você não vai acreditar – respondeu Henry, a voz quase um sussurro.

– Henry? – gritou ela outra vez. – Quem é?

Henry deu um passo atrás. Um sorriso triste surgiu em seu rosto, enrugando--lhe as bochechas.

– Ele voltou, Tina! – gritou ele. Então, mais baixinho, com os olhos cheios de lágrimas, repetiu: – Ele voltou.

– Tem certeza de que isso é tequila? Parece fluido de isqueiro.

Meghann ouviu o tom arrastado da própria voz. Já estava bastante embriagada, prestes a perder totalmente a linha, e estava adorando.

– É tequila *cara*. Para a minha amiga, só o melhor.

Elizabeth se esticou para pegar uma fatia de pizza. Enquanto erguia o pedaço, o queijo e outros recheios deslizaram, formando um montinho grudento no chão do terraço.

– Eita.

– Deixa pra lá. – Meghann pegou a sujeira e jogou pela janela. – Deve ter matado algum turista lá embaixo.

– Está brincando? São dez da noite. A rua está vazia.

– É verdade.

Elizabeth mordeu um pedaço da borda.

– Então, garota, qual é o problema? As suas últimas mensagens estavam depressivas. E você não costuma chorar quando eu apareço.

– Deixa eu ver, eu odeio o meu trabalho. O marido da minha cliente tentou me matar depois que eu acabei com a vida dele. Minha irmã se casou com um cantor country que por acaso é um criminoso. – Ela ergueu o olhar. – Quer mais?

– Por favor.

– Eu cuidei da minha sobrinha quando a Claire viajou em lua de mel, e agora a minha casa está ridiculamente vazia. E eu conheci um cara...

Elizabeth lentamente devolveu a pizza à caixa.

Meghann encarou a melhor amiga com uma súbita sensação de desamparo.

– Tem alguma coisa errada comigo, Birdie – arriscou dizer, baixinho. – Às vezes eu acordo no meio da noite e sinto o rosto molhado. Não sei nem por que estou chorando.

– Já está se sentindo sozinha?

– Como assim, já?

– Fala sério, Meg. A gente é amiga há mais de vinte anos. Eu lembro quando você era caloura na faculdade, quietinha, novinha demais. Uma dessas gênias que todo mundo acha que ou vai se matar ou vai descobrir a cura do câncer. Naquela época você chorava toda noite. A minha cama ficava do lado da sua, lembra? Eu ficava arrasada de te ouvir chorar tão baixinho.

– Foi por isso que você começou a ir para a aula comigo?

– Eu quis cuidar de você... É isso que as amigas fazem, você não sabe? Esperei anos até você me contar por que chorava.

– E quando foi que eu parei? De chorar, quero dizer.

– No terceiro ano. Aí já era tarde demais para perguntar. Quando você se casou com o Eric, eu achei... esperei... que você enfim fosse feliz.

– Isso faz muito tempo.

– Daí eu esperei que você conhecesse outra pessoa, que tentasse de novo.

Meghann serviu mais duas doses de tequila. Bebeu a sua e se recostou no parapeito. O vento frio da noite despenteava seu cabelo. O som do trânsito zunia em seus ouvidos.

– Eu conheci... uma pessoa.

– Qual é o nome dele?

– Joe. Eu não sei nem o sobrenome. Isso é ou não é uma derrota?

– Achei que você gostasse de transar com desconhecidos.

Meghann ouviu o esforço de Elizabeth para não soar crítica.

– Eu gosto de estar no controle, de acordar sozinha, de levar a vida exatamente do meu jeito.

– Então qual é o problema?

Meghann sentiu outra vez aquela sensação de estar sendo arrastada por uma forte corrente de melancolia.

– Estar no controle... mas acordar sozinha, e levar a vida exatamente do meu jeito.

– Então esse Joe mexeu com você.

– Talvez.

– Imagino que vocês não tenham se visto desde que você se deu conta disso.

– Eu sou tão previsível assim?

– Só um pouquinho – respondeu Elizabeth, com uma risada. – Esse Joe te assustou, aí você fugiu. Me fala se eu estiver errada.

– Você é ridícula, sabia?

– Uma ridícula cheia de razão.

– Pois é – concordou Meg. – O pior tipo.

– Você se lembra do meu aniversário do ano passado?

– Lembro tudo até o terceiro martíni. Depois disso, ficou meio confuso.

– Eu te falei que não sabia se ainda amava o Jack. Você me mandou ficar com ele. Falou algo sobre eu perder tudo e ele se casar com uma garçonete do Hooters.

Meghann revirou os olhos.

– Mais um brilhante exemplo da minha empatia. Você fala "amor", eu respondo "acordo". Que orgulho.

– A questão é que o casamento estava acabando comigo. Todas as mentiras que eu tinha me contado ao longo dos anos tinham sumido. Tudo me incomodava e me magoava.

– Mas deu certo. Você e o Jack parecem dois recém-casados. Na verdade, é meio nojento.

– Você sabe como eu me apaixonei por ele de novo?

– Drogas?

– Eu fiz o que tinha mais medo de fazer.

– Você se separou.

– Eu nunca tinha morado sozinha, Meg. *Nunca.* Tinha tanto medo de ficar sem o Jack que no início não conseguia nem respirar. Mas superei... e você me ajudou. Você salvou minha vida naquela noite em que me visitou na casa de praia.

– Você sempre foi mais forte do que pensava.

Elizabeth retribuiu com um olhar que dizia "você também".

– Você tem que parar de sentir medo de amar. Talvez esse Joe seja um ponto de partida.

– Ele é todo errado para mim. Eu nunca durmo com homens que têm algo a oferecer.

– Você não "dorme" com homem nenhum.

– Lá vem você.

– Por que ele é tão errado?

– Ele é mecânico de uma cidadezinha do interior. Mora em um casebre ferrado nos fundos da oficina. Corta o cabelo com um canivete. Pode escolher. Ah! Embora ele não ligue muito para decoração, encheu a casa com fotos da ex-esposa que o largou.

Elizabeth a encarou em silêncio.

– Beleza, eu não ligo para nada disso. Quer dizer, as fotos são meio sinistras, mas não dou a mínima para o emprego dele. E até que gosto de Hayden. É uma cidade legal, mas...

– Mas?

Meghann viu uma triste empatia no olhar de Elizabeth; sentiu-se acolhida.

– Eu saí de lá sem dizer uma palavra. Não é fácil consertar uma coisa dessas.

– Você nunca gostou dos caminhos fáceis.

– A não ser quando o assunto é sexo.

– Nunca achei que sexo casual fosse fácil.

– E não é – respondeu Meg, baixinho.

– Então liga para ele. Finge que precisou se ausentar por causa do trabalho.

– Eu não tenho o telefone dele.

– E o da oficina?

– Ligar para o trabalho? Sei lá. Parece meio íntimo.

– Aposto que você fez oral nesse cara, mas telefonar é muito íntimo?

Meghann riu. Tinha que admitir que era bem esquisito.

– Estou parecendo uma psicopata.

– Pois é. Ok, Meghann. O que vamos fazer é o seguinte, e eu estou falando sério: amanhã nós vamos até o Salish Lodge, onde eu marquei um dia de spa pra gente. Vamos conversar, beber, gargalhar e planejar uma estratégia. Antes que você reclame, eu te digo que já liguei para a Julie e avisei que você vai tirar um dia de folga. Quando sairmos de lá, você vai me deixar no aeroporto e seguir para o norte. Só vai parar quando chegar à porta do Joe. Entendido?

– Não sei se tenho coragem.

– Você quer que eu vá junto? Juro por Deus que eu vou.

– É por isso que chamam vocês, sulistas, de "magnólias de aço".

Elizabeth riu.

– Querida, pode acreditar. *Nunca* diga a uma sulista que você está pensando em desistir de um homem bonito.

– Eu te amo, sabia?

Elizabeth pegou uma fatia de pizza.

– Lembra dessa frase, Meg. Cedo ou tarde, ela vai ser útil outra vez. Agora me fala do casamento da Claire. Não acredito que ela deixou a organização na *sua* mão.

VINTE E QUATRO

— Foi neste bar que descobriram o Garth Brooks.

Claire sorriu para Kent Ames, o figurão da Down Home Records em Nashville, e seu assistente, Ryan Turner. Cada um deles havia compartilhado essa pérola de informação três vezes na última hora. Ela não sabia ao certo se eles tinham memória de minhoca ou se a consideravam burra demais para entender de primeira.

Fazia dois dias que ela e Bobby estavam em Nashville. Não poderia estar sendo mais perfeito. O quarto no Hotel Loews era de tirar o fôlego de tão lindo. Eles haviam esbanjado em jantares românticos e tomado café da manhã na cama. Passearam em Opryland e visitaram o Country Music Hall of Fame. E, mais importante, Bobby arrasara nos testes. Em todos os quatro. O primeiro foi em um escritório úmido e sem janelas, na presença de um executivo júnior. Bobby ficara deprimido, reclamando que gastara sua grande chance com um garoto espinhento, sem senso de estilo. Naquela noite, beberam champanhe e tentaram fingir que não importava. Claire o abraçou apertado e disse quanto o amava.

Às 9h45 da manhã seguinte ele recebeu outra ligação, e desde então tudo havia sido uma verdadeira montanha-russa. Ele cantara para um executivo atrás do outro, até ir chegar ao imenso escritório com vista para o maior sonho do universo country: o Music Row. Cada novo executivo apresentara "sua" descoberta ao superior.

Nas últimas 24 horas, a vida deles havia mudado. Bobby era "alguém". Um cara que "tem futuro".

Naquele momento, estavam sentados a uma mesa em uma boate pequena e despretensiosa, junto aos executivos. Em menos de uma hora, Bobby subiria ao palco. Era uma chance de "mostrar o trabalho ao vivo" para os executivos.

Bobby se enturmou facilmente com os homens. O grupo não dava uma pausa nas conversas, falando sobre pessoas e coisas que Claire desconhecia: gravações demo, horas de estúdio, direitos autorais, provisões de contrato.

Ela não queria fazer feio. Em suas fantasias, era parceira de Bobby, além de sua esposa, mas não conseguia se concentrar. O voo interminável de Kauai a Oahu, depois a Seattle, a Memphis e a Nashville cobrara seu preço na forma de uma dor de cabeça incessante. E não conseguia esquecer a decepção de Ali ao saber que ela não voltaria para casa no dia combinado.

A fumaça na boate não ajudava. Nem a batida da música, nem as conversas em tom alto. Claire segurava a mão de Bobby, assentindo quando um dos executivos falava com ela, esperando que seu sorriso não estivesse tão frágil quanto parecia.

– O Bobby entra em 45 minutos. Em geral se leva anos para conseguir uma chance de tocar aqui – disse Kent Ames.

Claire assentiu, alargando o sorriso.

– Foi aqui que descobriram o Garth Brooks, sabia? Infelizmente, não por mim.

Claire sentiu um estranho formigamento na mão direita. Precisou de duas tentativas para pegar sua margarita. Quando conseguiu, bebeu tudo, esperando relaxar um pouco e esquecer a dor de cabeça.

Não aliviou. Em vez disso, deixou-a nauseada. Ela deslizou da banqueta do bar e parou, surpresa por estar cambaleante. Devia ter bebido um pouco demais.

– Desculpa.

Quando os homens ergueram os olhos para Claire, ela percebeu que havia interrompido a conversa.

– Claire? – disse Bobby, levantando-se.

Ela forçou um sorriso. Sentia-se fraca, desequilibrada.

– Desculpa, Bobby. A dor de cabeça piorou. Acho melhor eu me deitar. – Ela o beijou na bochecha. – Arrasa, amor – sussurrou.

Ele passou um braço ao redor dela.

– Vou com ela até o hotel.

Ryan franziu o cenho.

– Mas o seu show...

– Eu precisei cobrar um favor para conseguir essa oportunidade – disse Kent, em um tom frio.

– Eu volto a tempo – retrucou Bobby.

Apoiando-a com firmeza, ele a acompanhou até a rua cheia e barulhenta.

– Não precisa me levar, Bobby. Sério.

– Nada é mais importante do que você. Nada. É bom que esses caras entendam as minhas prioridades logo agora.

– Tem alguém ficando arrogante.

Ela se apoiou nele e os dois começaram a descer a rua.

– Eu tenho andado com sorte. Desde que subi no palco do Cowboy Bob's.

Cruzaram o saguão e subiram de elevador até o quarto. Lá, Bobby a despiu delicadamente, deitou-a na cama e deixou água e aspirina na mesinha lateral.

– Dorme bem, meu amor – sussurrou ele, dando um beijo em sua testa.

– Boa sorte, amor. Eu te amo.

– Exatamente por isso não preciso de sorte.

Ela percebeu quando ele saiu. Ouviu um clique na porta e o quarto ficou mais frio, mais vazio. Claire despertou o suficiente para ligar para casa. Tentou soar animada; contou a Ali e a Sam sobre o dia empolgante e lembrou que voltaria para casa dali a dois dias. Depois de desligar, soltou um suspiro pesado e fechou os olhos.

Ao acordar na manhã seguinte a dor de cabeça havia passado. Claire se sentia lânguida e cansada, mas foi fácil sorrir quando Bobby contou sobre o show.

– Eles ficaram de queixo caído. Sem brincadeira. O Kent Ames ficou babando só de pensar no meu futuro. E me ofereceu um contrato. Você acredita?

Estavam enroscados na poltrona junto à janela da suíte, vestidos nos robes macios fornecidos pelo hotel. A luz clara da manhã adentrava as janelas; Bobby estava tão lindo que deixava Claire sem fôlego.

– É claro que eu acredito. Já te ouvi cantar. Você merece ser um astro da música. Como é que isso funciona?

– Eles acham que ainda preciso ficar mais um mês aqui em Nashville. Procurando material, contratando uma banda de apoio, esse tipo de coisa. O Kent disse que é normal passar por umas 3 mil músicas até encontrar a certa. Depois que a gente gravar a demo, eles vão começar a me promover. Querem que eu saia em turnê em setembro e outubro. O Alan Jackson precisa de alguém para abrir o show dele. *Alan Jackson!* Mas não se preocupe. Eu disse que a gente ia ter que organizar um calendário que funcionasse para a minha família.

Naquele momento, Claire o amou mais do que imaginava ser possível. Ela o agarrou pelo robe e o puxou mais para perto.

– Vai ter *só* homem e mulher feia no seu ônibus, não é? Já vi uns filmes sobre essas coisas de turnê.

Ele a beijou, longa e intensamente. Ao se afastar, sentiu-se tonta.

– O que foi que eu fiz para merecer você, Claire?

– Você me amou – respondeu ela, a mão deslizando para dentro do roupão dele. – Agora me leve para a cama e me ame outra vez.

Meghann não conseguiu relaxar no spa. Entre massagens, tratamentos faciais e banhos de imersão na jacuzzi, ela e Elizabeth conversaram sem parar. Por mais que Meghann tentasse controlar o rumo das conversas, um assunto continuava vindo à tona.

Joe.

Elizabeth foi impiedosa. Pela primeira vez, Meghann sentiu como era ser golpeada pelas opiniões de outra pessoa.

Liga para ele. Deixa de ser covarde. O conselho viera em dezenas de maneiras e centenas de frases diferentes, mas tudo se resumia à mesma coisa.

Entre em contato com ele.

Para falar a verdade, Meghann ficou contente em levar a amiga ao aeroporto. Estar sozinha foi um doce alívio. Então retornou ao apartamento silencioso e percebeu que a voz de Elizabeth continuava ecoando em sua cabeça, então ela precisa se distrair. Comprou uma pizza para jantar e caminhou ao longo do cais, olhando as vitrines junto ao fluxo de turistas que saíam das balsas e invadiam as ruas, vindos do Mercado Público.

Quando chegou em casa, eram oito e meia.

Mais uma vez, foi recebida apenas pelo silêncio de seu apartamento.

– Preciso de um gato – disse em voz alta, largando a bolsa no sofá.

Ela viu tevê por um tempo. Depois, irritada, a desligou.

Pois é. Advogados de defesa são um bando de chorões.

Foi para a cama.

E lá ficou, de olhos bem abertos, durante o resto da noite.

Liga para ele, sua covarde.

Às seis de meia da manhã, Meghann saiu da cama, tomou um banho e vestiu um terninho preto com uma blusa de seda lilás.

Uma olhadela no espelho a fez lembrar que não havia dormido mais que duas horas na noite anterior. Como se precisasse reparar nas rugas para se lembrar disso.

Às sete e meia, estava em sua mesa no escritório, fazendo anotações no depoimento de Pernod.

A cada quinze minutos, olhava o telefone.

Liga para ele.

Por fim, às dez horas, desistiu e ligou para a secretária.

– Sim, Sra. Dontess?

– Preciso do número de uma oficina em Hayden, Washington.

– Qual oficina?

– Não sei o nome nem o endereço, mas fica bem na frente do Riverfront Park. Na Front Street.

– Mas eu preciso...

– Precisa dar seu jeito. É uma cidade pequena. Todo mundo conhece todo mundo.

– Mas...

– Obrigada.

Meghann desligou.

Dez longos minutos se passaram. Por fim, Rhona retornou à ligação.

– Segue o número. O nome é "Oficina do Smitty".

Meghann anotou o número e ficou a encará-lo, com o coração acelerado.

– Isso é ridículo – falou para si mesma.

Ela pegou o telefone e discou. A cada toque, batalhava contra a vontade de desligar.

– Oficina do Smitty.

Meghann engoliu em seco.

– O Joe está?

– Só um segundo. Joe!

O fone foi largado, depois pego outra vez.

– Alô?

– Joe? É a Meghann.

Fez-se uma longa pausa.

– Achei que não fosse mais te ver.

– Acho que você não vai se livrar tão fácil. – A piadinha foi respondida com silêncio. – Eu... é... eu tenho um depoimento em Snohomish County na sexta-feira à tarde. Claro que você não vai querer... eu não devia ter ligado, mas pensei se você não queria jantar comigo.

Ele não respondeu.

– Esquece. Eu sou uma idiota. Vou desligar.

– Posso comprar umas carnes e pedir a churrasqueira do Smitty emprestada.

– Sério?

Ele soltou uma risada baixinha; o som suavizou a tensão dela.

– Por que não? – disse ele.

– Chego aí umas seis. Está bom para você?

– Perfeito.

– Levo vinho e sobremesa.

Meghann sorria ao desligar. Dez minutos depois, Rhona voltou a telefonar.

– Sra. Dontess, sua irmã está na linha dois. Falou que é urgente.

– Obrigada. – Meg botou o fone de ouvido e apertou o botão. – Oi, Claire. Bem-vinda de volta. O voo deve ter chegado na hora. Que ótimo. Como foi...?

– Eu estou no aeroporto. Não sabia para quem ligar. – A voz de Claire estava trêmula; parecia chorosa.

– O que houve, Claire?

– Eu não me lembro do voo de Nashville. Também não me lembro de pegar a mala, mas ela está bem aqui. Não lembro de pegar as chaves nem de andar até o estacionamento, mas estou sentada no carro.

– Não estou entendendo.

– Nem eu, droga! – gritou Claire, então começou a chorar. – Não lembro o caminho até em casa.

– Ai, meu Deus. – Em vez de entrar em pânico, Meghann assumiu o comando. – Você tem um pedaço de papel?

– Tenho. Bem aqui.

– Uma caneta?

– Tenho. – O choro diminuiu. – Estou com medo, Meg.

– Escreva isto: Post Alley, oito-dois-nove. Anotou?

– Está na minha mão.

– Fique segurando. Agora sai do carro e vai andando até o terminal.

– Estou com medo.

– Vou ficar no telefone com você.

Ela ouviu Claire bater a porta do carro.

– Espera. Eu não sei para que lado...

– Tem um caminho coberto na sua frente, com a lista das companhias aéreas em cima?

– Tem. Diz Alaska e Horizon.

– Segue esse caminho. Estou com você, Claire. Não vou a lugar nenhum. Pega a escada rolante para o andar de baixo. Está vendo?

– Estou.

Claire parecia tão frágil... Meghann ficou apavorada.

– Vai lá para fora. Chame um táxi. Qual é o número do portão por onde você acabou de sair?

– Doze.

– Manda o taxista te pegar no portão doze e diz que você vai para o centro.

– Espera aí.

Meghann a ouviu falando.

– Ok – disse Claire, por fim. Estava chorando de novo.

– Estou aqui, Claire. Vai ficar tudo bem.

– Quem é?

Meghann sentiu uma onda gelada de medo.

– É a Meghann. Sua irmã.

– Eu te liguei?

Ai, meu Deus. Meghann fechou os olhos. Precisou reunir muita força para encontrar a voz.

– Tem um táxi na sua frente?

– Tem. Por quê?

– Está te esperando. Entra no banco de trás. Entrega o papel que tem na sua mão.

– Ai, meu Deus, Meg. Como você sabia que eu estava com esse papel? O que está acontecendo comigo?

– Está tudo bem, Claire. Estou aqui. Entra no táxi. Ele vai te deixar no meu prédio. Eu vou estar te esperando.

O táxi encostou no meio-fio e parou. Antes que Claire pudesse sequer agradecer, a porta do carona foi aberta por fora. Meghann entregou um maço de notas ao motorista e bateu a porta.

Então a porta de Claire se abriu.

Meghann apareceu.

– Oi, Claire, pode sair.

Claire pegou a bolsa e desceu do táxi. Sentia-se trêmula, confusa.

– Cadê a sua mala?

Claire olhou em volta.

– Devo ter deixado no meu carro, no aeroporto. – Sua voz soava fraca até aos próprios ouvidos. – Olha, Meg, eu já estou me sentindo bem melhor. Não sei... eu só fiquei meio avoada por um tempinho. O voo de volta foi horrível, e o pessoal da segurança em Memphis me deixou quase pelada na revista. Já estou com saudade do Bobby, e ele vai passar as próximas semanas por lá. Acho que tive um ataque de pânico, algo assim. Só me leva a um lugar sossegado para eu tomar um café. Devo estar precisando dormir, só isso.

Meg a encarou como se ela fosse um experimento científico malsucedido.

– Está de brincadeira? Ataque de pânico? Pode acreditar, Claire, eu conheço um ataque de pânico, e a gente não esquece o caminho de casa.

– Beleza. E você sabe de tudo.

O estresse explodiu dentro dela, deixando-a exaurida.

– Eu não quero brigar com você.

– Você não vai brigar – disse Meghann. – Nós vamos entrar no carro e ir ao hospital.

– Eu já estou melhor. Sério mesmo. Devo estar com sinusite. Quando chegar em casa eu consulto o meu médico.

Meghann se aproximou.

– Essa situação só tem dois caminhos: ou você entra no carro numa boa e a gente vai ou eu vou fazer um escândalo. Você *sabe* que eu faço mesmo.

– Beleza. Me leva ao hospital, daí a gente perde o dia inteiro e 200 dólares para descobrir que eu estou com uma sinusite piorada pela viagem de avião.

Meg tomou a irmã pelo braço e a conduziu até o confortável interior de um sedã de luxo da Lincoln.

– Vamos para a emergência de limusine. Que chique.

– Não é uma limusine. – Meg a encarou. – Está tudo bem agora, de verdade?

Claire ouviu a preocupação na voz da irmã e ficou comovida. Lembrou subitamente que Meg sempre falava alto e ficava irritada quando sentia medo. Desde criança.

– Desculpa pelo susto.

Meg enfim sorriu, recostando-se no assento do carro.

– Foi um susto mesmo – respondeu, baixinho.

Elas se entreolharam e Claire relaxou.

– O Bobby arrasou nos testes. Ofereceram um ótimo contrato a ele.

– Ele só vai assinar depois que eu revisar, certo?

– A resposta padrão é "meus parabéns".

Meghann teve a decência de enrubescer.

– Meus parabéns. Isso é incrível mesmo.

– Podia fazer parte do programa "Acredite se Quiser", com a chamada "Eliana Sullivan faz boa ação".

– Uma boa ação que a beneficia. Um genro famoso também vira os holofotes para ela, você sabe disso. Pensa só nas entrevistas. "Eu descobri esse menino talentoso e mudei a vida dele. Sou tão generosa quando o assunto é família" – disse Meg com um meloso sotaque sulista, levando a mão ao peito.

Claire começou a rir. Então percebeu que o formigamento na mão direita havia voltado. Olhou para a mão, os dedos curvados. Por uma fração de segundo, não conseguiu esticá-los. Entrou em pânico. *Por favor, meu Deus...*

O espasmo se foi.

O carro encostou em frente ao hospital e as duas saíram. No balcão da emergência, uma mulher atarracada com cabelos verdes e uma argola no nariz olhou as duas.

– Pois não?

– Estou precisando de um médico.

– Qual é o problema?

– Estou com muita dor de cabeça.

Meghann se inclinou sobre o balcão.

– Anota aí: *dor de cabeça severa. Perda de memória de curto prazo.*

– Isso mesmo. Esqueci – retrucou Claire, com um sorriso fraco.

A recepcionista franziu o cenho e empurrou uma prancheta pelo balcão.

– Preenche isso e me empresta a carteirinha do plano.

Claire pegou a carteirinha e entregou à recepcionista.

– O meu médico acha que eu preciso fazer mais exercícios.

– Todos falam isso – disse a recepcionista, com uma risadinha. – Pode sentar, vamos chamar pelo nome.

Uma hora depois, as duas ainda aguardavam. Meghann estava enfurecida. Havia gritado três vezes com a recepcionista e nos últimos vinte minutos já começara a soltar a palavra "processo".

– É muita cara de pau chamar isso de *emergência.*

– Veja pelo lado bom. Não devem estar me achando muito mal.

– Esquece a dor de cabeça, nós vamos ter morrido de velhice quando te chamarem. *Caramba.*

Meghann se levantou e começou a andar de um lado para o outro.

Claire pensou em acalmar a irmã, mas o esforço seria demais. A dor de cabeça havia piorado, o que ela definitivamente não revelou a Meghann.

– Claire Austin – chamou uma enfermeira de uniforme azul.

– Estava mais do que na hora!

Meghann parou de andar e foi ajudar Claire a se levantar.

– Você está me tranquilizando muito, Meg – disse Claire, apoiada na irmã.

– É um dom que eu tenho – retrucou Meg, conduzindo-a em direção à enfermeira baixinha e magrela que as aguardava em frente às portas brancas.

A magrela ergueu o olhar.

– Claire Austin?

– Sou eu.

– Você pode esperar aqui – disse a enfermeira a Meg.

– Não.

– Como?

– Eu vou entrar com a minha irmã. Se o médico pedir para eu sair na hora do exame, eu saio.

Claire sabia que devia ficar chateada. Meg veio com sua atitude de sempre – metendo-se onde não era chamada –, mas a verdade era que não queria ficar sozinha.

– Muito bem.

Claire agarrou a mão da irmã. As duas cruzaram o corredor e adentraram uma assustadora branquidão que cheirava a desinfetante. Em um pequeno consultório, Claire trocou sua roupa por uma fina veste de hospital, respondeu algumas perguntas à enfermeira, estendeu o braço para aferir a pressão e para colher sangue.

Então, mais uma vez, esperaram.

– Se eu estivesse doente de verdade, me atenderiam rápido – disse Claire, depois de um tempo. – Então essa espera toda deve ser bom sinal.

Meghann se recostou à parede, os braços cruzados com firmeza, como se temesse socar alguém caso se mexesse.

– Tem razão – disse ela, então resmungou: – Babacas.

– Você já considerou a área de saúde? Você lida superbem com gente doente. Está me acalmando pra caramba.

– Desculpa. Todo mundo sabe como eu sou paciente.

Claire recostou-se na maca revestida de papel e encarou o teto de azulejos acústicos.

Por fim, alguém bateu à porta e a abriu.

Um jovem médico de jaleco entrou.

– Sou o Dr. Lannigan. O que te traz aqui?

Meghann suspirou.

Claire sentou-se na cama.

– Oi, doutor. Eu não precisava ter vindo, com certeza. Estou com dor de cabeça e a minha irmã acha que enxaqueca é caso para emergência. Depois de um voo exaustivo, eu meio que tive uma crise de pânico.

– Em que ela esqueceu o caminho de casa – acrescentou Meg.

O médico não olhou para Meghann. Também não olhava para Claire. Em vez disso, analisou o prontuário em suas mãos. Então pediu que ela fizesse alguns movimentos – erguer um braço, depois o outro, virar a cabeça, piscar – e respondesse algumas perguntas – que ano era, quem era o presidente. Esse tipo de coisa.

– Com que frequência você sente dor de cabeça? – indagou ele ao final.

– Só quando estou estressada. Ultimamente, na verdade, sem sido mais frequente – admitiu.

– Sua vida sofreu alguma grande mudança recente?

Claire deu uma risada.

– Várias. Eu acabei de me casar. O meu marido vai passar um mês viajando. Está em Nashville, gravando um disco.

– Ah. – Ele sorriu. – Bom, Sra. Austin, o seu exame de sangue está normal, pulso, pressão e temperatura também. Tenho certeza de que é só estresse. Posso pedir uns exames mais específicos, mas não acho que seja necessário. Vou te receitar um remédio para enxaqueca. Quando sentir os sintomas, tome dois comprimidos com bastante água. Mas se a dor de cabeça persistir, eu recomendo que consulte um neurologista.

Claire assentiu, aliviada.

– Obrigada, doutor.

– Ah, não. Mas *nem pensar*. – Meghann se afastou da parede e avançou para o médico. – Isso não é suficiente.

Ele a encarou, recuando ao vê-la invadir seu espaço pessoal.

– Eu assisto a todos aqueles seriados de hospital. Ela precisa de uma tomografia. Ou de uma ressonância, ou de um eletrocardiograma. Alguma porcaria de exame. No mínimo, ela vai se consultar com o neurologista agora.

Ele franziu o cenho.

– Esses exames custam caro. A gente não tem condição de fazer uma tomografia em cada paciente que se queixa de dor de cabeça, mas se a senhora quiser eu recomendo um neurologista. É só marcar uma consulta.

– Há quanto tempo você é médico?

– Estou no primeiro ano da residência.

– E quer chegar ao segundo?

– Claro. Não precisa...

– Então vai chamar o seu supervisor. Agora. A gente não passou três horas aqui para um quase-médico dizer que a Claire está estressada. Eu estou estressada; você está estressado. E a gente sabe o caminho de casa. Vai chamar um médico de verdade. Um neurologista. A gente não vai marcar consulta nenhuma. Vamos ver um especialista *agora*.

– Vou ver o que posso fazer.

Ele pegou a prancheta e saiu apressado.

Claire suspirou.

– Lá vem você de novo. *É* estresse.

– Também espero que seja, mas não vou confiar na palavra do Reizinho do Baile.

Instantes depois, a enfermeira retornou. Desta vez, seu sorriso parecia forçado.

– A Dra. Kensington revisou a sua consulta com o Dr. Lannigan. Ela quer que você faça uma tomografia.

– Uma mulher. Graças a Deus – resmungou Meghann.

A enfermeira assentiu.

– Pode vir comigo – disse ela para Claire.

Claire encarou a irmã, que sorriu e segurou seu braço.

– Pense em nós duas como gêmeas siamesas.

A enfermeira saiu na frente.

Claire continuou agarrada à mão de Meghann. A caminhada pareceu interminável: um corredor, depois outro, elevador e mais um corredor, até que enfim chegaram ao Centro de Medicina Nuclear.

Nuclear. Claire sentiu Meghann apertar sua mão.

– Chegamos. – A enfermeira parou ao lado de uma porta fechada e se virou para Meghann. – Tem uma cadeira ali. A senhora não pode entrar, mas pode deixar que eu cuido dela, está bem?

Meghann hesitou, mas assentiu.

– Eu vou ficar bem aqui, Claire.

Claire cruzou a porta com a enfermeira, então percorreu mais um corredorzinho e chegou a uma sala dominada por uma imensa máquina que mais parecia uma gigantesca rosquinha branca. Deixou-se ser posicionada na estreita cama no centro da rosquinha.

Então esperou. E esperou. De vez em quando a enfermeira entrava, murmurava qualquer coisa sobre a médica e desaparecia outra vez.

Claire começou a sentir frio. O medo que se esforçara tanto para afastar voltou. Era impossível não temer o pior naquele lugar.

Por fim, a porta se abriu e um homem de jaleco branco entrou.

– Desculpe a demora. Tive um contratempo. Sou o Dr. Cole, radiologista. Fique deitada sem se mexer, que logo, logo tiraremos você daí.

Claire recusou-se a pensar no fato de que todos usavam aventais de chumbo e ela estava ali deitada, protegida apenas por uma finíssima camada de algodão.

– Prontinho. Você foi muito bem – disse o médico quando o exame enfim terminou.

Claire sentiu-se tão grata por ter terminado que quase esqueceu a dor de cabeça que só aumentara.

No corredor, Meghann parecia irritada.

– O que aconteceu? Falaram que levaria uma hora.

– E levou, depois que arranjaram um médico.

– Imbecis.

Claire riu. Já se sentia um pouco melhor.

– Advogados aprendem mesmo a usar uma linguagem muito específica.

– Você não quer saber a minha linguagem específica sobre esse lugar.

As duas seguiram a enfermeira até outro consultório.

– É para eu me vestir? – perguntou Claire.

– Ainda não. A doutora já vem te ver.

– Ah, claro – resmungou Meghann.

Trinta minutos depois, a enfermeira voltou.

– A doutora pediu outro exame. Uma ressonância. Vem comigo.

– Para quê? – indagou Claire, nervosa outra vez.

– A ressonância fornece uma imagem mais clara do que está acontecendo. É um exame padrão.

Outro corredor, outra longa caminhada rumo a uma porta fechada. Novamente, Meg aguardou do lado de fora.

Daquela vez, Claire precisou remover a aliança, os brincos, o colar e até o grampo de cabelo. O técnico perguntou se ela tinha algum grampo cirúrgico de aço ou marca-passo. Ela respondeu que não e perguntou por quê.

– Bom, não seria legal ver essas coisas voando para fora do seu corpo quando a máquina começasse a trabalhar.

– Que imagem delicada – murmurou Claire. – Espero que as minhas entranhas estejam a salvo.

O técnico riu e a ajudou a entrar na máquina, que mais parecia um caixão. Ela achou difícil respirar. A cama era dura e fria, com uma lombada desconfortável que lhe pressionava o alto das costas. O técnico a prendeu.

– Você precisa ficar imóvel.

Claire fechou os olhos. A sala estava fria, e ela, congelando, mas permaneceu parada.

Quando a máquina começou a funcionar, parecia uma britadeira na rua de uma cidade.

Quietinha, Claire. Parada. Bem imóvel. Continuou de olhos fechados e mal respirou. Só percebeu que estava chorando quando sentiu a umidade das lágrimas escorrendo por sua têmpora.

O exame de uma hora acabou levando duas. No meio do processo, os técnicos pararam e prepararam um acesso intravenoso. A agulha lhe espetou o braço; um contraste gelado foi injetado em suas veias. Jurou senti-lo bombeando no cérebro. Por fim, foi liberada. Ela e Meghann retornaram ao consultório da ala de Medicina Nuclear, onde as roupas de Claire estavam penduradas. Então foram para outra sala de espera.

– Claro – resmungou Meg.

As duas aguardaram por mais uma hora. Por fim, uma mulher alta, de semblante cansado, vestindo jaleco, entrou na sala de espera.

– Claire Austin?

Claire se levantou. E quase caiu com o súbito movimento. Meg a apoiou.

A mulher sorriu.

– Sou a Dra. Sheri Kensington, chefe da neurologia.

– Claire Austin. Essa é a minha irmã, Meghann.

– Muito prazer. Venham comigo.

A Dra. Kensington conduziu as duas por um curto corredor até um consultório repleto de livros, diplomas e desenhos infantis. Atrás dela, um negatoscópio iluminava um monte de radiografias.

Claire as encarou, imaginando o que haveria ali para ser visto.

A médica se sentou à mesa e indicou as cadeiras à sua frente a Claire e Meghann, que se sentaram também.

– Eu lamento que tenham tido problemas com o Dr. Lannigan. Este aqui é um hospital universitário, como vocês sabem, e às vezes os nossos residentes não são tão zelosos quanto gostaríamos. A sua exigência por uma atenção mais cuidadosa foi um belo sinal de alerta para o Dr. Lannigan.

Claire assentiu.

– A Meghann tem talento para conseguir o que quer. Eu estou com sinusite?

– Não, Claire. Você tem uma massa no cérebro.

– O quê?

– Você tem uma massa. Um tumor. No cérebro. – A Dra. Kensington se levantou lentamente, foi até as radiografias e apontou para um ponto branco. – Parece do tamanho de uma bola de golfe e está localizada no lobo frontal direito, cruzando a linha mediana.

Tumor.

Claire sentiu como se tivesse sido arremessada de um avião. Não conseguia respirar; o teto estava ficando preto.

– Eu lamento dizer isso – prosseguiu a Dra. Kensington –, mas consultei um neurocirurgião e acreditamos ser inoperável. Você vai querer uma segunda opinião, claro. Também vai ser necessário consultar um oncologista.

Meu Deus.

Meghann estava de pé, colada à mesa como se estivesse prestes a agarrar a médica pelo pescoço.

– Está dizendo que ela tem um tumor no cérebro?

– Estou.

A médica retornou à mesa e se sentou.

– E que você não pode fazer nada?

– Acreditamos ser inoperável, sim, mas não disse que não podemos fazer nada.

– Meg, por favor. – Claire estava apavorada com a possibilidade de a irmã piorar as coisas. Encarou a médica com um olhar de súplica. – Você está... dizendo que eu posso morrer?

– Vamos precisar de mais exames para determinar a natureza exata desse tumor, mas... dado o tamanho e a localização da massa... o prognóstico não é bom.

– Inoperável quer dizer que *você* não opera – rosnou Meg, em um tom que dizia "não brinca comigo".

A Dra. Kensington pareceu surpresa.

– Não creio que alguém opere. Eu consultei o nosso melhor cirurgião. Ele concorda com o meu diagnóstico. O procedimento seria arriscado demais.

– Ah, sério? Ela poderia morrer, é? – retrucou Meg, furiosa. – *Quem* faz esse tipo de cirurgia?

– Ninguém neste hospital.

Meg pegou a bolsa.

– Vem, Claire. Nós estamos no hospital errado.

Claire lançou um olhar impotente para a Dra. Kensington, então para a irmã.

– Meg – implorou –, você não sabe de tudo. Por favor...

Meg foi até ela e se ajoelhou.

– Eu sei que não sei de tudo, Claire, e sei que posso ser muito arrogante. Eu sei até que já te decepcionei antes, mas nada disso importa agora. Deste segundo em diante, só o que importa é a sua vida.

Claire começou a chorar. Odiava se sentir frágil daquele jeito. De súbito, parecia mesmo à beira da morte.

– Confia em mim, Claire.

Ela encarou os olhos da irmã e recordou como Meg um dia fora tudo para ela. Lentamente, assentiu. Precisava de sua irmã mais velha outra vez.

Meghann a ajudou a se levantar, então virou-se para a médica.

– Vai lá ensinar o Dr. Lannigan a usar o termômetro. Nós vamos encontrar um médico que salve a vida dela.

VINTE E CINCO

Alguns anos antes, Claire passara por uma fase de gostar de filmes estrangeiros. Todo sábado à noite deixava Alison com Sam, entrava no carro e dirigia até um antigo cinema lindamente decorado, onde se perdia em meio às imagens em preto e branco na tela.

Era assim que se sentia agora: uma personagem sem cores, caminhando por um mundo cinzento e desconhecido. Os sons da cidade pareciam surdos e distantes; só ouvia as batidas fortes e constante de seu coração.

Como uma coisa daquelas podia acontecer com ela?

Do lado de fora do hospital, o mundo real a atingiu em cheio. Sirenes, buzinas e freios. Ela refreou o ímpeto de tapar os ouvidos.

Meghann a ajudou a entrar no carro. O abençoado silêncio a fez suspirar.

– Está tudo bem? – perguntou Meghann, e Claire teve a impressão de que a irmã já tinha feito a pergunta antes. Sua voz era ansiosa e penetrante.

Ela olhou para Meg.

– Eu estou com câncer? É isso que um tumor significa?

– A gente não sabe que droga você tem. Aqueles médicos de bosta com certeza não sabiam.

– Você viu a mancha naquele exame, Meg? Era *enorme*.

Claire sentiu um súbito cansaço. Queria fechar os olhos e dormir. Talvez de manhã as coisas estivessem melhores. Talvez descobrisse que havia sido tudo um engano.

Meghann a segurou e a sacudiu com força.

– Escuta aqui. Você precisa ser forte. Sem enrolar, sem desistir. Isso aqui não é a escola de cosmetologia, não é a faculdade, não dá para deixar pra lá.

– Eu estou com um tumor no cérebro e você joga na minha cara que eu larguei a faculdade. Você é inacreditável. – Claire queria estar com raiva, mas sentia as emoções muito distantes. Era difícil até pensar. – Eu nem estou me sentindo doente. Todo mundo tem dor de cabeça, não tem?

– Amanhã a gente vai procurar outros médicos. Primeiro vamos ver os do hospital Johns Hopkins. Depois os do Sloan-Kettering, em Nova York. Tem que haver algum cirurgião corajoso. – Os olhos de Meghann se encheram de lágrimas e sua voz fraquejou.

Ver Meg desabar assustou Claire ainda mais.

– Vai ficar tudo bem – disse ela, de maneira automática; confortar os outros era mais fácil do que pensar. – Você vai ver. A gente só precisar pensar positivo.

– Ter fé. Claro – disse Meghann, depois de uma longa pausa. – Você fica com a fé, que eu vou começar a descobrir tudo o que puder sobre o que você tem. Assim a gente cobre todas as áreas. A religião e a ciência.

– Tipo trabalho em equipe?

– Alguém tem que ficar do seu lado.

– Mas... você?

De repente, toda a infância se interpôs entre elas; todos os bons momentos e, sobretudo, os ruins.

Claire encarou a irmã.

– Se você entrar nessa comigo, vai ter que ficar mesmo que a coisa fique feia.

Meg olhou pela janela para um motorista que passava.

– Pode contar comigo.

Claire a puxou pelo queixo, encarando-a.

– Fala isso olhando para mim.

Meg fixou os olhos nela.

– Confie em mim.

– Eu só posso estar mesmo à beira da morte para concordar com *isso*. Que Deus me ajude. – Claire franziu o cenho. – Não quero contar para ninguém.

– Por que a gente contaria antes de sabermos com certeza?

– Isso só vai preocupar o papai e forçar o Bobby a voltar para casa. – Ela parou, engolindo em seco. – Não quero nem pensar em contar à Ali.

– A gente diz para todo mundo que eu vou te levar para passar uma semana num spa. Será que vão acreditar?

– O Bobby vai. A Ali também. O papai... não sei. Posso dizer que a gente precisa de um tempo juntas. Faz anos que ele insiste pra gente se entender. É. Acho que ele vai acreditar nisso.

Joe certa vez lera sobre uma espécie de sapo que vivia na planície de Serengeti, na África. Esses sapos, ao que parecia, depositavam seus ovos às margens lamacentas dos rios durante os períodos de monções, quando a terra estava preta e muito úmida. Com o tempo, porém, a umidade secava, e em Serengeti as secas às vezes eram intermináveis. Os ovos passavam anos presos no solo árido, cobertos de terra dura. O incrível era que, quando as chuvas enfim retornavam, os sapinhos recém-nascidos despontavam pela lama e saíam para encontrar seus pares e dar início a um novo ciclo de vida.

Era impossível, ele pensara à época, que a vida se adaptasse a tais condições.

Mas era como se sentia naquele momento, de certa forma. O encontro com os pais de Diana havia libertado algo dentro dele. Não a culpa, pelo menos não toda; mas o perdão deles, sua compreensão, suavizara aquele fardo. Pela primeira vez desde a morte da esposa, Joe conseguia caminhar de cabeça erguida. Acreditando que havia uma saída. Não a medicina. Ele não queria passar por aquilo nunca mais, não queria mais ver a morte tão de perto. Mas alguma coisa...

Então lá estava Meghann. Mal acreditava que ela telefonara. Convidara-o para jantar. O primeiro encontro de verdade com uma mulher em mais de quinze anos.

Ele não sabia nem como se preparar.

Ela não era como Diana. Não havia qualquer brandura em Meghann. Os momentos com ela não continham promessas, muito menos a de que haveria um instante seguinte. Mesmo quando atingiam o ápice da intimidade, quando estava dentro dela, Meghann às vezes virava o rosto para não encará-lo.

Ele sabia que o mais inteligente seria esquecê-la e afastar os desejos que ela despertara. Inteligente, porém impossível. Seria o mesmo que esperar que aqueles sapinhos sentissem o doce aroma da chuva e permanecessem escondidos sob a margem endurecida do rio. Milhares de anos de evolução haviam refinado certos instintos, de modo que não podiam ser ignorados.

Meghann, talvez ainda mais que o perdão dos Roloff, havia trazido Joe de volta à vida. Não podia dar as costas para ela agora.

Por causa dela, Joe – enfim – ousou ir à cidade. No intervalo do almoço, caminhou até a Main Street, de cabeça erguida, mas mantendo o rosto parcialmente escondido por um boné. Passou por dois senhores sentados do lado de fora da lojinha de ferramentas, cruzou com uma mulher que arrastava duas criancinhas para fora da sorveteria. Percebia as pessoas que apontavam para ele e cochichavam. Seguiu em frente.

Por fim, entrou na velha barbearia e sentou-se na cadeira vazia.

– Estou precisando aparar o cabelo – disse, sem fazer contato visual com Frank Hill, que cortara os cabelos de Joe pela primeira vez para a fotografia de turma do quarto ano.

– Está mesmo.

Frank terminou de varrer o chão, pegou um pente e uma tesoura. Depois de colocar um avental em Joe, começou a pentear seus cabelos.

– Levanta a cabeça.

Lentamente, Joe obedeceu. À sua frente, um espelho exibia o seu reflexo. Viu as marcas dos últimos anos. Tristeza e culpa haviam ressaltado as linhas em torno de seus olhos e o tom cinza de seus cabelos. Ele passou a meia hora seguinte ali, com o estômago embrulhado, de punhos cerrados, esperando que Frank o reconhecesse.

Ao fim, pagou Frank pelo corte de cabelo e se encaminhou para a porta.

– Pode voltar para me visitar quando quiser, Joe – disse Frank. – Você ainda tem amigos nessa cidade.

A acolhida carinhosa encheu Joe de coragem. Ele caminhou até o Swain's Mercantile, onde comprou roupas novas. Recebeu um sorriso de vários antigos conhecidos.

Retornou à oficina à uma da tarde e passou o resto do dia trabalhando.

– Deve ser a décima vez na última meia hora que você olha esse relógio – disse Smitty, às quatro e meia. Estava junto ao balcão de trabalho, montando um skate para dar ao neto de aniversário.

– Eu... é... eu tenho um compromisso – revelou Joe.

Smitty pegou um alicate.

– Não brinca.

Joe bateu o capô do caminhão.

– Pensei se de repente eu podia sair um pouquinho antes.

– Por mim, tudo bem.

– Valeu.

Joe olhou as próprias mãos; estavam pretas de graxa. Não iria tocar Meghann daquele jeito, por mais que a graxa sob as unhas não a tivesse incomodado antes. Era uma das coisas que ele gostava nela. As mulheres que conhecera no passado menosprezavam homens como o que ele havia se tornado.

– O que é que está rolando? Se me permite a pergunta – disse Smitty, aproximando-se.

– Vou receber uma amiga para jantar.

– Essa amiga tem um Porsche?

– Tem.

Smitty sorriu.

– Quer a churrasqueira emprestada? Pegar algumas flores do jardim da Helga, também?

– Eu não sabia como pedir.

– Caramba, Joe, é só pedir. Só abrir a boca e pedir por favor. Faz parte da relação entre amigos e colegas de trabalho.

– Obrigado.

– A Helga fez um cheesecake ontem à noite. Aposto que ainda sobraram umas fatias.

– A minha amiga vai trazer a sobremesa.

– Ah, todo mundo contribui, não é? Na minha época a gente não fazia isso, não. Mas também, na minha época, os homens não cozinhavam nada. – Ele deu uma piscadela. – Pelo menos não no fogão. Aproveita a noite, Joe.

Cantarolando uma melodia alegre, ele retornou ao balcão.

Joe enfiou o pano sujo no bolso de trás e saiu da oficina. A caminho do casebre, parou na casa de Smitty, conversou alguns minutos com Helga e saiu carregando a pequena churrasqueira. Acomodou-a no quintal da frente e encheu o fundo com o carvão comprado de manhã.

Dentro de casa, ele olhou em volta, repassando mentalmente o que havia a ser feito.

Untar as batatas com óleo, enrolar em papel-alumínio e furar com garfo.

Debulhar o milho.

Temperar a carne.

Arrumar as flores no vaso com água.

Pôr a mesa.

Ele olhou o relógio.

Ela chegaria em noventa minutos.

Ele tomou banho, fez a barba, vestiu as roupas novas e foi para a cozinha.

Durante a hora seguinte, passou de uma tarefa à outra, até que as batatas estivessem no forno, o milho, sobre o fogão, as flores, na mesa, e as velas, acesas.

Por fim, estava tudo pronto. Serviu uma taça de vinho e foi para a sala esperar por ela.

Sentou-se no sofá e esticou as pernas.

De seu lugar na cornija da lareira, Diana sorria para ele.

Joe sentiu uma pontada de culpa, como se estivesse fazendo algo errado. Era bobagem; não estava sendo infiel.

Mesmo assim...

Ele apoiou a taça de vinho na mesinha de centro e caminhou até ela.

– Oi, Di – sussurrou, pegando a fotografia.

Era uma de suas preferidas, tirada no réveillon que passaram na montanha Whistler. Ela usava um lindo gorro de pelos e uma parca prateada. Parecia incrivelmente jovem e bela.

Durante três anos, ele entregara seu coração àquela mulher, contara tudo a ela; de repente, não conseguia pensar em nada a dizer. Atrás dele, as velas tremeluziam sobre a mesa posta para dois.

Ele tocou a fotografia. Sentiu o vidro frio e pegajoso.

– Eu vou te amar para sempre.

Era verdade. Diana sempre seria seu primeiro – e talvez o melhor – amor.

Mas precisava recomeçar.

Joe recolheu as fotografias, uma por uma, deixando um único porta-retratos na mesinha de canto. Só um. Guardou todo o restante no quarto, com muito cuidado. Mais tarde, devolveria algumas à casa da irmã.

Ao voltar para a sala e se sentar outra vez, abriu um sorriso, pensando em Meghann. Ansioso pela noite.

Às nove e meia, o sorriso tinha sumido.

Continuava no sofá, sozinho, já meio bêbado, com uma garrafa vazia de vinho ao lado. As batatas haviam murchado de tanto assar e as velas já estavam quase no fim. A porta da frente continuava aberta, receptiva, mas a rua à frente estava vazia.

À meia-noite, ele foi para a cama, sozinho.

Ao longo dos nove dias anteriores, Meghann e Claire tinham consultado inúmeros especialistas. Era impressionante a rapidez com que alguém com dinheiro e um tumor no cérebro conseguia uma consulta. Neurologistas. Neurocirurgiões. Neuro-oncologistas. Radioterapeutas. Elas foram aos hospitais Johns Hopkins, Sloan-Kettering e Scripps. Quando não estavam dentro de um avião, estavam em salas de espera de hospitais e em consultórios médicos. Aprenderam dezenas de palavras novas e assustadoras. *Glioblastoma. Astrocitoma anaplásico. Craniotomia.* Alguns médicos eram amorosos e compassivos; a maioria era fria e distante, ocupada demais para conversar por muito tempo. Todos tinham delineado opções de tratamento horrivelmente parecidos e as encaixado em estatísticas muito pouco esperançosas.

E todos diziam a mesma coisa: *inoperável.* Não interessava se o tumor de Claire era maligno ou benigno; de qualquer jeito, podia ser fatal. A maioria dos especialistas acreditava que o tumor fosse um glioblastoma multiforme. Um tipo que chamavam de exterminador. Ha-ha.

A cada vez que deixavam uma cidade, Meghann depositava sua esperança no destino seguinte.

Até que um neurologista do Scripps chamou-a em um canto.

– Olha – disse o médico. – Vocês estão perdendo um tempo precioso. A radioterapia é a maior esperança da sua irmã neste momento. Um quarto dos tumores cerebrais responde bem ao tratamento. Se ele reduzir bastante, talvez seja possível operar. Leva sua irmã para casa. Parem de lutar contra o diagnóstico e comecem a lutar contra o tumor.

Claire concordara, então foram para casa. No dia seguinte, Meghann levou-a até o Swedish Hospital, onde outro neuro-oncologista disse o mesmo e um radioterapeuta endossou a opinião. Os dois concordaram em dar início à radioterapia no dia seguinte.

Todos os dias, durante quatro semanas.

– Eu vou precisar ficar aqui durante o tratamento – disse Claire, sentada em frente à lareira de pedra no apartamento de Meg. – Hayden é muito longe.

– Claro. Vou ligar para a Julie e tirar mais um tempo do trabalho.

– Não precisa fazer isso. Eu posso ir de ônibus para o hospital.

– Eu não vou nem me dignar a responder. Nem *eu* sou tão escrota assim.

Claire olhou pela janela.

– Uma amiga minha fez químio e radioterapia...

Ela encarou a cidade reluzente, mas tudo o que viu foi Diana definhando, perdendo a alma e os cabelos. No fim, os tratamentos não adiantaram de nada.

– Eu não quero que a Ali me veja assim. Ela pode ficar com o meu pai. A gente vai visitar todo fim de semana.

– Eu alugo um carro para o Bobby. Assim vocês podem ir e vir.

– Eu não vou contar para o Bobby... por enquanto.

Meghann não pôde acreditar.

– O quê?

– Não vou ligar para o meu marido, com quem acabei de me casar, e contar que estou com um tumor no cérebro. Ele vai voltar para casa e eu não ia aguentar isso. – Claire olhou para ela. – Ele esperou a vida toda por essa chance. Eu não quero estragar tudo.

– Mas se ele te ama...

– Ele *ama* – respondeu Claire ferozmente. – É essa a questão. E eu o amo. Quero que ele tenha essa chance. Além do mais, Bobby não ia poder fazer nada além de segurar a minha mão.

– Eu achei que o propósito do amor fosse dar apoio nos momentos difíceis.

– É isso o que eu estou fazendo.

– Ah, é? Para mim parece que você está com medo de ele não querer voltar.

– Cala a boca.

Meghann caminhou até a irmã e sentou-se ao lado dela.

– Eu sei que você está com medo, Claire. E sei que a mamãe e eu te abandonamos, há muito tempo. Eu sei... a gente te magoou. Mas você precisa dar ao Bobby a chance de...

– Isso não tem nada a ver com o passado.

– A minha psiquiatra diz que tudo tem a ver com o passado e estou começando a concordar com ela. A questão é...

– Não vem me dizer qual é a questão da minha própria vida. Por favor. – A voz de Claire falhou. – Sou eu quem está com um tumor. Eu. Não vem querer organizar nem criticar as minhas escolhas, ok? Eu amo o Bobby e *não* vou pedir que ele sacrifique tudo por mim. – Claire se levantou. – É melhor a gente ir. Preciso contar ao papai o que está acontecendo.

– E a mamãe?

– O que tem ela?

– Você quer ligar para ela?

– E ouvir ela falar que está muito ocupada para visitar a própria filha porque tem que escolher o estofado novo do sofá? Não, obrigada. Se eu piorar, ligo para ela. Você sabe que ela odeia dramalhões desnecessários. Agora vamos.

Duas horas depois, Meg dobrou a curva da River Road e elas chegaram à casa de Sam. O sol de fim de tarde banhava as laterais de telha, dava um tom alaranjado aos botões de rosa. O jardim era uma profusão de cores. Uma pequena bicicleta com rodinhas laterais jazia largada na grama crescida.

– Ai, meu Deus – sussurrou Claire.

– Você consegue – disse Meg. – A radioterapia pode te salvar. Lembra o que a gente conversou. Eu te ajudo.

Claire abriu um sorriso trêmulo.

– Eu preciso fazer isso sozinha.

Meg compreendia. Aquela era a família de Claire, não a dela.

– Tudo bem.

Claire saiu do carro, hesitante. Meg foi andando ao seu lado, oferecendo o braço como apoio.

Diante da porta, Claire parou e respirou fundo.

– Eu consigo. A mamãe está doente.

– E os médicos vão fazer ela melhorar – completou Meg.

Claire lançou um olhar impotente para a irmã.

– Como é que eu posso prometer uma coisa dessas? E se...

– A gente já conversou sobre isso, Claire. Você promete. Depois a gente pensa no "e se".

Claire assentiu.

– Tem razão.

Forçando um sorriso, ela abriu a porta.

Sam estava sentado no sofá, usando um macacão velho, sorrindo.

– Ei, vocês duas estão atrasadas. Como foi a semana no spa?

A meio caminho da frase, o sorriso morreu. Olhou para Claire, então para Meghann. Lentamente, Sam se levantou.

– O que houve?

Alison estava no chão, brincando com um curralzinho.

– Mamãe! – gritou ela, levantando-se e correndo até as duas.

Claire caiu de joelhos e tomou Alison nos braços.

Meghann viu que a irmã estava trêmula; quis estender a mão e pegá-la no colo, como quando eram pequenas. Sentiu uma súbita onda de raiva. Como aquilo podia estar acontecendo a *Claire*? Como sua irmã olharia a filha nos olhos e diria *estou doente* sem cair em prantos?

– *Ma-nhê* – disse Alison, por fim –, você está me *esmagando*. – Ela se desvencilhou dos braços de Claire. – Você trouxe um presente para mim? A gente pode ir todo mundo para o Havaí no Natal? O vovô falou...

Claire se levantou e olhou nervosa para Meghann.

– Me pega às seis, está bem? – Então, sorrindo, Claire encarou seu pai e sua filha. – Eu preciso falar com vocês dois.

Meghann jamais vira tamanha coragem.

Eu preciso fazer isso sozinha.

Ela saiu da casa, correu para a segurança do carro e foi embora.

Nem sabia aonde estava indo até chegar lá.

O casebre estava escuro; parecia vazio.

Meghann estacionou e desligou o motor. Deixou a bolsa no carro, atravessou a rua, caminhou até a porta da frente e bateu.

Ele abriu.

– Você só pode estar de brincadeira.

Foi só então que Meghann se lembrou do encontro. Ela ia levar o vinho e a sobremesa. Parecia que décadas haviam se passado. Ela olhou para dentro da casa, viu um buquê de flores mortas na mesinha de centro e torceu que ele não as tivesse comprado para o encontro. Mas claro que tinha. Por quanto tempo esperara, pensou ela, até acabar jantando sozinho?

– Me desculpa. Eu esqueci.

– Me dê um bom motivo para não bater essa porta na sua cara.

Meghann ergueu o olhar para ele, sentindo-se tão frágil que mal conseguia respirar.

– A minha irmã está com um tumor no cérebro.

A expressão de Joe mudou na mesma hora. Algo surgiu nos olhos dele, uma espécie de angustiante compreensão, que a faz imaginar por que situações sombrias ele já passara na vida.

– Ah, meu Deus.

Ele abriu os braços e Meghann se aproximou. Pela primeira vez em muitos anos, permitiu-se chorar de verdade.

Joe estava na varanda, olhando o cair da noite. No parque do outro lado da rua, uns meninos jogavam beisebol. De vez em quando, um urro da torcida ecoava em meio ao silêncio. Tirando isso, havia apenas o som de uma brisa fria remexendo as folhas de madressilva.

Tinha sido melhor ficar bravo com Meghann depois que ela faltou ao encontro. Quando ela correu para os seus braços e o encarou com os olhos cheios de lágrimas, ele sentiu um desejo desesperado de ajudá-la.

A minha irmã está com um tumor no cérebro.

Ele fechou os olhos, sem querer recordar, sem querer se sentir daquele jeito.

Abraçara Meghann durante quase uma hora. Ela chorou até as lágrimas secarem, então caiu em um sono agitado. Ele imaginou que fosse a primeira vez em dias que ela dormia.

Ele sabia. Depois de um diagnóstico como aquele, ou a pessoa dormia muito ou não dormia nada.

Os dois não haviam conversado nada de importante. Ele apenas afagara seus cabelos, beijara sua testa e abrira os braços para ela chorar.

Não conseguia pensar nisso sem sentir vergonha.

Atrás dele, a porta de tela se abriu, então se fechou. Joe se empertigou, incapaz de se virar para olhá-la. E quando virou, viu que ela estava constrangida.

Meg tinha as bochechas rosadas e seus deslumbrantes cabelos estavam desgrenhados. Ela tentou sorrir, e isso cortou o coração de Joe.

– Vou te recomendar para uma medalha de Honra ao Mérito.

Ele quis tomá-la nos braços outra vez, mas não ousou fazer isso. Por mais que Meghann não soubesse, as coisas entre eles haviam mudado. Hospitais. Tumores. Morte, agonia e doença.

Ele não podia voltar a se meter com tudo aquilo. Acabara de sobreviver ao primeiro round.

– Não tem nada de errado em chorar.

– Acho que não. Mas também não ajuda muito.

Ela se aproximou; Joe se perguntou se ela percebia que estava esfregando as mãos.

Teve a sensação de que aquele período em seus braços havia sido, ao mesmo tempo, angustiante e apaziguador para Meghann. Como se odiasse admitir a própria carência. Ele passara muitos anos sozinho, o bastante para compreender.

– Eu quero te agradecer por... sei lá. Por me acolher. Eu não devia ter aparecido assim.

Joe sabia que ela esperava que ele argumentasse, que dissesse estar feliz por ela ter vindo.

Frente a seu silêncio, Meghann recuou.

– Acho que passei um pouco dos limites. Entendo totalmente. Também odeio gente carente. Bom. É melhor eu ir. A Claire começa a radioterapia amanhã.

Ele não conseguiu se conter:

– Onde?

Meghann parou e se virou para ele.

– Swedish Hospital.

– Vocês procuraram outras opiniões?

– Está brincando? Pedimos a opinião dos melhores médicos do país. Eles não concordaram em tudo, mas *inoperável* foi ponto pacífico.

– Tem um cara, um neurocirurgião da UCLA. Stu Weissman. Ele é ótimo.

Meghann o observava.

– Todos eles eram bons. E todos disseram a mesma coisa. Como é que você conhece o Weissman?

– Eu estudei com ele.

– Na faculdade?

– Não precisa ficar tão surpresa. Só porque eu vivo assim agora não quer dizer que sempre vivi.

– A gente não sabe nada um do outro.

– Talvez seja melhor assim.

– Normalmente eu teria uma resposta engraçadinha, mas estou meio lenta hoje. Uma irmã com tumor no cérebro causa esse efeito. Finge que eu fui sagaz. – A voz dela falhou um pouco.

Meg deu meia-volta e foi embora. Joe quis ir atrás dela, pedir desculpas e contar a verdade, quem ele era, o que havia passado. Assim talvez ela compreendesse por que tinha assuntos em que ele não podia se meter. Mas Joe não se mexeu.

Ao entrar de novo em casa, viu a última fotografia que restava de Diana a encará-lo na cornija da lareira. Pela primeira vez percebeu o brilho acusativo de seu olhar.

– O quê? Eu não posso fazer isso.

Alison escutou atentamente a explicação de Claire sobre o "dodói" do tamanho de uma bola de golfe no cérebro da mamãe.

– Uma bola de golfe é pequena – disse ela, por fim.

Claire assentiu, sorrindo.

– É. É, sim.

– E uma arma especial vai soltar raios mágicos nela até ela sumir? Tipo esfregar a lâmpada mágica do Aladdin?

– Exatamente isso.

– Por que você tem que ir morar com a tia Meg?

– É que o hospital fica muito longe. Eu não posso ir e voltar todos os dias.

– Tá bom – disse Ali. Então se levantou e correu para o segundo andar. – Já volto, mamãe! – gritou ela lá de cima.

– Você ainda não olhou para mim – disse Sam, depois que Ali saiu.

– Eu sei.

Ele se levantou, cruzou a sala e sentou-se ao lado dela. Claire sentiu o calor familiar e reconfortante de seu pai quando ele a abraçou. Recostou a cabeça na curva do ombro dele e sentiu lágrimas pingando em seu rosto; então soube que ele estava chorando.

– Eu posso te levar e te buscar, você sabe – disse ele, baixinho, e Claire sentiu uma onda de afeto.

Mas ela não queria definhar diante dele. Ela e Meghann haviam lido a respeito da radioterapia; quando o foco era o cérebro, o tratamento podia destruir a pessoa. Precisaria de toda a força possível para enfrentar aquilo. Não queria voltar para casa toda noite e ver seu reflexo nos olhos do pai.

– Eu sei disso. Você sempre ficou do meu lado.

Ele soltou um suspiro pesado e secou os olhos.

– Você já contou para o Bobby?

– Ainda não.

– Mas vai contar?

– Claro que vou. Assim que ele terminar lá em Nashville...

– Não.

Claire o encarou, confusa com a súbita dureza em sua voz.

– O quê?

– Eu não fiquei sabendo da gravidez da sua mãe. Já te contei isso?

– Já contou.

– Um dia fui até a farmácia e quando voltei ela tinha ido embora. Tentei entrar em contato, mas você conhece a Ellie; quando ela some, ela some. Eu voltei ao trabalho na fábrica de papel e tentei esquecer. Levei um bom tempo.

Claire segurou a mão dele.

– Eu sei de tudo isso.

– Você não sabe de tudo. Quando a Meg me ligou para ir te buscar, eu passei de um homem sozinho no mundo a pai de uma menina de 9 anos. Odiei a Ellie de um jeito que você não imagina. Precisei de anos para esquecer toda a raiva por ela ter me roubado a sua infância. Eu só conseguia pensar no que tinha perdido... seu nascimento, suas primeiras palavras, os primeiros passos. Eu nunca te peguei no colo, não de verdade.

– E o que isso tem a ver com o Bobby?

– Você não pode tomar decisões pelos outros, Claire, ainda mais por quem te ama.

– Mas a gente pode se sacrificar por eles. Amor não é isso?

– Você acha que isso é sacrifício? E se ele achar que é egoísmo? Se... o pior acontecer, você vai ter tirado dele a única coisa que importa. O tempo.

Claire encarou o pai.

– Eu não posso contar para ele, pai. Não posso.

– Eu queria matar a Ellie pelo que ela fez com você e a Meg.

– Isso não tem nada a ver com a mamãe ter abandonado a gente – disse Claire. – Tem a ver com o meu amor pelo Bobby. Eu não vou fazê-lo desistir da chance da vida dele por minha causa.

Antes que seu pai pudesse dizer qualquer coisa, Alison entrou na sala arrastando o cobertorzinho surrado e manchado com o qual dormira todas as noites de sua vida.

– Aqui, mãe – disse ela –, fica com a minha naninha até você melhorar.

Claire tomou nas mãos o cobertor rosa desbotado. Não conseguiu evitar; levou-o ao rosto e inspirou a doçura de seu cheirinho infantil.

– Obrigada, Ali – disse ela, com voz rouca.

Alison se aninhou em seus braços e a abraçou.

– Tudo bem, mãe. Não chora. Eu já sou grande. Consigo dormir sem a minha naninha.

VINTE E SEIS

Meghann estava na sala de espera, tentando ler a edição mais recente da *People*. Na chamada de capa era "As mais – e as menos – elegantes". Honestamente, ela não conseguia ver diferença. Por fim, largou a revista sobre a mesa de madeira barata a seu lado. O relógio na parede marcou a passagem de mais um minuto.

Ela retornou ao balcão da recepção.

– Já passou mais de uma hora. Tem certeza de que está tudo bem com a minha irmã? Claire...

– Austin, eu sei. Falei com a sala de radioterapia faz cinco minutos. Ela está quase terminando.

Meghann se conteve e não respondeu que havia recebido a mesma resposta quinze minutos antes. Em vez disso, deu um suspiro profundo e retornou à poltrona. A única revista que havia sobrado para ler era uma sobre caça. Ela ignorou.

Enfim, Claire apareceu.

Meghann se levantou devagar. Havia uma pequena área raspada do lado direito da cabeça da irmã.

– Como foi?

Claire tocou a área careca.

– Eles me tatuaram. Estou me sentindo que nem o Damien... aquele garoto de *A profecia*.

Meg encarou os pequeninos pontos pretos na pele clara e raspada.

– Eu posso ajeitar o seu cabelo para você não ver... você sabe.

– A parte careca? Seria ótimo.

Elas se entreolharam em silêncio por cerca de um minuto.

– Bom, então vamos – disse Meghann, por fim.

Caminharam pelo hospital e foram até o estacionamento.

No breve trajeto para casa, Meghann tentou pensar no que dizer. Precisava ter cuidado, falar a coisa certa. Fosse o que fosse.

– Não doeu nada – disse Claire.

– Sério? Que bom.

– Mas foi difícil ficar parada.

– Ah... claro. Não tem como não ser.

– Eu fechei o olho e imaginei que eram raios de sol. Raios de cura. Como naquele artigo que você me deu.

Meg havia entregado à irmã uma pilha de escritos sobre pensamento positivo e visualização. Até então, não sabia se Claire havia lido.

– Que bom que ajudou. A moça do centro de pesquisa do câncer ficou de mandar mais uma caixa cheia de coisas.

Claire se inclinou no banco e olhou pela janela.

Daquele lado, ela parecia perfeitamente normal. Meghann desejou poder dizer algo relevante; ainda havia muita coisa não dita entre elas.

Com um suspiro, adentrou a garagem subterrânea e estacionou em sua vaga.

Ainda em silêncio, as duas subiram. No apartamento, Meghann se virou para Claire, encarando um segundo a mais a área sem cabelo.

– Quer comer alguma coisa?

– Não. – Claire a tocou de leve, os dedos gelados. – Obrigada por ir comigo hoje. Foi bom não estar sozinha.

Quando seus olhares se encontraram, Meghann sentiu mais uma vez o peso da distância entre elas.

– Acho que vou me deitar. Não dormi bem ontem à noite – disse Claire.

Então as duas haviam passado a noite em claro, cada uma encarando o próprio teto. Meghann desejou ter ido ao quarto de Claire durante a noite, sentado em sua cama e conversado sobre as coisas importantes.

– Eu também.

Claire assentiu. Esperou mais um segundo, então deu meia-volta e foi para o quarto.

Meghann observou a porta se fechar lentamente. Permaneceu ali parada, ouvindo os passos arrastados da irmã do outro lado. Imaginou se Claire estaria andando mais devagar lá dentro, se estaria com medo. Se estaria olhando o pequeno pedaço de pele rosada e tatuada no espelho. Será que a fachada forte de Claire desmoronava na privacidade daquele quarto?

Meg rezou para que não enquanto ia até o terceiro quarto do apartamento, que servia de escritório. Outrora, a mesa de vidro vivia abarrotada de arquivos, petições e depoimentos. Agora estava escondida sob livros de medicina, biografias, artigos da Associação Médica Americana e literatura sobre casos clínicos. Todos os dias chegavam mais caixas da Barnes & Noble e da Amazon.

Meghann sentou-se à mesa. Sua leitura do dia era mais um livro sobre como lidar com o câncer. Jazia aberto em um capítulo chamado "Não pare de falar bem quando é hora de começar".

Este momento trágico, leu ela, *pode também trazer crescimento e oportunidades. Não apenas para o paciente, mas para a família. Pode ser uma chance de aproximação entre você e seus entes amados.*

Meghann fechou o livro e pegou um artigo da Associação Médica Americana sobre os potenciais benefícios do tamoxifeno na redução de tumores.

Abriu um bloquinho e começou a tomar notas. Escreveu com ímpeto, sem parar. Horas depois, ao erguer os olhos, viu Claire parada na porta, sorrindo para ela.

– Por que é que eu tenho a sensação de que você está planejando virar cirurgiã para fazer essa cirurgia?

– Eu já sei mais sobre a sua condição do que o primeiro imbecil que nos atendeu.

Claire entrou no escritório, tomando o cuidado de não pisar nas caixas da Amazon vazias e nas revistas que haviam sido descartadas. Encarou os blocos de notas rabiscados e as canetas sem tinta.

– Não me admira você ser a melhor advogada da cidade.

– Eu sou boa de pesquisa. Estou realmente começando a entender da sua doença. Preparei uma espécie de resumo para você... uma sinopse de tudo o que ei já li.

– Acho melhor eu mesma ler essas coisas, né?

– Tem partes que são... difíceis.

Claire estendeu a mão para o gaveteiro do lado esquerdo da mesa. Em cima havia uma pasta parda com a palavra "Esperança" escrita em caneta vermelha em uma etiqueta. Ela a pegou.

– Não – disse Meg. – Eu acabei de começar.

Claire abriu a pasta. Estava vazia. Ela olhou para Meghann.

– Isso aqui vai aí dentro – disse Meg rapidamente, arrancando algumas páginas do bloco. – Tamoxifeno.

– Medicamentos?

– Deve ter gente que derrotou esse tipo de tumor – disse Meghann com firmeza. – Eu vou encontrar todas elas e botar a história aí. É para isso que vai servir essa pasta.

Claire se debruçou e pegou uma folha de papel em branco. Escreveu seu nome nela, então botou o papel na pasta e retornou-a ao seu lugar.

Meg encarou a irmã, estupefata.

– Você é incrível. Sabia disso?

– As meninas Sullivan são duras na queda.

– Tivemos que ser.

Meg sorriu. Pela primeira vez naquele dia, sentiu que conseguia respirar com facilidade.

– Quer ver um filme?

– Qualquer coisa menos *Love Story*.

Meg fez menção de se levantar.

A campainha tocou.

– Quem será? – disse ela, franzindo o cenho.

– Parece até que você nunca recebe visita.

Meghann passou por Claire e foi até a porta. Ao chegar, a campainha já havia tocado oito vezes.

– Bela porcaria de porteiro – resmungou, abrindo a porta.

Gina, Charlotte e Karen estavam aglomeradas na soleira.

– Cadê a nossa garota? – gritou Karen.

Claire surgiu e a gritaria começou. Karen e Charlotte avançaram, murmurando oi para Meghann, e abraçaram Claire com força.

– O Sam ligou pra gente – disse Gina quando ficou a sós com Meghann no corredor. – Como é que ela está?

– Acho que bem. Foi tudo certo na radioterapia, eu acho. Ela vai todo dia por quatro semanas. – Diante do olhar assustado de Gina, Meghann acrescentou: – Ela não queria preocupar vocês.

– Ah, claro. Ela não pode passar por uma coisa dessa sozinha.

– Eu estou aqui – respondeu Meghann, magoada.

Gina apertou seu braço.

– Ela vai precisar de todas nós.

Meghann assentiu, encarando Gina.

– Me liga. Quando quiser – disse a mulher, baixinho.

– Valeu.

Depois disso, Gina passou por Meg e foi até a sala.

– Beleza – disse, em tom animado –, trouxemos coisas para fazer um spa em casa, pipoca melequenta, filmes hilários e jogos, claro. Por onde a gente começa?

Meghann observou as quatro melhores amigas se juntarem; todas falavam ao mesmo tempo. Ela não se aproximou e também não foi chamada.

Por fim, voltou ao escritório e fechou a porta. Sentada ali, lendo o trabalho mais recente sobre quimioterapia e a barreira de sangue do cérebro, ouvia o som alto e claro da risada da irmã.

Ela pegou o telefone e ligou para Elizabeth.

– Oi – disse Meg baixinho quando a amiga atendeu.

– O que foi? – indagou Elizabeth. – Você está estranha.

– Claire – foi só o que conseguiu dizer antes de começar a chorar.

Joe estava esparramado no sofá, tomando uma cerveja. A terceira. Estava principalmente tentando não pensar.

Sua efêmera chance de redenção – aquela que na semana anterior cintilara feito um oásis em um escaldante deserto – havia desaparecido. Ele devia ter percebido que era uma miragem.

Não havia como recomeçar. Não tinha coragem para isso. Imaginara, tivera a esperança, de que com Meg ele seria mais forte.

– Meg – sussurrou, fechando os olhos.

Fez uma oração para ela e a irmã. Era só o que podia fazer agora.

Meg.

Ela não saía de sua cabeça. Continuava pensando nela, recordando, desejando. Por isso começara a beber.

Não era exatamente saudade o que sentia. Afinal, ele nem sequer sabia o sobrenome dela. Não sabia onde morava, nem quais eram seus passatempos.

O que o afligia era a *ideia* dela. Aqueles poucos momentos – doces e inesperados – em que ousara caminhar por antigas estradas. Ele se permitira desejar alguém, acreditar em um novo futuro.

Bebeu um longo gole. Não ajudou.

Na cozinha, o telefone tocou. Ele se levantou e se aproximou do aparelho. Provavelmente era Gina, ligando para saber se estava tudo bem. Ele não fazia ideia do que dizer a ela.

Mas não era Gina. Era Henry Roloff, seu ex-sogro, em um tom preocupado.

– Joe? Você pode me encontrar para um café? Daqui a uma hora, de repente?

– Está tudo bem?

– Que tal no Whitewater Diner? Às três?

Joe esperava conseguir caminhar em linha reta.

– Claro.

Ele desligou e foi tomar banho.

Uma hora depois estava vestido em suas roupas novas, caminhando pela Main Street. Ainda estava um pouco embriagado, mas isso até que era bom. Já podia notar as pessoas a encará-lo, cochichando a seu respeito.

Precisou de muita força de vontade para sorrir quando uma garçonete – desconhecida, graças a Deus – o encaminhou até uma mesa.

Henry já estava lá.

– Oi Joe. Obrigado por vir tão depressa.

– Eu estava à toa. É sábado. A oficina está fechada.

Ele afundou no assento.

Henry passou uns minutos falando sobre o jardim de Tina e as férias de inverno que haviam passado em St. Croix, mas Joe sabia que era só introdução para outro assunto. Percebeu que estava ficando tenso.

Por fim, não aguentou o suspense.

– O que houve, Henry?

O homem parou no meio de uma frase e ergueu o olhar.

– Eu quero te pedir um favor.

– Eu faço qualquer coisa por você, Henry. Você sabe disso. Do que precisa?

Henry enfiou a mão sob a mesa e pegou um grande envelope pardo.

Joe sabia o que era. Ele se recostou, estendendo as mãos como se fosse aparar um golpe.

– Tudo menos isso, Henry – disse ele. – Eu não posso voltar a isso.

– Eu só quero que você dê uma olhada. A paciente é... – O bipe de Henry tocou. – Só um minuto.

Ele pegou o celular e digitou um número.

Joe encarava o envelope. O prontuário médico de alguém. Um registro de dor e sofrimento.

Não podia voltar àquele mundo. De jeito nenhum. Quando um homem perdia sua fé e confiança de maneira tão profunda quanto Joe, não havia como voltar atrás. Além do mais, ele não podia mais praticar medicina. Tinha deixado a licença expirar.

Ele se levantou.

– Desculpa, Henry – disse ele, interrompendo a ligação. – Os meus dias de consulta acabaram.

– Espera – disse Henry, erguendo a mão.

Joe se afastou da mesa, deu meia-volta e saiu do restaurante.

Embora a radioterapia durasse apenas alguns minutos por dia, o tratamento se tornou o centro da vida de Claire. No quarto dia, ela estava cansada e nauseada. Muito piores que os efeitos colaterais, no entanto, eram os telefonemas.

Todos os dias ela ligava para casa exatamente ao meio-dia. Ali sempre atendia ao primeiro toque e perguntava se o dodói já tinha sarado, então seu pai pegava o telefone e fazia a mesma pergunta, mas de maneira diferente. A força necessária para fingir já estava se exaurindo.

Meghann permanecia a seu lado em todas as ligações. Quase não ia mais ao escritório. Talvez umas três horas por dia, no máximo. O resto do tempo ela passava debruçada sobre livros e artigos, ou colada à internet. Cuidava da questão do tumor da mesma forma com que outrora perseguia maridos caloteiros.

Claire ficava agradecida; lia tudo o que Meghann lhe entregava. Até concordara em tomar o "CTC" – coquetel do tumor cerebral – que Meghann desenvolvera com base nas pesquisas. Continha todos os tipos de vitaminas e minerais.

Conversavam diariamente sobre tratamentos, prognósticos e experimentos. O que não conversavam era sobre o futuro. Claire não conseguia encontrar a coragem para dizer *estou com medo* e Meg nunca perguntava.

A única hora em que Meg se dispunha a dar uma sumida era às duas da tarde – a hora da ligação para Bobby.

Claire estava sozinha na sala de estar naquele momento. Na cozinha, o alarme das duas horas tocava. Como sempre, Meg tinha ouvido e inventado uma desculpa para sair da sala.

Claire pegou o telefone e discou o novo número de celular de Bobby.

Ele atendeu ao primeiro toque.

– Oi, amor – disse ele. – Você está dois minutos atrasada.

A voz de Bobby invadiu seu corpo gélido, aquecendo-o. Claire se reclinou nas almofadas felpudas do sofá.

– Me conta do seu dia.

Ela havia descoberto que era mais fácil ouvir do que falar. A princípio, conseguia rir das histórias dele e inventar mentiras rebuscadas. Ultimamente, porém, sua mente andava um pouco nebulosa e a exaustão era quase insuportável. Ela se perguntou quanto tempo levaria até que ele percebesse que ela passava todas as conversas só escutando, ou que sua voz quase sempre embargava ao dizer "eu te amo".

– Hoje eu conheci o George Strait. Acredita nisso? Ele passou uma música chamada "Dark Country Corners", daí comentou que combinaria com a minha voz. Eu ouvi a música e achei ótima.

Ele começou a cantar para ela.

Um soluço ficou travado na garganta. Claire precisou sufocá-lo antes que caísse no choro.

– Que linda. Entra nas dez mais, sem dúvida.

– Está tudo bem, amor?

– Tudo ótimo. Todo mundo está ótimo aqui. A Meg e eu temos passado muito tempo juntas; você nem acredita. E a Ali e o Sam mandam beijos.

– Manda outro para eles. Estou com saudade, Claire.

– Eu também. Mas são só mais umas semanas.

– Kent acha que até a semana que vem a gente deve ter escolhido todas as músicas. Depois vamos para o estúdio. Você acha que conseguiria vir para cá nessa parte? Eu ia adorar cantar para você.

– Quem sabe – respondeu ela, pensando em qual mentira inventaria da próxima vez. Estava exausta demais para pensar em alguma imediatamente. – Você está aproveitando cada momento?

– Tanto quanto consigo aproveitar qualquer coisa sem você. Mas sim, estou.

Ela estava fazendo a coisa certa. Estava *sim*.

– Bom, amor, eu tenho que ir. A Meg vai me levar para almoçar. E depois vamos fazer a unha no Gene Juarez Spa.

– Achei que você tinha feito a unha ontem.

Claire estremeceu.

– Ah. É que foi o pé. Eu te amo.

– Eu também te amo, Claire. É... está mesmo tudo bem?

Ela sentiu outra vez a pontada das lágrimas.

– Está tudo perfeito.

– Preparei um piquenique para o almoço – disse Meghann no dia seguinte, depois de mais uma sessão.

– Eu não estou com muita fome – respondeu Claire.

– Eu sei. Só pensei...

Claire fez um esforço para não pensar só em si mesma. Infelizmente, também estava ficando difícil fazer isso.

– Você tem razão. O dia está lindo.

Meghann a conduziu ao carro. Em poucos minutos estavam na rodovia. À esquerda, o lago Union cintilava à luz do sol. Elas passaram pelas fachadas góticas de tijolos da Universidade de Washington, então seguiram para a ponte flutuante.

O lago Washington estava cheio. Barcos iam e vinham, arrastando os praticantes de jet ski.

Na ilha Mercer, Meghann saiu da rodovia e adentrou uma avenida de três faixas. Estacionou em frente a uma linda casa de telhas cinza.

– Essa casa é da minha sócia. Ela disse que a gente podia vir passar a tarde.

– Não acredito que ela ainda não desfez a sociedade, com o tanto de tempo que você tem tirado de folga.

Meghann ajudou Claire a sair do carro e descer o trecho gramado até o deque de madeira que cortava a água azul.

– Lembra do lago Winobee? – perguntou ela, conduzindo Claire até o fim do deque e ajudando-a a se sentar sem cair.

– No verão que eu ganhei aquele biquíni cor-de-rosa?

Meghann apoiou a cesta de piquenique, então sentou-se ao lado da irmã e as duas penduraram os pés por sobre a beirada do deque. A água batia nas pilastras da base. Ao lado, um barco a vela de madeira envernizada chamado *Caso Encerrado* balançava levemente, as cordas rangendo a cada movimento.

– Eu roubei aquele biquíni – disse Meghann. – Do Fred Meyer. Quando cheguei em casa, estava tão assustada que vomitei. A mamãe nem ligou; só tirou os olhos da revista *Variety* e disse "menina de mão leve só arruma problema".

Claire se virou para a irmã, observando seu perfil.

– Eu esperei você voltar, sabia? O papai sempre dizia "não se preocupe, Clarinha, ela é sua irmã, ela vai voltar". Eu esperei, esperei. O que foi que aconteceu?

Meghann soltou um suspiro pesado, como se soubesse que não era mais possível fugir daquela conversa.

– Lembra quando a mamãe foi fazer o teste para *Starbase IV*?

– Lembro – respondeu Claire.

– Ela não voltou. Eu estava acostumada com ela sumir por um ou dois dias, mas depois de cinco comecei a entrar em pânico. Não tinha mais dinheiro. A gente estava com fome. Então o Conselho Tutelar começou a rondar. Eu fiquei com medo de levarem a gente para um abrigo. Daí eu liguei para o Sam.

– Eu já sei disso tudo, Meg.

Meghann pareceu não escutar.

– Ele disse que acolheria nós duas.

– E acolheu.

– Mas ele não era *meu* pai. Eu tentei me adaptar a Hayden; que piada! Comecei a andar com uma turma meio barra-pesada, fazer besteira. Acho que um terapeuta me chamaria de "revoltada". Eu só estava tentando chamar atenção. Toda vez que eu olhava você e o Sam juntos... Acho que me sentia excluída. Você era tudo o que eu tinha e, de repente, não tinha mais. Uma noite eu cheguei em casa bêbada e o Sam explodiu. Disse que eu era uma péssima irmã mais velha e me mandou entrar na linha ou dar o fora.

– Aí você deu o fora. Para onde você foi?

– Passei um tempo vagando por Seattle, na fossa. Dormi debaixo de marquises e em prédios vazios, fiz coisas das quais não me orgulho. Não levei muito tempo para chegar ao fundo do poço. Então um dia me lembrei de um professor que tinha prestado atenção em mim, o Sr. Earhart. Foi ele que me pulou de ano, quando a gente morava em Barstow. Ele me convenceu de que estudar era o caminho para sair daquela vida horrível da mamãe. Por isso eu sempre tirei nota boa. Enfim, eu liguei para ele... graças a Deus ele ainda dava aula na mesma escola. Ele mexeu os pauzinhos para eu me formar na mais cedo e prestar o vestibular, e eu passei com louvor. Tive uma ótima classificação. A Universidade de Washington me ofereceu bolsa integral. O resto você já sabe.

– Minha irmã genial – disse Claire.

Pela primeira vez, havia orgulho em sua voz, em vez de amargura.

– Eu me convenci de que era o melhor para você, que você não precisava mais de mim. Mas... eu sabia quanto tinha te magoado. Era mais fácil manter distância, eu acho. Pensei que você nunca ia me perdoar. Então nem te dei a chance. – Meg enfim olhou para ela e abriu um pequeno sorriso. – Preciso contar pra minha psiquiatra que finalmente fiz valer o meu dinheiro. Gastei uns 10 mil dólares para conseguir te dizer isso.

– Seu único erro foi ficar longe – disse Claire com delicadeza.

– Estou aqui agora.

– Eu sei. – Claire olhou a cintilante água azul. – Eu não ia conseguir passar por tudo isso sem você.

– Não é verdade. Você é a pessoa mais corajosa que eu já conheci.

– Não sou tão corajosa assim, acredite.

Meghann inclinou o corpo para trás e abriu a cesta de piquenique.

– Eu estava esperando o momento certo de te dar isso. – Ela pegou uma pasta parda e entregou a Claire. – Toma.

– Agora não, Meg. Estou cansada.

– Por favor.

Claire pegou a pasta com um suspiro. Era a pasta da "Esperança". Ela lançou um olhar penetrante para Meg, mas não disse nada. Abriu a pasta com mãos trêmulas.

Dentro havia quase uma dúzia de relatos de pessoas que enfrentaram tumores do tipo glioblastoma multiforme. Todas tinham recebido o prognóstico de menos de um ano de vida – há mais de sete anos.

Claire fechou os olhos, mas as lágrimas vieram mesmo assim.

– Eu precisava disso hoje.

– Imaginei.

Ela engoliu em seco, então ousou olhar a irmã.

– Eu ando com tanto medo.

Era bom enfim admitir.

– Eu também – respondeu Meg baixinho.

Então Meg se aproximou e abraçou Claire.

Pela primeira vez desde a infância, Claire estava nos braços da irmã mais velha. Meghann lhe afagou os cabelos, como fazia quando ela era pequena.

Um punhado de cabelo caiu ao toque de Meghann, pairando entre as duas.

Claire recuou, vendo o tufo de lindos cabelos loiros nas mãos da irmã. Fios voejaram até a água, desaparecendo. Ela olhou os cabelos flutuando para longe, levados pela corrente.

– Eu não quis te contar que estava caindo. Toda manhã eu acordo com o travesseiro cheio de cabelo.

– Talvez seja melhor a gente ir para casa.

– Eu estou bem cansada.

Meghann ajudou Claire a se levantar e retornaram lentamente até o carro. Os passos de Claire eram arrastados e vacilantes e ela se apoiava bastante no braço de Meg.

Durante todo o trajeto, Claire olhou pela janela.

De volta ao apartamento, Meghann ajudou Claire a vestir o pijama de flanela e se deitar na cama.

– É só cabelo – disse Claire, recostando a cabeça nos travesseiros.

Meghann deixou a pasta "Esperança" sobre a na mesinha de cabeceira.

– Vai crescer de novo.

– Vai.

Claire suspirou e fechou os olhos.

Meghann se virou para sair do quarto. Diante da porta, parou.

A irmã estava deitada, de olhos fechados, parecendo mal respirar. Mechas de cabelo decoravam seu travesseiro. Muito lentamente, ainda sem abrir os olhos, Claire ergueu as mãos e tocou a aliança de casamento. Lágrimas corriam por seu rosto, deixando manchinhas cinza no travesseiro.

Então Meghann soube o que tinha que fazer.

Fechou a porta e foi até o telefone. Todos os contatos de emergência de Claire estavam anotados em um bloquinho ao lado do aparelho. Inclusive o número de Bobby.

Ela discou e esperou impaciente que ele atendesse.

Nas últimas 24 horas, Claire havia perdido quase todo o cabelo. A pele nua que despontava por debaixo tinha um tom vermelho escamoso. Naquela manhã, enquanto se arrumava para a sessão de tratamento, passou quase meia hora ajeitando um lenço na cabeça.

– Para de mexer – disse Meghann quando chegaram à sala de espera da seção de Medicina Nuclear. – Está ótimo.

– Estou parecendo uma vidente cigana. E não sei por que você me obrigou a passar maquiagem. A minha pele está tão vermelha que eu estou a cara da Martha Phillips.

– Quem é essa?

– Do oitavo ano. Ela dormiu debaixo de uma lâmpada solar. A gente passou duas semanas chamando ela de Tomatão.

– Crianças são tão gentis.

Claire entrou para a sessão e voltou meia hora depois. Não se deu ao trabalho de recolocar o lenço. Seu couro cabeludo estava sensível.

– Vamos tomar um café – disse ela quando Meghann se levantou para ir ao seu encontro.

– Café te faz vomitar.

– O que não me faz vomitar? Vamos mesmo assim.

– Eu preciso ir ao escritório hoje. Tenho um depoimento marcado.

– Ah.

Elas cruzaram o corredor do hospital, Claire tentando acompanhar os passos de Meghann. Andava tão cansada que era difícil não arrastar os pés feito uma velha. Praticamente dormiu no carro.

Na porta do apartamento, Meghann parou, com a chave na mão, e olhou para ela.

– Estou tentando fazer o que é certo para você. O melhor.

– Eu sei disso.

– Às vezes eu faço besteira. Tenho a tendência de achar que sei de tudo.

Claire sorriu.

– Está esperando que eu te contradiga?

– Só quero que você se lembre disso. Que só estou tentando fazer a coisa certa.

– Beleza, Meg. Eu vou lembrar. Agora vai trabalhar. Não quero perder o programa da *Judge Judy*. Ela me lembra você.

– Engraçadinha. – Meg olhou a irmã mais um instante, então abriu a porta do apartamento para Claire entrar.

– Essa é a despedida mais demorada da história. Tchau, Meg. Vai trabalhar.

Meg assentiu e foi embora.

Claire então entrou no apartamento e fechou a porta.

Lá dentro, o som estava ligado. "Pocket of a Clown", de Dwight Yoakam, tocava nas caixas de som.

Claire avançou pela casa e lá estava ele.

Bobby.

Ela levou a mão à área sem cabelo.

Então correu até o banheiro, ergueu a tampa do vaso e vomitou.

Ele chegou por atrás, segurando o que restava de seus cabelos, dizendo que estava tudo bem.

– Eu estou aqui agora, Claire. Estou aqui.

Ela fechou os olhos, contendo as lágrimas de humilhação, respirando devagar.

Bobby esfregou suas costas.

Por fim, ela foi até a pia e escovou os dentes. Ao se virar para olhá-lo, tentou sorrir.

– Bem-vindo ao meu pesadelo.

Ele se aproximou e o amor em seus olhos a fez querer chorar.

– Nosso pesadelo, Claire – respondeu Bobby.

Ela não soube o que dizer. Estava com medo de cair no choro se abrisse a boca, e queria parecer forte para ele.

– Você não tinha o direito de esconder isso de mim.

– Eu não queria estragar tudo. E achei... que ia melhorar. Faz tanto tempo que você sonha em ser cantor.

– Eu sonhava em fazer sucesso, sim. E eu gosto de cantar, mas eu *amo* você. Não acredito que escondeu isso de mim. E se...

Claire mordeu o lábio.

– Me perdoa.

– Você não confiou em mim. Tem ideia de como isso é ruim? – disse ele, em um tom tenso, incomum.

– Eu só estava tentando demonstrar meu amor.

– Não sei se você sabe o que é amor. "Eu vou ao hospital todos os dias, meu bem, lutar pela minha vida, mas não se preocupa, fica aí cantando as suas musiquinhas." Que tipo de homem você acha que eu sou?

– Me desculpa, Bobby. Eu só...

Ela o encarou, balançando a cabeça.

Bobby a agarrou, abraçando-a com tanta força que ela quase perdeu o ar.

– Eu te amo, Claire. Eu te *amo* – disse ele em um tom feroz. – Quando é que você vai enfiar isso na cabeça?

Ela o enlaçou com os braços, como se sem ele fosse desabar.

– Acho que o tumor ocupou o espaço. Mas estou enfiando agora, Bobby. Estou aprendendo.

Horas depois, quando Meghann voltou ao apartamento, as luzes estavam apagadas. Ela avançou pela escuridão na ponta dos pés.

Ao chegar à sala, uma luz se acendeu.

Claire e Bobby estavam deitados no sofá, enroscados. Ele roncava baixinho.

– Eu estava te esperando – disse Claire.

Meghann largou a pasta na cadeira.

– Eu tive que ligar para ele, Claire.

– Como é que você sabia o que ele ia fazer?

Meghann olhou para Bobby.

– Ele estava no estúdio quando eu liguei. Gravando uma música, literalmente. Para falar a verdade, não achei que ele fosse vir.

Claire encarou o marido adormecido, então Meg. As irmãs trocaram um olhar que guardava o triste resquício da infância.

– Pois é – disse Claire baixinho. – Nem eu.

– Ele não hesitou nem por um segundo, Claire. Nem um segundo. Ele disse, nessas exatas palavras: "Dane-se a música. Amanhã eu chego aí."

– É a segunda vez que você liga para um homem vir me salvar.

– Você é sortuda de ser tão amada.

– É – disse Claire, sorrindo para a irmã. – Sou mesmo.

VINTE E SETE

Joe estava no sofá, encarando a pequena tela da tevê em preto e branco. Estava tão atento ao programa que levou um instante para perceber os passos do lado de fora.

Tenso, ele se empertigou.

Uma chave balançou na fechadura, então a porta se abriu. Gina surgiu, de mãos na cintura.

– Ei, mano. Você tem um ótimo hábito de ligar para as pessoas.

Ele suspirou.

– O Smitty te deu uma chave.

– Estávamos preocupados com você.

– Eu tenho andado ocupado.

Ela encarou a pilha de latas de cerveja e caixas de pizza, então abriu um sorriso amargo.

– Vem. Vou te levar para a minha casa. Estou com um assado no forno e aluguei *Por favor, matem minha mulher*. Vamos tomar um vinho e dar umas risadas. – Ela baixou o tom de voz. – Estou precisando.

Algo no jeito dela o deixou envergonhado. Tinha se esquecido dos problemas da irmã. Estivera ocupado demais remoendo os próprios.

– Você está bem?

– Vem – disse ela, evitando a pergunta. – O Smitty me mandou arrastar essa sua bunda feia daqui. Palavras dele. E é exatamente o que eu pretendo fazer.

Ele sabia que era inútil discutir – Gina estava com aquele olhar – e nem queria, na verdade. Estava cansado de ficar sozinho.

– Tá bom.

Joe a acompanhou até o carro; em minutos estavam na cozinha clara e arejada de Gina.

Ela lhe entregou uma taça de Merlot.

Enquanto ela marinava o assado e virava as batatas, Joe passeou pela sala. Encontrou uma máquina de costura em um canto. Um belo tecido grosso jazia em uma pilha logo ao lado. Ele pegou a roupa que Gina havia costurado, pronto para elogiar, quando viu o que era. As costas abertas eram inconfundíveis.

– É uma roupa de hospital – disse Gina, atrás dele. – Eu devia ter guardado isso. Esqueci. Me desculpa.

Ele recordou o dia em que Gina chegou em sua casa levando roupas de hospital estilosas, exatamente como aquela.

– Você não tem que se vestir igual a todo mundo – dissera ela a Diana, que chorou ao receber o presente.

Aquelas roupas tinham sido muito importantes para Diana. Não parecia grande coisa – só uma mudança de tecido –, mas fizera com que ela voltasse a sorrir.

– Para quem é?

– Para a Claire. Ela está fazendo radioterapia.

– Claire – repetiu ele, com um mal-estar. A vida às vezes é tão injusta. – Ela acabou de se casar.

– Eu não te contei porque... bom... sei que ia trazer lembranças.

– Onde é que ela está fazendo o tratamento?

– No Swedish.

– É o melhor lugar para ela. Que bom.

Radioterapia. Ele se lembrava de tudo – a pele queimada, o inchaço, a queda dos cabelos de Diana. Primeiro em mechas, depois em grandes chumaços.

Ele e Gina já haviam vivido um bom tempo à sombra do câncer. Joe não imaginava como a irmã conseguia lidar com tudo aquilo de novo.

– A Claire cruzou o país inteiro atrás dos melhores médicos. Eu sei que ela vai ficar bem. Não vai ser que nem... você sabe.

– Que nem a Diana – disse ele, frente ao silêncio constrangedor.

Gina se aproximou por trás e tocou seu ombro.

– Eu tentei te poupar disso. Me desculpa.

Pela janela, ele olhou o quintalzinho dos fundos, projetado para crianças. Um dia, ele e Diana haviam sonhado em levar seus filhos para brincar ali.

– Talvez você queira ver a Claire...

– Não – respondeu ele, tão depressa que soube que Gina entenderia. – Meus dias de hospital acabaram.

– Pois é – disse Gina. – Então vamos ver uma comédia.

Ele passou o braço em torno da irmã e a puxou para perto.

– Estou mesmo precisando dar umas risadas.

Meghann se sentou na poltrona que um dia fora tão confortável e encarou a Dra. Harriet Bloom.

– Era tudo babaquice – disse ela em tom amargo. – As minhas sessões com você. Eram só o jeito de uma mulher egocêntrica desabafar sobre as besteiras que tinha feito. Por que você nunca me falou que nada daquilo importava?

– Porque importa, sim.

– Não. Eu tinha 16 anos quando aconteceu. Só 16. Nada daquilo importa... o meu medo, a minha culpa, o ressentimento dela. Quem liga?

– Por que é que não importa mais?

Meghann fechou os olhos, buscando uma raiva que já tinha passado. Só conseguia se sentir cansada, perdida.

– Ela está doente.

– Ah. – A palavra saiu como um suspiro. – Eu sinto muito.

– Estou com medo, Harriet – admitiu Meghann, enfim. – E se... eu não conseguir?

– Não conseguir o quê?

– Ficar do lado da cama dela, segurar a mão dela, vê-la morrer? Tenho muito medo de decepcionar a minha irmã de novo.

– Você não vai.

– Como é que você sabe?

– Ah, Meghann. A única pessoa que você sempre decepciona é a si mesma. Você vai estar ao lado da Claire. Sempre esteve.

Não era bem verdade. Ela desejou que fosse. Queria ser o tipo de pessoa com quem se podia contar.

– Se eu estivesse doente – prosseguiu Harriet –, não ia querer outra pessoa do meu lado, Meghann. Você vive tão ocupada com as antigas mágoas que não para pra olhar ao redor. Você já se reconciliou com a Claire, não importa se falaram a respeito ou não. Vocês são irmãs de novo. Se perdoa e segue em frente.

Meghann digeriu o conselho. Então, lentamente, abriu um sorriso. Era verdade. Aquele não era o momento para medo e arrependimento; já passara muitos anos presa àqueles sentimentos. Era o momento para sentir esperança e, pela primeira vez, teria força para acreditar em um final feliz para Claire. Não fugiria da possibilidade de sofrer. Foi esse o erro que cometera em seu casamento. Tivera tanto medo de partir o coração que acabara nunca amando Eric inteiramente.

– Obrigada, Harriet – disse ela, por fim. – Eu podia ter comprado um Mercedes com o preço das consultas, mas você ajudou.

Harriet sorriu. Meg ficou surpresa ao perceber que nunca havia visto sua psiquiatra sorrir.

– Não tem de quê.

Meghann se levantou.

– Então, nos vemos semana que vem, no mesmo horário?

– Claro.

Ela saiu do consultório, desceu pelo elevador e saiu sob o sol de julho.

Com a bolsa no ombro, rumou para casa.

Estava quase chegando quando olhou, do outro lado da rua, o pequeno parque junto ao Mercado Público que fervilhava de atividade. Universitários jogavam futebol, turistas alimentavam as gaivotas que desciam em voos rasantes, consumidores descansavam. Não soube ao certo o que chamou sua atenção.

Então ela o avistou, recostado na amurada. Estava de costas, mas Meghann reconheceu a calça jeans desbotada e a camisa de brim. Provavelmente era o único homem no centro de Seattle usando chapéu de caubói em um dia de sol.

Ela atravessou a rua e caminhou até ele.

– Oi, Bobby.

Ele não a encarou.

– Meg.

– O que você está fazendo aqui?

– Ela está dormindo. – Ele enfim se virou; tinha os olhos vermelhos e úmidos. – Passou quase uma hora vomitando. Até quando já não tinha mais o que vomitar. Não se preocupe, eu limpei tudo.

– Eu não estava preocupada – respondeu Meg.

– Ela está mal hoje.

– Tem uns dias que são piores. Aposto que Nashville parece mais atraente agora – disse ela, tentando fazer graça.

– É para ser engraçado? A minha esposa está vomitando e perdendo cabelo. Acha que estou preocupado com a minha carreira?

– Desculpa. – Ela o tocou. – Eu sempre tive a sensibilidade de um serial killer.

Bobby suspirou.

– Não, eu é que peço desculpas. Precisava descontar em alguém.

– Sempre vou te dar motivo, não se preocupe.

Ele abriu um sorriso cansado e abatido.

– Eu só... estou me borrando de medo. E não quero que ela perceba.

– Eu sei.

Meghann sorriu para ele. Sua irmã tinha sorte de ser amada por um homem daqueles. Aquilo, por algum motivo, a fez pensar em Joe e no dia em que ela o encontrou chorando as mágoas do divórcio. Joe era o tipo de homem que também sabia amar.

– Você é um bom homem, Bobby Jack Tom Dick. Eu me enganei sobre você.

Ele riu.

– E você não é nem metade da babaca que eu achei que fosse.

Meghann passou um braço pelos ombros dele.

– Vou fingir que isso foi um elogio.

– E foi.

– Que bom. Agora vamos lá fazer a Claire sorrir.

Os dias passaram lentamente; a cada manhã Claire acordava um pouco mais cansada. Lutava para manter o pensamento positivo, mas sua saúde se deteriorava muito depressa. Visualizava raios de sol em vez da radiação química. Meditava uma hora por dia, imaginava-se em uma linda floresta ou sentada junto a seu amado rio. Comia os alimentos macrobióticos que Meghann jurava que eram curativos.

As Azuladas a visitavam com frequência, juntas ou separadas, e faziam o possível para manter o ânimo de Claire. Até Elizabeth, amiga de Meg, foi passar uns dias com elas, o que foi ótimo para sua irmã. Os momentos mais difíceis eram nos fins de semana, quando iam para Hayden; Claire tentava fingir para Ali que estava tudo bem.

Durante a noite, porém, eram só os três – Claire, Meg e Bobby – naquele apartamento silencioso. Quase sempre viam filmes. No início, logo que Bobby chegou, tentaram passar as noites conversando ou jogando cartas, mas isso se provou complicado. Muitos assuntos perigosos. Ninguém podia mencionar o futuro sem estremecer, sem pensar: *Será que vamos passar o Natal juntos? O Dia de Ação de Graças? O próximo verão?* Então, em um acordo tácito, os três adotaram a televisão como trilha sonora. Claire ficou grata; podia passar várias horas sentada em silêncio, sem precisar fingir.

Por fim, a radioterapia terminou.

Na manhã seguinte, Claire levantou cedo. Tomou banho, se vestiu e tomou o café no terraço com vista para a enseada. Era espantoso ver quanta gente já estava de pé para cumprir seus afazeres naquele dia que definiria seu futuro.

– É hoje o dia – disse Meg, chegando ao terraço.

Claire forçou um sorriso.

– Pois é.

– Está tudo bem?

Céus, como ela havia passado a odiar aquela pergunta.

– Tudo perfeito.

– Conseguiu dormir? – perguntou Meg, chegando mais perto.

– Não. E você?

– Não.

Meg abraçou a irmã com força. Claire enrijeceu, esperando a conversinha encorajadora de sempre, mas Meg não disse nada.

Atrás delas, as portas de vidro se abriram.

– Bom dia, moças.

Bobby chegou por trás de Claire e lhe deu um abraço e um beijo na nuca.

Os três ficaram mais um instante assim, sem dizer nada, então foram embora.

Logo estavam no Swedish Hospital. Ao entrarem na sala de espera da Medicina Nuclear, Claire viu outros pacientes de chapéus e lenços na cabeça. Quando seus olhares se encontravam, trocavam um triste sorriso de compreensão. Todos ali eram membros de um clube do qual ninguém queria participar. Claire desejou não estar usando o lenço. A cabeça careca representava uma coragem que ela queria abraçar.

Naquele dia, em que teria a resposta para todas as suas perguntas, não houve espera. Ela foi direto para a sala de ressonância. Em pouco tempo estava cheia de contraste na veia e dentro da máquina barulhenta.

Ao terminar, retornou à sala de espera e sentou-se entre Meghann e Bobby, que estenderam os braços para ela. Claire segurou as mãos de ambos.

Por fim, seu nome foi chamado.

Claire se levantou.

Bobby a ajudou a se equilibrar.

– Estou aqui, amor.

Os três começaram a longa caminhada pelos corredores até o consultório do Dr. Sussman. Na placa da porta, lia-se "Chefe de Neurologia". O Dr. McGrail, chefe da radioterapia, também estava presente.

– Oi, Claire. Meghann – disse o Dr. Sussman. – Bobby.

– Então? – quis saber Meghann.

– O tumor respondeu à radiação. Está cerca de 12% menor – informou o Dr. McGrail.

– Que ótimo – disse Meg.

Os médicos trocaram um olhar. O Dr. Sussman acendeu a luz do negatoscópio e as fotografias em preto e branco do cérebro de Claire surgiram. E a mancha. Ele se virou para Claire.

– A redução de tamanho te deu um pouco mais de tempo. Mas, infelizmente, o tumor ainda é inoperável. Eu sinto muito.

Sinto muito.

Claire se sentou na poltrona de couro. Achou que suas pernas não fossem aguentar.

– Mas funcionou – disse Meg. – Funcionou, não foi? Talvez um pouco mais de radiação. Ou uma rodada de quimioterapia. Eu li que alguns tipos de químio estão conseguindo romper a barreira hematoencefálica...

– Chega – disse Claire. A intenção fora dizer isso de maneira suave, mas sua voz saiu alta. Ela olhou para o neurologista. – Quanto tempo eu tenho?

– Em geral, as taxas de sobrevivência não são boas – respondeu o Dr. Sussman, em tom delicado – para um tumor desse tamanho e nessa localização. Alguns pacientes conseguem viver até um ano. Talvez um pouco mais.

– E o restante?

– De seis a nove meses.

Claire encarou a aliança de recém-casada, que sua avó Myrtle usara durante seis décadas.

Meghann se aproximou, ajoelhando-se na sua frente.

– A gente não vai acreditar nisso. Os arquivos...

– Não – disse Claire baixinho, balançando a cabeça, pensando em Ali.

Viu os olhinhos da filha, seu sorriso iluminado sem os dentinhos da frente, ouviu-a dizer "Aqui, mamãe, fica com a minha naninha". Lágrimas rolaram por seu rosto. Sentiu Bobby a seu lado, apertando-a com força, e soube que ele estava chorando também. Secou os olhos e encarou o médico.

– E agora?

Meghann ficou de pé e começou a andar pela sala, observando as fotografias e os diplomas nas paredes. Claire sabia que a irmã estava assustada e, portanto, irritada.

O Dr. Sussman puxou uma cadeira e sentou-se diante de Claire.

– Temos algumas opções. Todas são paliativas, mas...

– Quem é esse? – A voz de Meghann soou estridente e desesperada.

Ela segurava um porta-retratos que havia tirado da parede.

O Dr. Sussman franziu o cenho.

– É um grupo da faculdade de medicina – respondeu o médico, virando-se de volta para Claire.

Meghann bateu a fotografia na mesa com tanta força que o vidro rachou. Ela apontou para uma pessoa na foto.

– Quem é esse cara?

O Dr. Sussman se inclinou para a frente.

– Joe Wyatt.

– Ele é *médico*?

Claire olhou para a irmã.

– Você conhece o Joe?

– *Você* conhece o Joe? – rebateu Meghann.

– Ele é radiologista, na verdade – respondeu o Dr. McGrail. – Um dos melhores do país. Era, pelo menos. Era uma lenda das ressonâncias. Via coisas... possibilidades... que ninguém mais enxergava.

Claire franziu o cenho.

– Meghann, esquece isso. A gente não precisa mais de um radiologista. Além do mais, pode acreditar, o Joe não é a melhor pessoa a quem pedir ajuda. O que eu precisava era de um milagre.

Meghann encarou o Dr. McGrail. Não estava nem ouvindo o que Claire dizia.

– Como assim ele *era* um dos melhores?

– Ele largou tudo. Na verdade, desapareceu.

– Por quê?

– Ele matou a própria esposa.

VINTE E OITO

O trajeto de volta para casa foi interminável. Ninguém abriu a boca. Ao entrarem no apartamento, Bobby abraçou Claire com tanta força que ela não conseguiu respirar, então se afastou.

– Preciso de um banho – disse ele com voz embargada.

Ela deixou que ele fosse, sabendo do que Bobby precisava. Ela mesma já havia chorado algumas vezes debaixo da ducha caríssima de Meghann.

Claire foi até o sofá e desabou. Estava tonta e cansada. Havia um zumbido em seu ouvido e um formigamento na mão direita, mas não podia admitir nada disso a Meghann, que ainda exibia aquele olhar feroz que dizia "não desista".

Meg sentou-se na mesinha de centro, de frente para ela.

– Tem um monte de tratamentos experimentais por aí. Tem aquele médico em Houston...

– Aquele que o governo tentou processar?

– Não significa que ele seja um charlatão. Os pacientes dele...

Claire estendeu a mão, pedindo silêncio.

– Podemos falar sério só um minuto?

Meghann pareceu tão surpresa que Claire teve que rir.

– O quê? – perguntou Meg.

– Quando eu era pequena, sempre sonhava que estava com alguma doença rara que fazia você e a mamãe ficarem do meu lado. Eu imaginava vocês chorando pela minha morte.

– Por favor, não faz...

Claire encarou a irmã, agora pálida e trêmula.

– Eu não quero que você chore.

Meg se levantou tão depressa que bateu a perna na mesinha e soltou um palavrão.

– Eu... não consigo falar sobre você morrer. Não consigo.

Meghann saiu da sala em disparada.

– Mas eu preciso que você fale – disse Claire para o cômodo vazio.

Uma dor de cabeça começou a se formar na altura dos olhos. Passara o dia todo pressentindo a enxaqueca.

Claire começava a se recostar no sofá quando a dor explodiu. Ela arquejou, tentou gritar. Sua cabeça parecia prestes a explodir.

Não conseguia se mexer, não conseguia respirar. Tentou gritar o nome da irmã.

Mas o aparelho de som tocava "Thunder Road" e a música engoliu sua voz fraca.

Alison, pensou ela.

Então tudo escureceu.

Meghann estava junto à cama da irmã, segurando a grade metálica.

– A medicação está ajudando?

Claire parecia muito pequena naquela cama de hospital, com a pele pálida e os cabelos ralos.

– Uhum. Tive uma convulsão tônico-clônica. Bem-vinda ao meu novo mundo. A boa notícia é que não enfartei também. Quanto tempo vou ficar aqui?

– Alguns dias.

– Está na hora de ligar para a mamãe.

Meghann hesitou.

– Tudo bem. – Sua boca tremeu, traindo-a.

– Diz para o meu pai, para a Ali e para as meninas que eles podem vir me ver também. A Gina sempre me faz rir.

Meghann ouviu a derrota na voz da irmã; o pior, no entanto, era a resignação. Ela queria discordar, deixar Claire com raiva suficiente para brigar, mas sua voz sumiu. Ela balançou a cabeça.

– Faça isso, Meg – pediu Claire com uma determinação surpreendente. – E agora eu vou dormir. Estou cansada.

– São os remédios.

– São mesmo? – Claire abriu um sorriso triste. – Boa noite. E cuide do Bobby hoje, está bem? Não o deixe sozinho. Ele não é tão forte quanto parece.

Então ela fechou os olhos.

Meghann estendeu a mão. Com cuidado para não mexer no acesso intravenoso no braço de Claire, segurou a mão da irmã.

– Você vai ficar boa.

Tinha repetido a mesma coisa pelo menos dez vezes; a cada vez, esperava uma resposta que nunca vinha. Alguns minutos depois Bobby entrou no quarto, parecendo arrasado. Seus olhos estavam vermelhos e inchados.

– Ela acordou – disse Meghann, com delicadeza. – E voltou a dormir.

– Droga. – Ele pegou a mão de Claire e apertou. – Oi, amor. Já voltei. Só fui tomar um café. – Ele suspirou, e então disse baixinho: – Ela está desistindo.

– Eu sei. Me pediu para ligar para todo mundo. Mandar todo mundo vir visitá-la. Como é que a gente diz uma coisa dessas para a Ali?

Meg encarou Bobby e seus olhos se encheram de lágrimas.

– Eu conto para ela – disse Claire baixinho, abrindo os olhos. Deu um sorriso cansado para o marido. – Bobby – sussurrou, estendendo a mão. – Eu te amo.

Meghann não suportava nem mais um segundo. Cada respiração de sua irmã parecia um sussurro de adeus.

– Eu tenho que fazer umas ligações. Até mais – disse ela, e saiu correndo do quarto.

Qualquer coisa era melhor do que ficar ali, tentando sorrir enquanto seu coração se partia. Até ligar para sua mãe.

Já estava tarde; o turno da noite já havia começado e os corredores estavam vazios. Então pegou o telefone e discou o número da mãe.

Ellie mesmo atendeu, com uma voz alta e embriagada.

– Alô, Frank?

– Sou eu, mãe. Meghann.

– Meggy? Achei que a esta hora da noite você estava rodando os bares.

– A Claire está doente.

– Mas ela está em lua de mel.

– A lua de mel já acabou há um mês, mãe. Agora ela está no hospital.

– É bom que não seja um dos seus truques, Meggy. Como quando você me ligou no trabalho porque a Claire tinha caído da cama e você achou que ela estava paralisada. Perdi 40 dólares em gorjeta para ir ver que ela estava dormindo.

– Eu tinha 11 anos quando isso aconteceu.

– Mesmo assim.

– Ela tem um tumor no cérebro, mãe. A radioterapia não adiantou e ninguém tem coragem de operar.

Fez-se uma longa pausa do outro lado.

– Ela vai ficar bem?

– Vai – disse Meghann, sem conseguir pensar em outra resposta. Então, bem baixinho, completou: – Talvez não. É melhor você vir visitá-la.

– Eu tenho um evento do *Starbase IV* amanhã às duas e...

– Se você não aparecer aqui amanhã, eu vou ligar para a *People* e espalhar que você negou uma visita à sua filha que está morrendo de câncer no cérebro.

Mais um longo instante de silêncio.

– Eu não sei lidar bem com essas coisas – disse Ellie, por fim.

– Ninguém sabe, mãe.

Meghann desligou sem se despedir, então discou o número de Sam. O telefone tocou uma vez e ela perdeu a coragem. Não podia contar a ele por telefone.

Meg desligou e retornou ao quarto da irmã.

Bobby permanecia junto à cama, cantando baixinho para Claire, que roncava de leve. Aquilo fez Meghann hesitar.

Bobby ergueu os olhos. Lágrimas brilhavam em seu rosto.

– Ela não abriu mais os olhos.

– Ela vai abrir. Continue cantando. Eu sei que ela ama.

– É... – respondeu ele com a voz embargada.

Meg jamais vira um homem tão aflito, e sabia que seu olhar era idêntico ao de Bobby.

– Eu vou contar ao Sam pessoalmente. Não posso dar essa notícia por telefone. Se a Claire acordar... – Ela se conteve. – *Quando* a Claire acordar, diz que eu a amo e que volto logo. Você tem a chave da minha casa?

– Vou passar a noite aqui.

– Ok.

Meghann queria dizer mais alguma coisa, porém não sabia o quê. Então foi embora. Praticamente correu até o carro, pisou fundo e rumou para o norte.

Uma hora e meia depois, chegou a Hayden. Reduziu a marcha na cidade, parou em um semáforo.

E avistou o barracão metálico.

Joe Wyatt.

Ele é radiologista. Um dos melhores do país. A lembrança voltou com tudo; a notícia chocante que por algum motivo se perdera, enterrada sob uma espessa camada de sofrimento.

Dr. Joseph Wyatt. Claro. Não admirava que ele fosse familiar. Seu julgamento ocupara as principais manchetes dos jornais. Meg e seus colegas haviam tomado muitas cervejas especulando sobre o futuro daquele homem. Ela o defendera com firmeza, certa de que ele seria absolvido. Nunca tinha se perguntado o que havia acontecido depois do julgamento.

Agora sabia. Ele tinha fugido, se escondido. Mas ainda era um dos melhores radiologistas do país. *Via coisas... possibilidades... que ninguém mais enxergava.*

Ainda assim, quando ela o procurou aos prantos e contou sobre a irmã, ele não fez nada. Nada.

E ele *conhecia* Claire.

– Que desgraçado – rosnou para si mesma.

Ela olhou para o lado. O envelope do hospital estava no banco do carona.

Meg girou o volante e pisou no freio, estacionando no meio-fio. Então pegou o envelope e saiu marchando em direção ao casebre.

Esmurrou a porta, gritando, até que ouviu passos dentro da casa.

Joe abriu e a encarou.

– O quê...? – disse ele, e Meg deu-lhe um empurrão tão forte que ele cambaleou para trás.

– Oi, Joe. Não vai me convidar para entrar?

Com um chute, ela fechou a porta atrás de si.

– Já é quase meia-noite.

– É mesmo, *doutor* Wyatt.

Joe desabou no sofá e olhou para ela.

– Você me abraçou. Você me deixou chorar no seu ombro. – A voz de Meghann tremia; a dor em seu coração apenas a enfurecia mais. – E me ofereceu uma *indicação*. Que tipo de homem é você?

– O tipo que sabe que acabaram seus dias de herói. Se você sabe quem eu sou, sabe o que eu fiz.

– Você matou a sua esposa – disse ela, fazendo Joe se contrair. Meghann continuou: – Se eu soubesse o seu sobrenome, teria lembrado. Seu julgamento ficou famoso em Seattle. O caso do médico que fez eutanásia na própria esposa moribunda.

– Eutanásia é uma palavra mais bonita que homicídio.

Ao ouvir a tristeza em sua voz, um pouco da fúria de Meghann se esvaiu. Durante o último mês, aprendera muito sobre aquele tipo de sofrimento.

– Olha, Joe. Em uma situação normal, eu conversaria sobre o que você fez. Podia até te abraçar e dizer que entendo, que qualquer pessoa com um pingo de compaixão teria feito a mesma coisa. Por isso que você foi absolvido. Eu podia até perguntar por onde você andou, o que levou um dos melhores radiologistas do país a chegar a esse ponto. Mas eu não estou vivendo uma situação normal. A minha irmã está morrendo. – Ela hesitou na última palavra, sentindo a pontada das lágrimas. Jogou o grande envelope pardo sobre a mesinha de centro diante dele. – Essas são as imagens da ressonância dela. Talvez você possa ajudar.

– Eu deixei a minha licença médica expirar. Não posso mais praticar medicina. Sinto muito.

– Sente muito? *Sente muito?* Você tem o poder de salvar vidas e se esconde nessa porcaria desse casebre nojento, bebendo uísque barato e bancando o coitadinho? Seu desgraçado egoísta. – Ela o encarou querendo sentir ódio, querendo machucá-lo, mas não sabia como fazer nenhuma das duas coisas. – Eu *gostei* de você.

– Sinto muito – repetiu ele.

– Te mando um convite para o funeral.

Ela deu meia-volta e se encaminhou para a porta.

– Leve o envelope.

Meghann disparou um último olhar fulminante a ele.

– Não, Joe. Você vai ter que botar a mão nessas radiografias. Jogue você mesmo no lixo. E tente se olhar no espelho depois.

Então ela foi embora. Conseguiu chegar ao carro antes de começar a chorar.

Meg estava sentada no carro, do lado de fora da casa de Sam, tentando se recompor. Toda vez que abria o estojinho de pó compacto para retocar a maquiagem, encarava os próprios olhos lacrimejantes e recomeçava a chorar.

Não sabia ao certo quanto tempo fazia que estava ali, mas em dado momento começou a chover. As gotas tamborilavam na capota do conversível e desciam pelo para-brisa.

Por fim, ela saiu do carro e andou até a casa.

Sam abriu a porta antes que ela batesse. Encarou-a de cenho franzido, os olhos já cheios de lágrimas.

– Estava imaginando quanto tempo você ia ficar lá sentada.

– Achei que você não sabia que eu estava aqui.

Ele tentou sorrir.

– Você sempre se achou mais esperta que eu.

– Não só que você, Sam. Eu me acho mais esperta que todo mundo.

Ela também tentou sorrir, mas não conseguiu.

– Claire está muito mal?

– Bastante.

Ao dizer isso, as lágrimas voltaram. Ela secou os olhos.

– Vem cá – disse Sam gentilmente, abrindo os braços.

Meg hesitou.

– Pode vir.

Ela avançou e se deixou abraçar. Não conseguia parar de chorar. Então Sam começou a chorar também.

Quando enfim se afastaram, olharam um para o outro. Meg não fazia ideia do que dizer.

De repente, soaram passos no corredor. Ali veio correndo, de pijama, arrastando a Groovy Girl. Ela olhou para Meg.

– A gente vai ver a mamãe? Ela já ficou boa?

Meg se ajoelhou e abraçou a sobrinha com força.

– Vai – disse ela com voz rouca. – Você vai ver a mamãe amanhã.

Meghann se revirou na cama a noite toda e por fim caiu em um sono agitado ao nascer do dia. Ao acordar, de olhos turvos e exausta, ficou surpresa em ver que já passava das nove. Uma andada rápida pelo apartamento a fez notar que Sam e Ali já haviam ido para o hospital. Bobby não retornara para casa. Ela se obrigou a não voltar para a cama e cambaleou até o chuveiro. Quando estacionou no hospital, era pouco mais de dez da manhã.

A sala de espera estava lotada.

Gina estava em uma cadeira junto às janelas, tricotando um delicado cobertor cor-de-rosa. Ao lado dela, Karen e Charlotte jogavam cartas. Bobby estava de pé ao lado da janela, olhando para fora. Ao ver Meghann entrar, ele ergueu os olhos. Por sua expressão, Meg deduziu que a irmã tivera uma noite ruim. Ali estava sentada aos pés dele, colorindo.

– Tia Meg! – gritou a menininha, correndo até ela.

Meghann pegou a sobrinha no colo e a abraçou.

– O vovô está lá dentro com a mamãe. Eu posso ir agora? Posso?

Meg olhou para Bobby, que suspirou e deu de ombros, como se dissesse "eu não tenho condições".

– Claro – disse Meg.

Devagar, temendo cada passo, ela conduziu Ali pelo longo corredor.

Parou em frente à porta fechada, abriu um sorriso feliz e entrou no quarto.

Sam estava ao lado de Claire. Ele chorava, segurando a mão dela.

Na mesma hora, Ali largou Meg e correu até o avô, que a pegou no colo.

– O que foi, vovô? Está com cisco no olho? Uma vez o Sammy Chan levou um cutucão no olho e o Eliot Zane chamou ele de bebê chorão.

Meghann e Claire se olharam.

– Dá a minha menina aqui – disse Claire, abrindo os braços.

Ali não percebeu como a mãe estremecia com cada movimento, cada toque.

Sam secou os olhos e esboçou um sorriso.

– É melhor eu ir ligar para o encanador. O filtro da piscina está bem ruim.

Ali assentiu.

– Está uma bosta.

Claire sorriu. Seus olhos se encheram de lágrimas.

– Alison Katherine, eu já te disse para não repetir as palavras feias do seu avô.

– Opa. – Ali deu um risinho.

Sam e Meg se entreolharam; uma pergunta pairava entre eles, clara feito a luz do dia. *Quem é que vai contar para a Ali?*

Meg saiu do quarto, deixando os três sozinhos. Voltou à sala de espera e começou a folhear uma revista.

Uma hora depois, uma agitação no corredor lhe chamou a atenção. Ela ergueu os olhos.

Sua mãe havia chegado. Usando um vestido preto elegante e esvoaçante, ela se aproximou carregando seu cachorro em uma bolsinha cravejada. Atrás dela vinha um séquito, incluindo um fotógrafo.

Ela chegou à sala de espera e olhou em volta. Ao ver Meghann, irrompeu em lágrimas.

– Como está a nossa menina? – perguntou ela, puxando um lenço de seda da manga e enxugando os olhos com batidinhas teatrais.

O fotógrafo bateu uma foto.

Ellie abriu um sorriso corajoso.

– Essa é a minha outra filha, Meghann Dontess. D-O-N-T-E-S-S. Ela tem 29 anos.

Meghann contou até dez em silêncio. Então, calmamente, disse:

– O hospital não permite cachorros.

– Eu sei. Tive que esconder o Elvis para entrar. Você sabe, ele...

– O Elvis vai acabar mortinho feito o xará dele em dez segundos.

Sua mãe arquejou, ofendida, e Meghann olhou para o homem ligeiramente afastado do grupo. Vestido de preto, sem pescoço, parecia um lutador de MMA.

– Você, Sr. Segurança. Leve o cachorro para o carro.

– Para o hotel – disse Ellie, com um suspiro dramático e sofrido. – A suíte é bem espaçosa.

– Sim, senhora.

O sem pescoço pegou a bolsinha do cachorro e se afastou.

Com isso restaram apenas Ellie, o fotógrafo e um homem magro, com cara de rato, segurando um gravador. O repórter.

– Com licença – disse Meghann, puxando a mãe para um canto. – O que foi que você fez? Contratou um assessor de imprensa?

Ellie se empertigou e deu uma fungada.

– Eu estava falando com a assessora na outra linha quando você ligou. O que eu ia dizer? Não é culpa *minha* se a revista *Us* resolveu cobrir a visita que vim fazer à minha filha gravemente doente. Afinal de contas, eu sou notícia. A fama às vezes é um fardo.

Meghann franziu o cenho. Devia estar enfurecida, prestes a fritar a própria mãe em óleo de cozinha. Mas, ao encarar os olhos da mulher, cobertos de maquiagem pesada, viu algo que a surpreendeu.

– Você está com medo – disse ela, baixinho. – Por isso trouxe toda essa gente. Para transformar tudo em uma performance.

Sua mãe revirou os olhos.

– Não tenho medo de nada. Eu só... só...

– O quê?

– É a Claire – respondeu ela por fim, desviando o olhar. – *A Claire.* – A voz dela ficou rouca e Meghann vislumbrou algo genuíno. – Eu posso vê-la?

– Não se for levar o circo junto.

– Você entra comigo? – perguntou a mãe, baixinho.

Meghann ficou surpresa com o pedido. Sempre imaginara que sua mãe fosse rasa feito pires e dura como pedra, uma mulher que sabia o que queria e ia atrás de seus objetivos como uma flecha, o tipo de mulher que cruzaria a fita de isolamento da polícia e passaria por cima do cadáver se estivessem em seu caminho. Naquele momento, se perguntou se estivera errada, se a mãe sempre fora assim tão frágil e assustada.

Meg ficou pensando se tudo aquilo seria apenas encenação. Medo era algo que compreendia. Sobretudo quando vinha da culpa.

– É claro que eu entro com você.

Elas se aproximaram do repórter e sua mãe fez um pedido choroso para que sua privacidade fosse respeitada naquele momento difícil, então recomendou um restaurante do outro lado da rua para dar a entrevista.

O salto alto dela estalava no piso de linóleo. O som parecia feito para chamar atenção, mas ninguém percebeu.

Em frente ao quarto de Claire, Meghann parou.

– Preparada?

Ellie abriu um sorriso, assentiu e entrou no quarto, as longas mangas pretas esvoaçando atrás de si.

– Claire, querida, é a mamãe.

Claire tentou sorrir, mas parecia cansada e extremamente pálida deitada nos travesseiros brancos, sob cobertores hospitalares. Sua cabeça meio careca lhe conferia um aspecto bizarro.

– Oi, mãe. Por pouco você não encontrou o Sam e a Ali. Eles foram à lanchonete.

Ellie cambaleou, baixando os braços. Olhou de volta para Meghann.

– Eu sei que estou horrível, mãe – disse Claire, tentando rir.

Sua mãe se aproximou, mais devagar dessa vez.

– Ora, meu amor, isso não é verdade, não mesmo. Você está linda. – Ela puxou uma cadeira e sentou-se ao lado da cama. – Me lembra um episódio de *Starbase IV*. Se chamava "Ataque ao bufê", você lembra? Eu comia uma comida espacial estragada e o meu cabelo caía todinho. – Ela sorriu. – Mandei esse episódio para o júri do Emmy. Claro que não adiantou. Muita politicagem. Mas eu até que gostei da liberdade de não ter cabelo.

– Era um couro cabeludo de borracha, mãe.

– Mesmo assim. Ressalta a beleza dos olhos. Mas eu queria ter trazido a minha maquiagem. Você *está* precisando de um blush, talvez um delineador. A Meghann devia ter me avisado. E eu vou arrumar uma camisolinha bem bonita para você. Talvez com uma pele na gola. Lembro de um vestido que usei uma vez para...

– Mãe. – Claire tentou se inclinar para a frente. O esforço foi claramente grande. – Tem um tumor devorando o meu cérebro.

O sorriso de Ellie vacilou.

– Isso foi muito *gráfico* da sua parte, querida. Nós, sulistas...

– Por favor, mãe. *Por favor.*

Ellie afundou na cadeira. Pareceu, de alguma forma, diminuir, até que a roupa preta esvoaçante a engoliu por completo, deixando apenas uma mulher magra e comum, de cara repuxada e cheia de maquiagem.

– Eu não sei o que você quer de mim.

Era a primeira vez em vinte anos que Meghann ouvia a voz verdadeira da mãe. Em vez do doce sotaque do sul, o tom mais pesado do Centro-Oeste.

– Ah, mãe – disse Claire –, claro que não sabe. Você nunca quis filhos. Queria uma plateia. Desculpa. Estou cansada demais para ser educada. Eu quero que você saiba que eu te amo, mãe. Sempre te amei. Mesmo quando você... tirava os olhos da gente.

Tirava os olhos.

Era assim que a mãe sempre se justificava. *Eu estava lá, um belo dia, cuidando dos meus bebês, então tirei os olhos delas por um instante e de repente tinham ido embora.*

Meghann percebeu que dizer isso tinha sido mais fácil do que confrontar o fato de que ela simplesmente abandonara as filhas.

– O Sam foi um bom homem – disse Ellie, tão baixinho que precisou se esforçar para ouvir. – O único homem bom que eu encontrei na vida.

– É, ele foi – concordou Claire.

Sua mãe abanou a mão levemente.

– Mas vocês me conhecem. Não gosto de ficar remoendo o passado. – O sotaque estava de volta. – Eu sigo em frente. Sempre fui assim.

Elas haviam perdido; qualquer fresta aberta pela doença de Claire acabara de se fechar. A mãe já tinha se recomposto. Ela se levantou.

– Eu não quero te cansar. Vou dar um pulo na Nordstrom para comprar umas maquiagens. Você se incomoda se um amigo meu tirar uma foto de nós duas?

– Mãe – advertiu Meghann.

– Tudo bem – respondeu Claire, afundando de volta nos travesseiros. – Meghann, você pede para o Bobby e a Ali voltarem? Quero dar um beijinho neles antes de tirar mais um cochilo.

Ellie se inclinou e beijou a testa de Claire, então saiu apressada do quarto. Ao sair, Meghann quase tropeçou nela. Sua mãe estava parada no corredor.

– Maquiagem, mãe?

– Não importa se ela está morrendo, não precisa ficar desleixada desse jeito.

A pose dela começou a desmontar. Meghann estendeu a mão para segurá-la.

– Não encosta em mim, Meghann. Eu não vou aguentar.

Ela se virou e foi embora, a saia esvoaçante, os saltos estalando no chão.

Não houve uma única pessoa que não olhasse quando ela passou.

Claire foi ficando mais fraca. No segundo dia de internação, ela só queria dormir.

Os amigos e a família começaram a deixá-la exausta. Todos a visitavam religiosamente. Todos. As Azuladas invadiam o quarto de hospital levando vida e risadas, flores, comidas gordurosas e os filmes preferidos de Claire. Conversavam, contavam piadas e relembravam os velhos tempos. Apenas Gina tinha a coragem de enfrentar o cenário duro e frio do medo de Claire.

– Eu sempre vou estar do lado da Ali, você sabe disso – disse ela quando todos os outros desceram para a lanchonete.

Claire nunca amara a amiga tanto quanto naquele momento. Nenhum confronto de guerra jamais exigira tamanha coragem.

– Obrigada – foi tudo que conseguiu dizer. – Eu ainda não consegui contar para ela.

– Como poderia?

Gina a encarou, os olhos se enchendo lentamente de lágrimas. As duas estavam pensando em como alguém se despedia da filha de 5 anos. Depois de uma longa pausa, Gina sorriu.

– Então, o que a gente vai fazer com o seu cabelo?

– Pensei em cortar. Talvez descolorir o que sobrar dele.

– Muito chique. Nós vamos parecer donas de casa idosas do seu lado.

– Esse é o meu sonho agora – disse Claire, incapaz de se conter. – Virar uma dona de casa idosa.

Nos últimos tempos, por mais que amasse ver as amigas, ficava contente quando elas iam embora. Mais tarde naquela noite, no silêncio da escuridão, Claire cedeu aos medicamentos e caiu no sono.

Acordou com um sobressalto.

Seu coração batia com muita força, acelerado. Ela não conseguia respirar, não conseguia se sentar. Havia algo errado.

– Claire, você está bem?

Era Bobby. Sentado ao lado da cama. Obviamente acabara de acordar. Esfregando os olhos, ele se levantou e chegou mais perto. Por um segundo ela pensou que estava alucinando, que o tumor havia devorado as partes boas de seu cérebro e a feito enlouquecer. Então ele se aproximou mais e ela ouviu o tilintar de chaves.

– Bobby – sussurrou ela, tentando em vão mexer os braços pesadíssimos.

– Estou bem aqui, meu amor.

Foi necessária uma dose dolorosa de esforço, mas ela conseguiu erguer o braço e tocar o rosto molhado do marido.

– Eu te amo, Robert Jackson Austin. Mais que tudo no mundo, exceto pela minha Ali. Vem cá. Deita aqui na cama comigo.

Ele olhou os aparelhos, o acesso intravenoso, os tubos, os fios.

– Ah, meu amor...

Em vez disso, inclinou-se e a beijou.

A doce pressão dos lábios dele foi tão boa. Ela fechou os olhos, sentindo o próprio corpo afundar nos travesseiros.

– Ali – sussurrou ela. – Eu preciso do meu bebê...

Uma dor explodiu atrás de seu olho direito.

Ao lado da cama, um alarme disparou.

Não há dor. Não há sofrimento. Ela tateia a pele ressecada da cabeça e sente cabelos longos e compridos.

Ela se senta. Os tubos que a conectam às máquinas desapareceram. Ela quer gritar que está melhor, mas há muita gente no quarto, vestida de branco. Estão à sua volta, todos falando ao mesmo tempo, e ela não consegue entender.

De repente percebe que está se vendo de cima – do ar –, vendo os médicos trabalharem em seu corpo. Abriram suas roupas e estão pressionando algo em seu peito.

– Pronto! – grita um deles.

É tão grande o alívio em estar ali acima deles, onde não há dor...

– Pronto.

Então ela pensa na filha, em sua preciosa menininha, que não abraçou uma última vez.

Sua bebê, que vai ter que receber a notícia de que a mamãe partiu.

O médico deu um passo atrás.

– Ela se foi.

Meghann correu até a cama, gritando.

– Não faz isso, Claire. Volta. Volta, caramba.

Alguém tentou puxá-la para longe e ela deu uma cotovelada com força.

– É sério, Claire. Pode voltar. A Alison está na sala de espera. Você não pode cair fora desse jeito. Você não se despediu dela. Ela merece isso. Volta agora! – Ela agarrou os ombros de Claire, sacudindo-os com força. – Não *ouse* fazer isso com a Alison e comigo.

– Temos batimento! – gritou alguém.

Meghann foi empurrada para o lado. Ela cambaleou para o canto do quarto, observando, rezando, enquanto estabilizavam sua irmã.

Por fim, os médicos saíram. Exceto pelo zumbido e os bipes das máquinas, o quarto estava silencioso.

Ela encarou o peito de Claire, vendo-o subir e descer. Levou um instante até perceber que respirava com força, como se forçasse o corpo da irmã a seguir o ritmo.

– Eu te ouvi, sabia?

Ao ouvir a voz de Claire, Meg se desencostou da parede e chegou mais perto.

E Claire estava ali, meio careca, branca feito papel, sorrindo para ela.

– Daí pensei "meu Deus do céu, eu estou morrendo, e nem assim ela para de gritar comigo".

VINTE E NOVE

Joe tentou jogar o maldito envelope fora pelo menos umas dez vezes. O problema é que não conseguiu tocar nele nenhuma vez.

Covarde.

Ele ouviu a palavra com tanta nitidez que ergueu os olhos. O casebre estava vazio. Ele olhou para Diana, que o encarou de volta da cornija da lareira.

Joe fechou os olhos, desejando que ela aparecesse outra vez, talvez que se sentasse na cama a seu lado e sussurrasse "que decepção, Joey", como costumava fazer.

Mas havia tanto tempo que ela não aparecia para ele que Joe mal se lembrava de como eram aquelas alucinações – embora não precisasse evocar a imagem de Diana para saber o que ela diria.

Diana teria vergonha dele, tanto quanto ele tinha de si mesmo. Ela o lembraria de que um dia ele fizera um juramento, prometendo ajudar os outros.

Além do mais, não era qualquer pessoa. Era Claire Cavenaugh, a mulher que passara horas intermináveis à beira da cama de Diana, em seus momentos finais, vendo novela e jogando palavras cruzadas. Joe recordou uma noite em particular. Ele havia trabalhado o dia inteiro, depois fora para o hospital onde Diana estava internada, exausto pela perspectiva de passar mais uma noite ao lado da esposa moribunda. Ao abrir a porta, Claire estava lá, dançando só de calcinha e sutiã. Diana, que não sorria fazia semanas, estava chorando de rir.

– Nem pensar – dissera Claire, rindo, quando ele perguntou o que estava acontecendo. – A gente nunca vai te contar o que estava fazendo.

– Preciso manter algum segredo – acrescentara Diana. – Até do amor da minha vida.

Agora era Claire em uma cama feito aquela, em um quarto que cheirava a desespero, encarando um céu cinzento mesmo no dia mais claro de verão.

Provavelmente não podia fazer nada por ela. Mas como lidaria com a culpa, se não tentasse? Talvez aquela fosse a forma de Deus lembrar-lhe que não se podia ficar preso a velhos medos quando se queria recomeçar.

Se estivesse ali, Diana teria dito que não haveria oportunidade mais clara que aquela. Uma coisa era fugir do passado. Outra era dar as costas às radiografias com o nome de uma amiga.

Você está matando a Claire, e dessa vez não dá para usar nenhuma palavra bonita como "eutanásia".

Ele soltou um suspiro pesado e estendeu a mão, fingindo não notar que estava trêmula, nem seu súbito desespero por uma bebida.

Joe pegou as radiografias e levou-as até a cozinha, onde a luz do sol entrava pela janela acima da pia.

Analisou a primeira, então foi passando para as outras. A adrenalina fez seu coração acelerar.

Entendia por que todos haviam diagnosticado aquele tumor como inoperável. Era quase impossível encontrar alguém com a habilidade necessária para uma cirurgia daquele porte. Seria necessário um neurocirurgião com mãos divinas e um ego à altura. Alguém que não tivesse medo de errar.

No entanto, com uma ressecção cuidadosa... talvez houvesse chance. Era possível - apenas possível - que aquele leve sombreado não fosse um tumor, mas um tecido respondendo ao tumor.

Não havia dúvida sobre o que ele precisava fazer em seguida.

Joe tomou um longo banho quente e vestiu a camisa azul e a calça jeans novas, desejando ter roupas melhores e aceitando que não tinha. Então pegou as imagens, devolveu ao envelope e foi até a casa de Smitty. Helga estava na cozinha, preparando o almoço. Smitty estava na sala, vendo tevê. Ao ouvir Joe bater à porta, ele ergueu os olhos.

- Oi, Joe.

- Eu sei que é meio chato, mas será que eu posso pegar a picape emprestada? Tenho que ir até Seattle. Talvez precise dormir lá.

Smitty vasculhou o bolso atrás das chaves, então jogou-as para ele.

- Valeu.

Joe caminhou até a picape Ford 73 enferrujada, entrou e bateu a porta.

Ele encarou o painel. Fazia anos que não dirigia. Deu partida no motor e pisou fundo.

Duas horas depois, estacionou na garagem subterrânea entre a Madison e a Broadway Street e adentrou o saguão de sua antiga vida.

O quadro de Elmer Nordstrom ainda estava pendurado na entrada do arranha-céu preto lustroso que levava o seu sobrenome. Joe caminhou até os elevadores de cabeça baixa. Sem fazer contato visual com ninguém, o coração martelando, ele apertou o botão para subir.

Quando as portas se abriram com um silvo, ele entrou. Duas pessoas de jaleco branco o acompanharam. Conversavam sobre resultados de exames de laboratório. Desceram no terceiro andar – que levava à passarela que conectava aquele prédio de consultórios ao Swedish Hospital.

Ele não pôde evitar lembrar a época em que cruzava aqueles corredores de cabeça erguida; um homem seguro de seu lugar no mundo.

No 14º andar, as portas se abriram.

Joe ficou mais um instante parado encarando as letras pretas com borda dourada nas portas de vidro adiante no corredor.

Especialistas em Medicina Nuclear de Seattle. O setor que ele começara sozinho. Havia sete ou oito médicos listados. Não se via o nome de Joe.

Claro que não.

No último segundo, com as portas já se fechando, ele saiu do elevador e atravessou o corredor. Havia vários pacientes na sala de espera – graças a Deus não conhecia nenhum – e duas mulheres atrás do balcão da recepção. Ambas eram novas.

Ele cogitou caminhar direto até o consultório de Li, mas não teve coragem. Em vez disso, foi até a recepção.

A mulher – Imogene, segundo o crachá – ergueu o olhar para ele.

– Pois não?

– Gostaria de falar com o Dr. Li Chinn.

– Qual é o seu nome?

– Diga a ele, por favor, que é um médico de fora da cidade que veio para uma consulta de emergência. Eu vim de longe para vê-lo.

Imogene analisou Joe, decerto reparando nas roupas vagabundas e no corte de cabelo sem graça. De cenho franzido, ligou para o escritório de Li e transmitiu a mensagem. Um instante depois, desligou.

– Ele vai atender o senhor em quinze minutos. Pode se sentar.

Joe foi até uma das poltronas da sala de espera, lembrando que Diana havia escolhido o tecido e as cores. Houve uma época em que a casa deles vivia abarrotada de amostras de cores de tinta de parede.

– Eu quero que fique perfeito – dissera ela. – Seu trabalho é a única coisa que você ama mais do que a mim.

Ele desejou poder sorrir com a lembrança; era boa.

– Doutor? Doutor?

Joe ergueu o olhar, assustado. Fazia muito tempo que ninguém o chamava assim.

– Sim? – disse ele, levantando-se.

– O Dr. Chinn vai te receber agora. No final do corredor, vire à direita...

– Eu sei onde fica a sala dele.

Joe foi até a porta, então parou, tentando manter a respiração regular. Estava suando e com a palma das mãos úmidas. Suas impressões digitais ficariam marcadas no envelope.

– Doutor? O senhor está bem? – perguntou a recepcionista.

Ele soltou um suspiro pesado e abriu a porta.

Os corredores e as salas lá dentro estavam tomados por rostos familiares. Enfermeiros, assistentes, técnicos em radiologia.

Ele se forçou a erguer a cabeça.

Um a um, seus antigos colegas fizeram contato visual, reconheceram-no e desviaram o olhar rapidamente. Alguns sorriam constrangidos ou acenavam, mas ninguém falou com ele. Joe se sentiu um fantasma entrando no mundo dos vivos. Ninguém queria admitir que o havia visto.

Alguns olhares o censuravam abertamente; era desses que se recordava, que o haviam afugentado. Outros, porém, pareciam constrangidos de serem flagrados olhando-o, confusos com sua presença repentina. O que dizer a um homem que já tinha sido admirado, então foi processado por matar a própria esposa e desapareceu por três anos?

Ele cruzou a fila de mulheres em vestes de hospital aguardando mamografias, passou pela segunda sala de espera e virou em outro corredor, mais silencioso. Ao fim dele, chegou a uma sala fechada. Respirou fundo e bateu à porta.

– Entre – disse uma voz familiar.

Joe entrou no grande consultório que um dia fora seu. Imensas janelas de vidro emolduravam a vista dos arranha-céus de Seattle.

Li Chinn estava em sua mesa, lendo. Quando Joe entrou, ele ergueu os olhos. Um olhar surpreso, quase cômico, tomou seu rosto em geral impassível.

– Não acredito – disse ele, ainda sentado.

– Oi, Li.

Li pareceu constrangido, incerto de como proceder, do que dizer.

– Quanto tempo, Joe.

– Três anos.

– Por onde você andou?

– Isso importa? Eu quis vir te contar que estava indo embora, mas... – Ele suspirou, notando como soava patético. – Não tive coragem.

– Mantive o seu nome na porta por quase um ano.

– Desculpa, Li. Deve ter prejudicado os negócios.

Ele assentiu; dessa vez, seus olhos escuros estavam tristes.

– Pois é.

– Eu queria te mostrar umas radiografias.

Li assentiu e Joe foi até o negatoscópio para prender as imagens.

Li se aproximou e analisou. Por um longo instante, não disse nada.

– Está vendo algo que eu não vejo? – perguntou ele, por fim.

Joe apontou.

– Bem ali.

Li cruzou os braços, franziu a testa.

– Poucos cirurgiões tentariam uma coisa dessa. O risco é muito grande.

– Ela vai morrer se não for operada – respondeu Joe.

– Ela pode morrer na cirurgia.

– Acha que vale a tentativa?

Li o encarou, ainda mais sério.

– O antigo Joe Wyatt nunca perguntava a opinião dos outros.

– As coisas mudam.

– Você conhece algum cirurgião que faria? Que *conseguiria*?

– Stu Weissman, da UCLA.

– Ah. O caubói. É, talvez.

– Eu não posso fazer. Não renovei minha licença. Será que você mandaria essas imagens para o Stu? Eu vou ligar para ele.

Li apagou a luz.

– Claro. Recuperar a licença é fácil.

– Eu sei. – Joe ficou parado por mais um instante. O silêncio cresceu desconfortavelmente entre eles. – Bom, vou ligar para o Stu.

Ele se virou para sair.

– Espera.

Joe deu meia-volta.

– Alguém da equipe falou com você?

– Não. É difícil saber o que dizer a um assassino.

Li se aproximou.

– Algumas pessoas pensam isso de você, sim. A maioria... só não sabe o que dizer. Lá no fundo, muitos de nós teríamos feito a mesma coisa. A Diana estava sofrendo demais, todo mundo sabia disso, e não tinha esperança. A gente agradece a Deus por não estar no seu lugar.

Joe não soube o que responder.

– Você tem um dom, Joe – disse Li, devagar. – Dar as costas a esse dom também seria um crime. Quando estiver pronto, se algum dia isso acontecer, venha me ver. Esta clínica tem o propósito de salvar vidas, não de ficar dando trela para fofocas antigas.

– Obrigado.

Era uma palavra pequena demais para expressar sua gratidão. Constrangido de ficar emocionado, Joe agradeceu mais uma vez, então saiu da sala.

No saguão do antar de baixo, encontrou um cantinho com telefones públicos e ligou para Stu Weissman.

– Joe Wyatt – disse Stu, empolgado. – Caramba, como é que você está? Achei que tinha sumido da face da Terra. Que horror aquele inferno que você passou.

Joe não queria perder tempo com o papo de "por onde você andou". Haveria tempo para isso quando Stu chegasse.

– Tem uma cirurgia que eu quero que você faça – disse ele, então. – Bastante arriscada. Você é o único cara que eu conheço que tem talento para isso.

Stu adorava elogios.

– Pode falar.

Joe explicou o que sabia da história de Claire, revelou a situação atual e resumiu o que havia visto nas imagens.

– E você acha que eu posso fazer alguma coisa.

– Só você.

– Bom, Joe, você tem o melhor olho dessa área. Me manda as imagens. Se eu enxergar o mesmo que você, pego o próximo avião. Mas é importante que a paciente entenda os riscos. Não quero ir até aí e ter que dar meia-volta.

– Pode deixar. Obrigado, Stu.

– Foi bom falar com você – disse Stu, então desligou.

Joe colocou o aparelho de telefone de volta no gancho. Agora só precisava falar com Claire.

Voltou aos elevadores, cruzou a passarela suspensa e rumou para o Swedish Hospital. Manteve o olhar fixo no chão. Umas poucas pessoas franziram o cenho, reconhecendo-o, outras cochicharam atrás dele. Ignorou todas elas e seguiu em frente. Ninguém teve coragem de lhe dirigir a palavra ou perguntar por que estava ali até que chegou ao CTI.

– Dr. Wyatt? – indagou alguém.

Ele se virou lentamente. Era Trish Bey, enfermeira-chefe do CTI. Tinham trabalhado juntos por muitos anos. Perto do fim, ela e Diana haviam virado grandes amigas.

– Oi, Trish.

Ela sorriu.

– É bom te ver de volta. Sentimos a sua falta.

Ele relaxou os ombros. Quase retribuiu o sorriso.

– Obrigado.

Eles se entreolharam por um instante constrangedor, então ele assentiu, despediu-se e procurou saber qual era o leito de Claire.

Ao chegar lá, a viu sentada na cama, dormindo, a cabeça inclinada para o lado. As áreas carecas a deixavam com uma aparência muito, muito jovem.

Ele se aproximou, tentando não se lembrar de quando Diana estava daquele jeito. Pálida e frágil, os cabelos tão ralos que parecia uma velha boneca que fora muito amada e muito usada antes de ser jogada fora.

Claire despertou, piscando, e o encarou.

– Joey – sussurrou, com um sorriso cansado. – Ouvi dizer que você tinha voltado. Que bom.

Ele puxou uma cadeira e sentou-se junto à cama.

– Oi, Claire.

– Eu sei. Eu já estive mais bonita.

– Você está linda. Sempre foi.

– Deus te abençoe, Joe. Vou mandar um beijo seu para a Di. – Ela fechou os olhos. – Desculpa, mas estou exausta.

– Não precisa ter pressa para encontrar a minha esposa.

Devagar, ela reabriu os olhos. Pareceu levar um minuto para ajustar o foco.

– Não tem esperança, Joe. Você sabe como é, mais que todo mundo. Dói muito fingir. Ok?

– Eu vejo as coisas... de maneira diferente.

– Acha que os caras de jaleco estão errados?

– Não quero te dar falsas esperanças, Claire, mas talvez sim.

– Tem certeza?

– Ninguém tem certeza de nada.

– Não estou pedindo a opinião de mais ninguém. Eu quero a sua, Joey. Está me dizendo para não desistir?

– Uma cirurgia pode te salvar. Mas pode deixar sequelas graves, Claire. Paralisia. Perda de habilidade motora. Danos cerebrais.

Ela sorriu ao escutá-lo.

– Sabe o que eu estava pensando mais cedo?

– Não.

– Em como dizer para a Ali que a mamãe vai morrer. Eu correria qualquer risco, Joe. Qualquer coisa para não ter que dar um beijo de despedida na Ali. – A voz dela embargou, e Joe viu a profundidade de sua dor.

A coragem de Claire era impressionante.

– Eu mandei as suas radiografias para um amigo. Se ele concordar com o meu diagnóstico, vai operar.

– Obrigada, Joe – disse ela, baixinho, tornando a fechar os olhos.

Dava para ver quanto ela estava cansada; Joe se inclinou e deu um beijo em sua testa.

– Tchau, Claire – disse ele, e seguiu para a porta.

– Joe?

Ele deu meia-volta.

– Oi?

Claire despertara outra vez, mas estava no limite do sono, encarando-o.

– Ela não devia ter te pedido aquilo.

– Quem? – indagou ele, mesmo já sabendo.

– Diana. Eu nunca pediria uma coisa dessas ao Bobby. Sei o que isso faria com ele.

Joe não tinha resposta. Gina sempre lhe dizia o mesmo. Ele saiu do quarto e se recostou na porta com um suspiro, fechando os olhos.

Ela não devia ter te pedido aquilo.

– Joe?

Ele abriu os olhos e desencostou da porta com um salto. Meghann o encarava a poucos metros. Suas bochechas e olhos estavam vermelhos e úmidos.

Ele sentiu um ímpeto quase irresistível de secar o rastro de suas lágrimas.

Meghann se aproximou.

– Me diz que você arrumou um jeito de ajudá-la.

Ele teve medo de responder. Sabia muito bem como a esperança era uma faca de dois gumes. Nenhum golpe era mais severo que perder a fé.

– Eu conversei com um colega da UCLA. Se ele concordar com o meu diagnóstico, vai operar, mas...

Meghann pulou em cima dele, agarrando-o.

– Obrigada.

– É muito arriscado, Meg. Ela pode não sobreviver à cirurgia.

Meghann recuou, secando as lágrimas com impaciência.

– Nós, mulheres Sullivan, preferimos morrer lutando. Obrigada, Joe. E... me desculpa por tudo que eu falei. Como todo mundo diz, às vezes eu sou muito escrota.

– Esse aviso chegou um pouco tarde.

Ela sorriu e secou os olhos outra vez.

– Você devia ter me falado sobre a sua esposa.

– Em um daqueles nossos papos íntimos?

– Isso. Em um daqueles.

– Não é uma boa conversa para se ter debaixo dos lençóis. Como é que se transa com uma mulher e depois conta para ela que você matou a própria esposa?

– Você não a matou. Foi o câncer. Você só acabou com o sofrimento.

– E com a respiração.

Meghann o encarou de um jeito firme.

– Se a Claire me pedisse, eu faria. E estaria disposta a ir presa por isso. Não deixaria ela sofrer.

– Torça para isso nunca acontecer.

Ele ouviu a própria voz meio embargada. Em outra época, quando era um homem confiante e pensava em si mesmo como um semideus, ele teria se envergonhado de tamanha vulnerabilidade.

– O que a gente faz agora? – disse Meghann, frente ao silêncio subitamente incômodo. – Pela Claire, quero dizer.

Ela se afastou um pouco.

– Esperamos o Stu Weissman me retornar. E rezamos para ele concordar com a minha avaliação.

Joe já estava na porta principal quando ouviu seu nome. Ele parou e olhou para trás.

Gina estava logo ali.

– Ouvi dizer que o meu irmão incorporou o médico de novo.

– Eu só liguei para o Stu.

Ela se aproximou, sorrindo.

– Você deu uma chance a ela, Joe.

– Vamos ver o que o Stu diz, mas sim. Talvez. Espero.

Gina tocou seu braço.

– A Diana ficaria orgulhosa. Eu estou.

– Obrigado.

– Vem ficar com a gente na sala de espera. Você já passou muito tempo sozinho. Está na hora de recomeçar sua vida.

– Tem uma coisa que eu preciso fazer antes.

– Promete que vai voltar.

– Prometo.

Uma hora depois ele estava na balsa rumo a Bainbridge Island. Estava debruçado na amurada do deque superior enquanto entravam em Eagle Harbor. A pequena baía pareceu acolhê-lo com suas casas bem conservadas e barcos a vela aglomerados no píer. Ficou feliz em ver que tudo permanecia igual, ainda com mais árvores que casas, e que a orla não havia sido loteada.

É aqui, Joey. É aqui que eu quero criar os nossos filhos.

Seus dedos apertaram a amurada. Não fazia tanto tempo – talvez dez anos –, mas parecia uma eternidade. Ele e Diana eram tão jovens e otimistas. Jamais cogitaram não ficar juntos para sempre.

Que um dos dois teria que seguir sozinho.

A balsa soou a buzina.

Joe retornou à picape, estacionada no deque inferior. Quando o barco atracou, ele saiu dirigindo.

A cada esquina, a cada placa, lembranças o invadiam.

Pega aquele armário para mim no Bad Blanche's, Joe?

Vamos à vinícola hoje? Quero sentir o cheiro das uvas.

Esquece o jantar, Joey. Ou você me leva para a cama ou fim de papo.

Ele fez a curva em sua antiga rua. As árvores eram imensas; avultavam-se no ar e bloqueavam o sol. A rua estava calma e sombreada. Não havia nenhuma casa à vista, apenas caixas de correio e entradas de garagem.

Na última, ele reduziu a marcha.

A caixa de correio ainda estava lá. Dr. e Sra. Wyatt. Fora uma das primeiras aquisições de Diana, depois que eles fecharam a compra da casa.

Ele seguiu pelo caminho comprido e ladeado de árvores que levava à garagem. A casa – sua casa – jazia à beira da água, sobre um gramado ensolarado junto a uma ampla faixa de areia grossa. Era uma linda casinha no estilo Cape Cod, com telhas de cedro e acabamentos em verniz branco.

A glicínia havia crescido demais, ele percebeu, ficando mais verde e frondosa sobre o peitoril da varanda, em torno dos postes e em alguns pontos da parede exterior.

Ele avançou devagar, ofegando, ao sair da segurança do carro e caminhar em direção à casa.

A primeira coisa que percebeu foi o cheiro. O odor pungente de maresia misturado à doçura dos botões de rosa.

Joe pegou a chave na carteira – guardara ali especialmente para aquele dia.

Na verdade houvera semanas, meses até, em que pensara que nunca teria a coragem de pegar aquela chave outra vez.

Com um clique, a chave girou na fechadura.

Joe abriu a porta...

Querida, cheguei.

...e entrou.

O lugar estava exatamente como ele havia deixado. Ainda recordava o dia em que chegara do tribunal – supostamente, um homem inocente (não, um homem "não culpado") – e arrumara uma mala. Dera um único telefonema para Gina.

– Desculpa – dissera, cansado demais para ser eloquente. – Eu preciso ir.

– Eu cuido da casa – respondera ela, chorando. – Você vai voltar.

– Eu não sei. Como eu posso voltar?

Ainda assim, lá estava ele. Gina havia cumprido a promessa de cuidar da casa. Pagara os impostos e as contas com o dinheiro que ele havia deixado em uma conta especial. Não havia poeira nos móveis nem nos peitoris das janelas, nenhuma teia de aranha descendo do teto de pé-direito alto.

Ele caminhou de um cômodo a outro, tocando tudo, relembrando. Cada milímetro daquela mobília o fazia recordar uma hora e um local.

Esta cadeira é perfeita, Joey, você não acha? Dá para você ficar vendo tevê nela.

Cada coisinha tinha uma história. Feito um cego, ele avançou lentamente, tateando tudo, como se de alguma forma o toque suscitasse mais memórias do que a visão.

Enfim, Joe chegou ao quarto principal. A visão foi quase insuportável. Ele se forçou a ir adiante. Ainda estava tudo ali. A grande cama antiga, que haviam ganhado de seus pais como presente de casamento, a linda colcha que herdaram depois da morte de seu pai. Os antigos criados-mudos, outrora abarrotados de livros – romances do lado dela, histórias de guerra do lado dele. Até o pequeno travesseiro bordado que Diana fizera logo no início da doença.

Ele se sentou na cama e pegou o travesseiro, olhando os pontinhos marrons que manchavam o tecido.

– Acho que bordado não é uma boa terapia. Estou perdendo tanto sangue me furando com essas agulhas que vou acabar anêmica – dissera Diana.

Joe sentiu saudade dos tempos em que conseguia invocar a imagem dela.

– Ei, Diana – falou ele. Acariciou o travesseiro, tentando recordar a sensação de tocá-la. – Fui ao hospital hoje. Foi bom.

Ele sabia o que ela responderia. O que não sabia, na verdade, era se estava pronto para voltar. Sua vida havia mudado tanto, estava fragmentada em tantos pedacinhos, que talvez nunca voltasse a ser inteira.

Ele não havia esquecido o olhar das pessoas no consultório. *Essa é a cara de um assassino?*, era o pensamento de todos ao olhá-lo.

Joe encarou o travesseiro, afagando-o.

– Você não devia ter me pedido aquilo, Di. Isso... acabou comigo. Bom... talvez eu mesmo tenha acabado comigo – admitiu, baixinho.

Ele devia ter ficado ali, naquela comunidade que amava tanto. Seu erro fora fugir.

Era hora de parar de se esconder. Hora de enfrentar as pessoas que o haviam julgado mal e dizer *já chega*.

Hora de recuperar sua vida.

Lentamente, ele se levantou, foi até o armário e abriu as portas.

As roupas de Diana preenchiam dois terços do espaço.

Três anos antes, ele tentara encaixotá-las e doá-las. Dobrara um suéter de caxemira cor-de-rosa e não aguentara mais.

Joe estendeu a mão para uma blusa bege de gola alta, a preferida de Diana. Tirou-a do cabide de plástico branco e levou-a ao rosto. Ainda havia um resquício do perfume dela. Seus olhos se encheram de lágrimas.

– Adeus, Diana – sussurrou ele.

Então foi em busca de uma caixa.

TRINTA

Na manhã seguinte, Stu Weissman telefonou para Claire. Ele falava em frases curtas e apressadas. Ela estava tão grogue e desorientada que levou uns instantes para compreender.

– Espere um minuto – disse ela por fim, sentando-se. – Você está dizendo que vai fazer a cirurgia?

– Isso. Mas é uma cirurgia perigosa. As coisas podem não sair como o esperado. Você pode acabar paralisada, com danos cerebrais ou coisa pior.

– Ou pode acontecer coisa pior antes de operar, não é?

Ele riu.

– Isso.

– Eu vou arriscar.

– Então eu também vou. Chego aí hoje à noite. Marquei a cirurgia para a amanhã às oito da manhã. – Então ele suavizou a voz: – Não quero ser pessimista, Claire. Mas é melhor você botar seus assuntos em ordem hoje. Se é que você me entende.

– Eu entendo, sim. Obrigada, Dr. Weissman.

Claire passou o dia se despedindo das amigas. Recebeu uma por uma, sentindo que todas mereciam atenção especial.

Com Karen, fez piada sobre os cabelos brancos que Willie sem dúvida lhe daria na adolescência e implorou que a amiga fizesse o terceiro casamento durar. A Charlotte, disse "não desista de ter um filho; eles são a marca que deixamos neste mundo – se não puder gerar um, adote, e dê a ele todo o seu amor". Com Gina, foi mais difícil. Passaram quase uma hora juntas, Claire cochilando de vez em quando, Gina a seu lado na cama, tentando não chorar.

– Cuide da minha família – disse Claire por fim, lutando para manter os olhos abertos.

– Cuide deles você mesma – respondeu Gina, buscando um humor inalcançável. Então concluiu, baixinho: – Você sabe que eu vou cuidar.

Foram despedidas estranhas e dolorosas, cheias de mensagens nas entrelinhas e cautela. Todas fingiram que Claire estaria viva na noite seguinte, rindo e fazendo bobagens, como sempre. Ela deixou as amigas com essa fé. No entanto, por mais que desejasse sentir o mesmo, a esperança lhe parecia uma roupa emprestada que já não cabia em seu corpo.

Estava cansada até a alma, mas, acima de tudo, estava com medo. O Dr. Weissman fora comedido em seu otimismo e muito franco na avaliação dos riscos. *As coisas podem não sair como o esperado*, dissera. A pior parte do medo era a solidão que o acompanhava. Não podia confessar isso a ninguém.

Por diversas vezes ao longo daquele dia comprido e arrastado, ela se viu desejando já ter morrido, apenas flutuado inesperadamente para fora daquele mundo. Agora não havia como ser discreta, com todos os seus entes queridos na sala de espera rezando por ela, e a ideia das despedidas que ainda teria que enfrentar era dilacerante. Bobby e Sam a abraçariam, aos prantos; ela teria que estar preparada. Meg estaria agitada e irritada.

E ainda havia Ali. Como Claire aguentaria passar por isso?

O hospital abrigava uma pequena capela no segundo andar, sem ligação com nenhuma denominação cristã específica.

Meghann estava parada em frente à porta aberta. Fazia anos que não ia a uma igreja em busca de conforto; décadas, para falar a verdade.

Ela entrou devagar, deixando a porta se fechar atrás de si. Seus passos eram silenciosos e ritmados no carpete em tom mostarda. Ela deslizou para um banco no meio e se ajoelhou no chão. Não havia almofada para os joelhos, mas ela se ajoelhou mesmo assim. Postar-se de joelhos no chão duro parecia o certo a se fazer ao implorar por um milagre.

Ela uniu as mãos e baixou a cabeça.

– Eu sou Meghann Dontess – disse ela, a título de apresentação. – Tenho certeza de que o Senhor se esqueceu de mim. Não falo com o Senhor desde... ah... desde o oitavo ano, eu acho. Foi quando rezei para conseguir dinheiro para as aulas de balé da Claire. Daí a mamãe foi demitida outra vez e a gente se mudou. Eu... parei de acreditar que o Senhor pudesse ajudar.

Ela pensou em Claire no andar de cima, tão pálida e cansada naquela cama de hospital, e em todos os riscos da cirurgia.

– Ela é um dos seres humanos bons, Deus. Por favor. Proteja ela. Não deixe a Ali crescer sem mãe.

Ela fechou os olhos com força. Lágrimas rolaram por seu rosto e pingaram em suas mãos. Queria dizer mais, pensar em alguma barganha, talvez, mas nada tinha a oferecer além de desespero.

Atrás dela, a porta se abriu e depois se fechou. Alguém avançou pelo corredor.

Meghann secou os olhos e se sentou no banco.

– Meg?

Ela ergueu os olhos, surpresa. Sam estava a seu lado, seu corpo robusto curvado em derrota, os olhos vermelhos.

– Ela está se despedindo das amigas.

– Eu sei.

– Não consegui ficar lá, vendo cada uma sair do quarto. No instante em que fecham a porta, o sorriso vai embora e o choro vem.

Meghann havia fugido da mesma coisa.

– Ela tem sorte de ter tantas amigas.

– Pois é. Posso ficar aqui com você?

Ela deslizou para a direita, abrindo espaço. Ele se sentou ao lado dela, tão perto que Meg sentia o calor de seu corpo. Mas não se tocaram nem disseram nada por algum tempo.

– Eu tinha 30 anos quando você me ligou – disse Sam, por fim.

Ela franziu o cenho.

– Ah.

O que ele queria que ela dissesse?

– Eu não tinha irmãos nem outros filhos.

– Eu sei, Sam. Você dizia isso toda vez que eu fazia alguma bobagem.

Ele suspirou.

– Eu estava muito irritado com a Eliana. Ela tinha me negado a infância da minha filha. Eu passei tantos anos sozinho à toa... e você e a Claire lá, passando necessidade.

– Eu sei disso.

Ele se virou para olhá-la.

– Com a Claire foi fácil. Ela me olhou com aqueles olhos enormes e confiantes e disse "Oi, papai". Eu me apaixonei na mesma hora. Já você... – Ele balançou a cabeça. – Você me deixou tremendo que nem vara verde. Era difícil e respondona, e achava errado tudo o que eu falava para a Claire. Eu não sabia que você estava só sendo uma adolescente normal. Achei que você fosse que nem...

– A mamãe.

– Isso. E eu não queria que a Claire se magoasse. Levei um tempo... uns anos... para entender que você não era igual à Ellie. Mas aí já era tarde demais.

– Talvez eu *seja* igual à mamãe – disse Meg, baixinho.

– Não – respondeu ele em tom feroz. – Você tem sido a âncora da Claire durante este pesadelo. Você tem um coração heroico, por mais que não acredite nisso. E eu te peço desculpas por não ter percebido isso quando era mais novo.

– Muita coisa andou ficando mais clara ultimamente.

– Pois é. – Ele se recostou no banco. – Não sei como vou sobreviver a isso.

Meghann não tinha resposta. Como teria, se a pergunta também a assombrava?

Alguns minutos depois a porta tornou a se abrir. Dessa vez era Bobby. Estava com um aspecto horrível.

– Ela quer ver a Ali – sussurrou ele. – Eu não consigo.

Sam soltou um suspiro fraco.

– Ai, meu Deus.

– Eu vou – disse Meg, levantando-se devagar.

Claire tinha pegado no sono outra vez. Ao acordar, o sol na janela já havia sumido, deixando o quarto com um suave tom prateado.

– A mamãe acordou.

Então ela viu a filha. Ali estava agarrada a Meghann feito um macaquinho, os braços enroscados no pescoço da tia, as pernas agarradas à cintura.

Claire soltou um murmúrio antes de se recompor e abrir um sorriso. A única maneira de enfrentar aquele momento era fingir que haveria outro. Por Ali, precisava acreditar em um milagre.

– Oi, Ali Kat. Me contaram que você anda comendo todos os rolinhos de canela da lanchonete.

Alison deu uma risadinha.

– Só três, mãe. A tia Meg falou que se eu comesse mais um ia vomitar.

Claire abriu os braços.

– Vem cá, meu amor.

Meg se inclinou e delicadamente passou Ali aos braços frágeis de Claire. Ela abraçou a filha com força, parecendo não querer soltar. Lutava contra as lágrimas e se apegava a um fiapo de sorriso.

– Nunca se esqueça do quanto eu te amo – sussurrou ela no ouvido da filha.

– Eu sei, mãe – disse Ali, aninhando-se contra ela.

Alison ficou quietinha feito um bebê, como havia muito tempo não fazia. Foi então que Claire percebeu que a filha compreendia. No entanto, quando Ali se aproximou para falar em seu ouvido, Claire sentiu algo dentro de si desmoronar.

– Eu falei para Deus que se Ele fizer você melhorar eu nunca mais te peço cereal colorido.

Ela abraçou a filha o máximo que pôde.

– Leva ela para casa – disse por fim, quando a dor ficou insuportável.

Meghann surgiu no mesmo instante e pegou Ali de volta, mas a menina se desvencilhou dos braços dela e correu até a cadeira de plástico ao lado da cama. Ela se equilibrou sobre a cadeira bamba e encarou Claire.

– Eu não quero que você morra, mamãe – disse ela em uma vozinha rouca.

Até chorar era doloroso demais. Claire olhou sua preciosa menina e se esforçou para sorrir.

– Eu sei, meu docinho, e eu te amo mais que todas as estrelas do céu. Agora vai para casa com o vovô e o Bobby. Ouvi dizer que eles vão te levar ao cinema.

Meghann pegou Ali no colo outra vez. Claire viu que ela também estava à beira das lágrimas.

– Faz o Bobby ir para casa – disse ela à irmã. – Ele passou todas as noites aqui. Diz que a Ali precisa dele hoje.

Meg estendeu a mão e apertou a dela.

– A gente precisa de *você*.

Claire suspirou.

– Vou dormir agora – foi só o que conseguiu dizer.

Horas depois, Claire acordou com um susto. Seu coração batia tão acelerado que ela estava tonta. Por uma fração de segundo, não soube onde estava. Então viu as flores e as máquinas. Estreitando os olhos, enxergou o relógio na parede. O luar reluzia no visor de metal. Eram quatro da manhã.

Em algumas horas seu crânio seria aberto.

Ela começou a entrar em pânico, então viu Meg em um canto, esparramada em uma das poltronas desconfortáveis, adormecida.

– Meg – sussurrou, apertando o botão de controle da cama, que se inclinou para cima. O barulho foi alto, mas Meghann não acordou. – Meg – repetiu ela, mais alto.

Meghann se sentou e olhou em volta.

– Eu perdi a prova? – perguntou ela, confusa.

– Aqui.

Meghann piscou e passou a mão pelos cabelos desgrenhados.

– Está na hora?

– Não. Ainda faltam quatro horas.

Meg se levantou e arrastou a poltrona até a cama.

– Você dormiu?

– Mais ou menos. É difícil dormir com a expectativa de alguém abrir o seu crânio.

Claire fitou o luar que entrava pela janela. De repente sentiu tanto medo que começou a tremer. Toda a camada de coragem que exibira aos amigos e à família havia se exaurido, deixando-a vulnerável.

– Você se lembra do que eu fazia quando tinha um pesadelo?

– Você vinha correndo dormir comigo.

– É. Naquele colchão minúsculo na sala do trailer. – Claire sorriu. – Cheirava a uísque e cigarro e era pequeno demais para nós duas. Mas quando eu deitava ali e você me abraçava, eu me sentia protegida de tudo.

Ela olhou para Meghann e, delicadamente, afastou o cobertor.

Meghann hesitou, então subiu na cama e se aninhou junto à irmã. Se percebeu quanto ela havia emagrecido, não comentou.

– Como é que a gente se esqueceu de tanta coisa importante? – indagou Claire.

– Eu fui uma idiota.

– A gente perdeu tempo demais.

– Me desculpa – disse Meg. – Eu já devia ter dito isso há muito tempo.

Claire segurou sua mão.

– Eu vou te pedir uma coisa, Meg, e não quero que você comece com as suas besteiras. Não tenho condições de pedir duas vezes; cada palavra vai sair da minha garganta feito um caco de vidro. Se o pior acontecer, quero que você faça parte da vida da Ali. Ela vai precisar de uma mãe.

Meg apertou a mão de Claire com tanta força que prendeu a circulação nos dedos. Longos segundos se passaram antes que ela respondesse, com voz embargada:

– Eu vou garantir que ela sempre se lembre de você.

Claire assentiu; não conseguia falar.

Depois disso, elas ficaram deitadas no escuro, de mãos dadas, até que a luz do dia iluminasse o quarto e os médicos viessem levar Claire.

Meghann estava parada em frente à janela, encarando o emaranhado de edifícios cor de creme do outro lado da rua. Nas três horas que se passaram desde que Claire fora levada à cirurgia, Meghann havia contado todas as janelas e as portas à vista. Vinte e três pessoas haviam cruzado a esquina entre a Broadway e a James Street. Outras dezesseis haviam entrado na fila da pequena Starbucks.

Alguém puxou sua manga. Meghann olhou para baixo e encontrou Alison.

– Estou com sede.

Ao encarar seus olhinhos verdes, Meghann quase caiu no choro.

– Claro, querida – disse ela, pegando Ali no colo.

Forçando-se a não apertar demais, levou a menina até a lanchonete.

– Eu quero uma Pepsi. Foi o que a gente comprou da última vez.

– São onze da manhã. É melhor tomar um suco.

– Você está falando que nem a mamãe.

Meg engoliu em seco.

– Você sabia que a sua mãe amava refrigerante quando era pequena? Mas eu fiz ela gostar de suco de laranja.

Meghann pagou pelo suco e levou Alison de volta à sala de espera. Ao tentar colocá-la ali, porém, a menina se agarrou a ela.

– Ah, querida... – disse Meg, segurando a sobrinha.

Ela queria prometer que Claire ia ficar boa, mas as palavras ficaram presas em sua garganta. Meg se sentou, ainda segurando Ali, e afagou seus cabelos. Em poucos minutos, ela pegou no sono.

Do outro lado da sala, Gina ergueu os olhos, viu Meghann com Ali e retornou às palavras cruzadas. Sam, Ellie, Bobby, Karen e Charlotte jogavam cartas. Joe estava sentado no outro canto, lendo uma revista. Fazia horas que não erguia os olhos nem falava com ninguém. Ninguém estava conversando muito. O que havia a dizer?

Por volta do meio-dia, um enfermeiro apareceu e avisou a todos que a cirurgia ainda se estenderia por algumas horas.

– Vocês deviam ir comer alguma coisa – disse Meg. – Não vai ajudar a Claire se todo mundo desmaiar.

Sam assentiu e se levantou.

– Vamos sair um pouco daqui. O almoço é por minha conta – disse ele.

– Eu vou ficar – falou Meghann. Comida era a última de suas preocupações. – A Ali precisa dormir.

– Quer que a gente traga alguma coisa? – perguntou Bobby.

– Talvez um sanduíche para a Ali... geleia e pasta de amendoim.

– Pode deixar.

Depois que eles se foram, Meghann recostou-se na poltrona, com a cabeça na parede. Em seus braços, Ali roncava baixinho. Parecia que fora ontem que Meg segurara Claire daquele jeito, dizendo à irmãzinha que tudo ia ficar bem.

– Faz quase quatro horas, caramba. O que estão aprontando lá dentro?

Meg ergueu os olhos. A mãe estava à sua frente, segurando um cigarro apagado. Sua maquiagem já estava meio opaca e borrada; sem ela, Ellie também parecia sem cor.

– Achei que você tinha ido almoçar com o pessoal.

– Comida de *lanchonete*? Nem pensar. Mais tarde eu janto na suíte do hotel.

– Senta aqui, mãe.

A mulher desabou na cadeira de plástico ao lado.

– Hoje é o pior dia da minha vida, juro por Deus. E isso não é pouca coisa.

– A espera é mesmo difícil.

– Eu devia procurar o Sam. Ver se ele quer jogar cartas, sei lá.

– Por que você o abandonou, mãe?

– Ele é um bom homem – foi tudo que ela respondeu.

De início, Meghann não achou que uma fosse resposta. Então compreendeu. Ela havia ido embora *porque* Sam era um bom homem. Meghann entendia aquele tipo de medo.

– Tem umas coisas que eu devia ter dito a ele – sussurrou Ellie, gesticulando impacientemente com o cigarro apagado. – Mas eu nunca tive muito talento para falar de improviso.

– Nenhuma de nós fala muito bem.

– Graças a Deus. Falar não muda nada. – Ela se levantou de repente. – Mas falar com os repórteres sempre me anima. Tchau, Meggy. Vou estar do outro lado da rua quando... – A voz dela tremeu. – Quando vocês receberem a notícia de que correu tudo bem.

Então Ellie saiu, com um sorriso digno de Hollywood.

Uma hora foi levando à outra, até que, por fim, em torno de quatro da tarde, o Dr. Weissman entrou na sala de espera. Meghann foi a primeira a vê-lo. Segurou Ali com mais força e se levantou. Bobby se aproximou, então Sam e Ellie, depois Joe, Gina, Karen e Charlotte. Eles rodearam o médico em um grupo silencioso, então o Dr. Weissman passou a mão pelo cabelo ralo e abriu um sorriso cansado.

– A cirurgia correu bem.

– Graças a Deus – sussurraram todos juntos.

– Mas ela ainda tem um longo caminho pela frente. O tumor era mais invasivo do que pensávamos. Nas próximas horas, vamos saber mais.

TRINTA E UM

Claire acordou no quarto de recuperação, grogue e confusa. Os olhos latejavam por conta de uma forte dor de cabeça. Estava prestes a apertar o botão para pedir um analgésico quando se deu conta.

Estava viva.

Testou a memória contando até cem e listando todas as cidades onde havia morado na infância, mas foi interrompida pelos enfermeiros quando estava em Barstow. Depois disso, foi remexida, furada e analisada até não poder mais.

A família se alternava para estar com ela. Duas de suas lembranças mais vívidas pós-cirurgia eram de Bobby sentado junto à cama segurando uma compressa de gelo em sua cabeça por horas, e de seu pai dando-lhe lascas de gelo quando ela sentia sede. Meghann levara o desenho mais recente de Ali: três figuras muito coloridas diante de um rio. "Eu *ti* amo mamãe", lia-se em um garrancho, na base da folha.

Ao fim do segundo dia de pós-operatório, Claire começou a ficar irritadiça. Sentia dor; seu corpo inteiro doía e os hematomas na cabeça causados pelo halo de metal latejavam de um jeito infernal. Não lhe davam muitos analgésicos, pois os médicos não queriam mascarar qualquer efeito colateral da cirurgia.

– Estou me sentindo uma bosta – disse ela a Meghann, que estava sentada na cadeira junto à janela.

– É para combinar com a sua aparência.

Claire conseguiu abrir um sorriso.

– Tão delicada com os doentes... Será que ainda vai demorar?

Meghann ergueu os olhos do livro, que Claire percebeu estar de cabeça para baixo.

– Vou dar mais uma conferida.

Meg largou o livro e se levantou, então a porta se abriu. A enfermeira do turno do dia, Dolores, entrou no quarto, sorrindo. Empurrava uma cadeira de rodas vazia.

– Está na hora da sua ressonância.

Claire entrou em pânico. De repente não queria ir, não queria saber. Estava viva. Já estava de bom tamanho...

Meghann se aproximou e apertou sua mão. O toque foi o bastante para Claire sair do surto.

– Está bem, Dolores. Pode me levar.

Ao saírem para o corredor, encontraram Bobby esperando por elas.

– Está na hora?

– Está – respondeu Meghann.

Bobby foi segurando sua mão até o setor de Medicina Nuclear. Claire precisou se esforçar muito para deixá-los para trás e avançar sozinha pelo familiar corredor branco.

Minutos depois, deitada outra vez na máquina de ressonância que mais parecia uma mistura de caixão e britadeira, ela visualizou uma imagem clara e limpa de seu cérebro; a visão era tão nítida que ao fim do exame sentia o rosto úmido de lágrimas.

Bobby, Meghann e Dolores a aguardavam.

Dolores ajudou Claire a se sentar na cadeira de rodas e posicionou nos apoios seus pés calçados com chinelos. Retornaram ao quarto.

Depois disso, a espera foi insuportável. Meghann andava de um lado a outro do pequeno quarto de hospital; Bobby apertava a mão de Claire com tanta força que ela perdeu a sensibilidade nos dedos. Sam aparecia a cada quinze minutos.

Por fim, Dolores retornou.

– Os médicos estão prontos para te receber, Claire.

Pequenas coisas ajudaram Claire a não surtar durante o trajeto na cadeira de rodas: a pressão cálida da mão de Bobby em seu ombro, o falatório descontraído de Dolores, a proximidade de Meghann.

– Cá estamos.

Dolores parou em frente ao consultório e bateu à porta.

– Entre – disse uma voz.

Dolores afagou o ombro de Claire.

– Estamos rezando por você, querida.

– Obrigada.

Meghann assumiu o controle da cadeira de rodas e conduziu Claire ao consultório. Havia vários médicos na sala. O Dr. Weissman foi o primeiro a falar.

– Bom dia, Claire.

– Bom dia – respondeu ela, tentando controlar o nervosismo.

Os homens esperaram Meghann se sentar. Por fim, perceberam que ela não se sentaria.

O Dr. Weissman acendeu a luz do negatoscópio, onde estavam os exames de Claire. Seu cérebro. Ela agarrou as rodas da cadeira e avançou.

Claire analisou as imagens, então olhou para os homens.

– Não estou vendo nenhum tumor.

O Dr. Weissman sorriu.

– Nem eu. Acho que removemos tudo, Claire.

– Ah, meu Deus.

Ela havia esperado, rezado por aquilo. Até tentara acreditar, mas agora percebia que sua esperança tinha uma base muito instável.

– Os relatórios preliminares do laboratório informaram que era um astrocitoma de baixo grau – disse ele.

– Não era um glioblastoma multiforme? Graças a Deus.

– Sim, foi uma boa notícia. Além do mais, era benigno – disse o Dr. Weissman.

Um dos outros médicos deu um passo à frente.

– Você é uma mulher de muita sorte, Sra. Austin. O Dr. Weissman fez um trabalho incrível. No entanto, como você sabe, a maioria dos tumores cerebrais se regeneram. Em 28% de todos os...

– Para! – Claire só percebeu que havia gritado ao ver os olhares assustados dos médicos. Olhou para Meg, que assentiu de maneira encorajadora. – Eu não quero ouvir as suas estatísticas. Era benigno, não era?

– Era – respondeu o médico –, mas benigno, no cérebro, é um termo bastante enganador. Benignos ou não, todos os tumores cerebrais podem acabar se mostrando fatais.

– Sim, sim. Comprimem o espaço do cérebro e tudo mais. Mas não é um câncer que vai se espalhar pelo meu corpo, correto?

– Correto.

– Então foi retirado e era benigno. É só isso que eu quero ouvir. Vocês podem me falar dos tratamentos daqui para a frente, mas não de estatísticas e taxas de sobrevivência. A minha irmã mergulhou em todos esses números – disse ela, olhando para Meg. – Achou que eu não estava prestando atenção, mas eu estava. Ela tinha uma pasta que deixava no balcão da cozinha... com a etiqueta "Esperança". Nessa pasta tinha dezenas de relatos de pacientes com diagnóstico de tumor no cérebro que depois de mais de sete anos ainda estavam vivos. Vocês sabem o que todos eles tinham em comum?

Apenas o Dr. Weissman sorria.

– Todos tinham sido informados de que teriam menos de seis meses de vida. Vocês são que nem o pessoal da previsão do tempo de Seattle. Só preveem chuva. Mas eu não vou levar o guarda-chuva. O meu futuro é ensolarado.

O Dr. Weissman abriu ainda mais o sorriso, cruzou a sala e se inclinou para falar em seu ouvido:

– É isso aí.

Claire o encarou.

– Não tenho palavras para te agradecer.

– Agradeça ao Joe Wyatt. Boa sorte, Claire.

Assim que retornou ao quarto, Claire caiu no choro. Não conseguia parar. Bobby a abraçou com força, beijando sua cabeça careca até que ela enfim olhou para ele.

– Eu te amo, Bobby.

Ele a beijou intensamente.

Claire o abraçou com força.

– Vai buscar a nossa menina – sussurrou em seu ouvido. – Eu quero contar a ela que vai ficar tudo bem com a mamãe.

Ele saiu correndo.

– Você foi incrível – disse Meg quando ficaram sozinhas.

– "Não encrenca com a careca" é o meu novo lema.

– Eu não vou encrencar – respondeu Meg, com um sorriso.

Claire segurou a mão da irmã.

– Obrigada.

Meg beijou a testa de Claire, marcada pelo parafuso.

– Nós somos irmãs – respondeu ela, e isso era o suficiente. – Agora vou chamar a mamãe. Ela provavelmente vai trazer uma equipe cinematográfica.

Com um sorriso, Meghann saiu do quarto.

– O tumor foi embora – disse Claire em voz alta para o quarto vazio.

Então gargalhou.

Meghann encontrou todo o grupo na lanchonete. Bobby já estava lá, falando com Sam. Ellie estava na fila do bufê, distribuindo autógrafos. As Azuladas e Alison estavam sentadas em um canto, conversando baixinho. A única pessoa que não se via era Joe.

– E lá estava eu – contava Ellie a uma plateia extasiada –, pronta para subir no palco, e o zíper do vestido não subia. Eu *não* sou – enfatizou ela, com uma risadinha – uma mulher de pouco peito, então vocês podem imaginar...

– Mãe? – disse Meghann, tocando-lhe o braço.

Ellie deu um giro e, ao ver Meghann, seu sorriso maquiado esvaneceu. Por um instante, pareceu pequena, vulnerável. Uma estrela decadente dos bairros pobres de Detroit.

– E aí? – sussurrou ela.

– Relaxa, mãe. As notícias são boas.

Ela soltou um suspiro pesado.

– *Claro* que são. Vocês são todos muito dramáticos. – Ela se virou de volta para a plateia. – Vou precisar sair no meio da história, mas parece que a minha filha conseguiu uma recuperação milagrosa. Me lembra um filme para a televisão que fiz, em que...

Meghann se afastou.

– Tia Meg! – exclamou Alison, pulando em Meghann, que a pegou no colo e lhe deu um beijo. – A mamãe ficou boa!

Nesse momento mais vivas soaram, vindo das Azuladas.

– Vamos lá – disse Gina às amigas. – Vamos ver a Claire.

Bobby caminhou até Meghann.

– Vem, Ali querida – falou ele, pegando a menina nos braços. – Vamos dar um beijo na mamãe.

Ele começou a se afastar, então parou e deu meia-volta. Com muita delicadeza, beijou o rosto de Meghann.

– Obrigado – sussurrou ele.

Meghann fechou os olhos, surpresa pelo quanto ficou comovida. Ao tornar a erguer os olhos cheios de lágrimas, viu Sam caminhando em sua direção.

Ele avançava devagar, como se tivesse medo de que as pernas cedessem, então estendeu a mão e tocou o rosto de Meg.

– Espero você lá em casa para a ceia de Ação de Graças – disse ele, depois de um longo instante. – Não me venha com desculpa esfarrapada. Somos uma família.

Meg pensou em todos os anos em que recusara o convite de Claire e em todos os anos em que não fora convidada. Então pensou no ano anterior, que passara comendo cereal. Tanto tempo fingindo que não estava sozinha. Não queria mais fingimento nem ficar sozinha quando tinha uma família.

– Não perderia por nada.

Sam assentiu e continuou caminhando. Ela o viu contornar a fila do bufê, agarrar Ellie pelo braço e tirá-la do meio dos fãs. Ela soprou uns beijinhos e cambaleou ao lado dele.

Meghann ficou ali mais um minuto, sem saber aonde ir.

Joe.

Ela disparou pelos corredores, sorrindo e acenando para os enfermeiros e auxiliares que haviam se tornado mais que amigos nas últimas semanas.

Parou na sala de espera.

Estava vazia. A revista que ele estivera lendo ainda jazia aberta sobre a mesa.

Ela olhou de volta para o corredor, mas Claire não precisava dela agora. Haveria tempo para as duas depois, quando a empolgação arrefecesse e retornassem à vida normal. Elas tinham a vida inteira. Agora, o que Claire precisava era de roupas para sair do hospital.

Meghann entrou no elevador, desceu até o térreo e saiu do hospital. Mal podia esperar para ligar para Elizabeth e contar as boas novas.

O dia estava lindo e ensolarado. Tudo na cidade parecia mais nítido, mais claro. A distante enseada cintilava em seu azul-prateado entre os arranha-céus cinzentos. Ela desceu a ladeira, pensando em tantas coisas – sua vida, seu trabalho, sua família.

Talvez mudasse de carreira, encontrasse uma nova forma de praticar a advocacia. Ou quem sabe começasse um novo negócio, uma espécie de refúgio para pessoas com tumores cerebrais; talvez encontrasse um médico desiludido com quem fazer parceria. Podia fundar uma empresa de caridade que ajudasse a financiar os melhores cuidados nos piores momentos. O mundo parecia de portas abertas, repleto de novas possibilidades.

Em menos de uma hora de caminhada, ela chegou em casa. Estava prestes a atravessar a rua quando o viu, parado junto à porta de seu prédio.

Ao vê-la, Joe se afastou da parede onde estava recostado e atravessou a rua.

– A Gina me deu o seu endereço.

– O Stu te contou da ressonância?

– Eu passei a última hora com ele. O prognóstico da Claire é bom.

– Pois é.

Ele se aproximou.

– Estou cansado de não dar a mínima, Meg – disse, baixinho. – E estou cansado de achar que morri junto com a Diana.

Meg ergueu o olhar; estavam tão próximos que ele poderia beijá-la se quisesse.

– Que chance tem um casal feito nós?

– Temos uma chance. Igual a todo mundo.

– A gente pode se machucar.

– Somos sobreviventes – disse Joe, tocando o rosto dela com tanta ternura que Meg sentiu vontade de chorar; nenhum homem jamais fora tão delicado com ela. – E talvez a gente se apaixone.

Ela o olhou nos olhos e viu a esperança de um futuro. Mais do que isso. Teve um vislumbre do amor sobre o qual ele falava e, pela primeira vez, acreditou. Se Claire tinha melhorado, tudo era possível. Ela o abraçou e ficou na ponta dos pés.

– Talvez isso já tenha acontecido – sussurrou antes de beijá-lo.

EPÍLOGO

Um ano depois

O som era ensurdecedor. A área do evento estava apinhada de gente: crianças gritando nos brinquedos do parque de diversões, pais berrando atrás, funcionários convocando os passantes a brincar, todos embalados pela música alta.

Alison estava mais adiante, arrastando Joe de um brinquedo a outro. Meghann e Claire caminhavam juntas, um pouco atrás, segurando o monte de bichinhos de pelúcia e bugigangas baratas que Joe havia ganhado. Claire mancava um pouco; o único resquício de sua provação, e diminuía a cada dia. Seu cabelo havia crescido e estava mais cacheado e loiro que antes.

– Está na hora – disse Claire, gesticulando para Joe.

Os quatro se enfileiraram, cruzaram a barraca de bebidas e viraram à esquerda, em direção às arquibancadas.

– Já tem uma multidão – disse Claire, nervosa.

– Claro que tem – respondeu Meghann.

– Corre, mãe, corre!

Alison saltitava, animada. Na porta lateral, Claire mostrou o crachá para entrar nos bastidores. Eles percorreram a coxia, cruzando com os músicos e cantores que passavam o som.

Bobby os viu chegando e acenou. Alison correu para ele, que a pegou nos braços e a girou.

– O meu pai vai cantar hoje – disse ela bem alto, para todo mundo ouvir.

– Vou mesmo – disse Bobby, passando um braço pela cintura de Claire e puxando-a para um beijo. – Me deseje sorte.

– Você não precisa.

Conversaram por mais uns minutos, então deixaram Bobby ir se preparar.

Eles subiram nas arquibancadas e encontraram seus assentos na quarta fileira. Meghann ajudou Claire a se sentar; ela às vezes ainda se desequilibrava.

– O Kent Ames ligou ontem – disse Claire. – A mamãe ficou furiosa por ele ter cancelado o contrato do Bobby.

– Ela está falando mal dele há meses.

– Pois é. Semana passada ela falou que tinha arrumado um teste para o Bobby na Mercury Records. O Kent Ames deu um chilique. Parece que no fim das contas ele quer dar uma segunda chance ao Bobby. Disse que espera que ele avalie bem as *prioridades* desta vez. – Claire sorriu.

– Bob-by Jack Austin! – anunciou um homem que havia subido ao palco.

– Vai, papai! – gritou Alison, saltitando, em meio aos aplausos da multidão.

Bobby subiu no palco com seu violão. Ele olhou o público, encontrou Claire e lançou-lhe um beijo.

– Essa música é para a minha esposa, que me ensinou sobre amor e coragem. Eu te amo, meu bem.

Ele dedilhou o violão e começou a cantar. Sua bela voz envolveu a melodia, hipnotizando a multidão. Ele cantou sobre encontrar a mulher de seus sonhos e se apaixonar, sobre ficar ao lado dela nos momentos difíceis. Na última estrofe, baixou a voz para um sussurro rouco; a multidão se inclinou para escutar.

Quando te vi tropeçar
Nas pedras do caminho
Conheci o amor verdadeiro
E a bênção de mais um dia.

Os aplausos foram explosivos. Metade das mulheres da plateia estava chorando.

Meghann abraçou a irmã.

– Eu *falei* que ele seria um ótimo marido. Gostei dele de cara.

– Sei, claro – disse Claire, com uma risada. – E você e o Joe? Estão praticamente morando juntos. Prevejo um acordo pré-nupcial no futuro próximo.

Meghann olhou para Joe, que aplaudia de pé, com Alison nos braços. Desde que recomeçara a exercer a medicina, ele dizia que tudo era possível. Eles tinham ensinado um ao outro a acreditar no amor novamente.

– Acordo pré-nupcial? Eu? Nem pensar. A gente estava pensando em um casamento pequeno. Ao ar livre...

– Ao ar livre? Onde chove? Onde a mosquitada voa? Tipo *isso*?

– Talvez com hambúrguer, enroladinho de salsicha e...

– A salada de batata da Gina! – completou Claire, ao mesmo tempo que Meg, com uma gargalhada.

– Isso – disse Meghann, abraçando a irmã. – Esse tipo de casamento.

AGRADECIMENTOS

Obrigada à Dra. Barbara Snyder e a Katherine Stone... mais uma vez. Obrigada a Diane VanDerbeek, advogada extraordinária, pela ajuda com os assuntos jurídicos. E, por fim, a John, a Diane e à maravilhosa equipe da *Olympus*: obrigada por essa viagem divertidíssima e inesquecível.

UM BATE-PAPO COM KRISTIN HANNAH

Seus romances falam muito sobre relacionamentos e laços emocionais. Neste livro, você destaca a ligação entre irmãs. O que a motivou a escrever esta história sobre duas irmãs afastadas?
Enquanto eu escrevia, parecia estar fazendo o mesmo de sempre: seguindo uma ideia interessante. Na verdade, porém, *Tempo de regresso* é um divisor de águas na minha carreira: a primeira vez que escrevi um romance com foco em mulheres. Existem homens na história, claro – e mulheres apaixonadas –, mas a essência é a relação entre duas mulheres. Uma vez aberta, essa porta mudou o rumo da minha carreira e das minhas ideias.

Seus personagens são muito verossímeis e bem delineados. Como é o seu processo de criação? Você começa com poucas características e deixa que elas evoluam à medida que a história avança, ou já tem um "modelo" para cada um? Você baseia seus personagens em pessoas reais?
Com frequência me perguntam se baseio meus personagens em pessoas que conheço. Encaro isso como um verdadeiro elogio; espero que signifique que meus personagens são tão cheios de vida que parecem inspirados em pessoas reais. A verdade é que eles costumam ser totalmente fictícios. Nunca elaborei um personagem com base em um conhecido, pelo menos não de maneira consciente. Dito isso, admito que a maioria dos personagens que crio são, de certa forma, parte de mim mesma. Em *Tempo de regresso*, Meghann corresponde ao meu lado obsessivo, controlador e temeroso, enquanto Claire brota do meu lado amoroso, tranquilo, caseiro e maternal. De certo modo, então, pode-se dizer que este livro é uma fusão metafórica da minha personalidade. Isso se aplica à maior parte do meu trabalho. Meus personagens estão constantemente lidando com questões que permeiam minha própria vida. Por isso tantos de meus personagens femininos enfrentam a perda precoce e dolorosa da mãe. Para mim, escrever sobre isso é uma forma de terapia. Neste romance, a mãe

é ausente e o resultado é o mesmo: crescer sem uma figura materna deixa suas marcas.

Quanto ao processo de criação dos personagens, o segredo é trabalhar em camadas. Começo com uma ideia mais ampla das características necessárias a um personagem para que a premissa funcione. É quase um arquétipo. Então, rascunho a rascunho, acrescento características definidoras e uma história de fundo, até criar uma pessoa imaginária totalmente viva. Se eu fizer meu trabalho direitinho, o leitor vai crer que os personagens podem, de fato, "sair do papel" e se sentarem para um café.

Você já foi surpreendida por algum de seus personagens?

Não sou o tipo de autora que perde o controle durante o processo de escrita do livro. Quase sempre sou eu quem comanda a criação dos personagens. Portanto, é raro que eles façam coisas que me surpreendam. O que acontece, no entanto, é que às vezes eu descubro que um personagem não vai fazer o que eu preciso que ele faça, então acabo tendo que reescrever a trama. Quando me deparo com uma barreira assim, percebo que cometi algum erro crítico, que eu não criei a motivação certa para dada ação. O que de fato me surpreende, vez ou outra, é o carinho que desenvolvo por algum personagem, ou o meu grau de satisfação com o resultado final. Alguns de meus personagens preferidos são Izzy, de *O lago místico*, Tully, de *Amigas para sempre*, e Anya, de *Jardim de inverno.*

Como mãe, foi difícil para você escrever sobre uma mãe que abandonou suas filhas? Como se sentiu ao escrever sobre Ellie?

Pela minha obra, fica muito claro que considero a maternidade algo importantíssimo. Não há dúvida de que me identifico, em primeira instância, como mãe. Como todas as mulheres, sou também muitas outras coisas – escritora, esposa, amiga, filha, irmã –, mas a maternidade é a minha verdadeira essência. Então, sim, foi difícil escrever sobre uma mulher tão desleixada com as próprias responsabilidades e, portanto, tão cruel. Sem dúvida, o efeito disso em suas filhas foi devastador. Está claro que a personalidade de Meghann foi moldada e ferida por esse abandono; essa é a razão pela qual ela é incapaz de acreditar no amor e se mostra tão raivosa. Ela usa o sexo para manter distância do amor e não entende quanto essa escolha lhe faz mal.

Tempo de regresso é, sem sombra de dúvida, um livro sobre irmãs, mas também sobre maternidade. Claire se esforçou para se tornar a mãe que nunca teve. É importante para mim ressaltar que os ciclos de abuso podem ser interrompidos e que o amor pode mudar a dinâmica de uma família. No fim, senti que Ellie era um personagem trágico, que decerto também havia sido profundamente magoada.

Você tem talento especial para transportar os sentimentos de seus personagens aos leitores. Você costuma ficar mexida depois de escrever uma cena? Já chorou enquanto escrevia?
Eu costumava me preocupar que os leitores chorassem ao ler meus romances, mas acabei compreendendo que todos precisamos chorar um pouco de vez em quando. Eu me empenho muito para criar personagens envolventes, com quem os leitores se solidarizem.

Sei que muitos escritores ficam tão envolvidos no próprio trabalho que choram ao escrever as cenas mais importantes. Em geral, não sou assim. Como disse antes, mantenho controle durante o processo de escrita. Parte de mim sempre observa o trabalho de certa distância, avaliando cada escolha de palavra, manipulando todas as ações e reações, ditando o ritmo. No entanto, costumo encerrar as cenas mais difíceis completamente exausta. Uma boa descrição seria "emocionalmente cansativa". É muito desgastante "viajar" a essas situações tristes e assustadoras. Uma cena deste livro foi particularmente difícil: quando Claire se despede da própria filha. Depois dela, precisei espairecer com uma longa caminhada na praia.

Se eu for chorar por conta do trabalho, vai ser depois que acabo de escrever, quando estou lendo a versão já editada. A ideia é procurar qualquer erro, mas vez ou outra acabo com os olhos marejados. Lembro que isso aconteceu em *Amigas para sempre* e *Jardim de inverno*. Esses dois romances contêm cenas que me fizeram chorar.

Claire e Bobby se apaixonam à primeira vista e, poucas semanas depois do casamento, os dois vivem momentos muito difíceis e Bobby se mantém firme ao lado de Claire. Você acredita em amor à primeira vista? Acha que é possível amar alguém de maneira tão incondicional com tão pouco tempo de relacionamento?
Acredito em *algo* à primeira vista. Não exatamente amor, mas algo que sem dúvida pode ser um começo. O verdadeiro amor não é um xeque-mate; é um processo. O mais importante é a jornada. Mas acredito, sim, que podemos encontrar alguém e saber no mesmo instante que algo especial está acontecendo. Paixão, cuidado e compromisso sem dúvida podem conduzir ao amor verdadeiro. O que nós sabemos é que o amor pode durar uma vida inteira, mas requer muito empenho. Essa é uma das lições que Claire precisa aprender neste romance. Devido à forma como foi criada, ela não se permite acreditar totalmente no amor de Bobby. Por ironia, é Meghann, a mais durona de todas, quem acredita nele.

Quando escreve, você chega a pensar em como os leitores vão se identificar com as questões apresentadas em seus livros? Em especial, o que gostaria que as mulheres e/ou irmãs tirassem deste livro? Quais debates gostaria de ver suscitados a partir desta história?
Não penso ativamente em meus leitores enquanto escrevo. Acho que isso me limitaria. Muitos pensamentos já circulam nos porões de minha mente; acho que não consigo lidar com mais coisas.

Em relação ao que as pessoas podem e devem tirar deste livro, acho que é a noção de que sempre se pode mudar uma dinâmica familiar. Antigas más decisões podem ser desfeitas. O amor pode crescer em solo antes maltratado e tomado por ervas daninhas. Quanto aos debates, eu adoraria que as pessoas reavaliassem seus relacionamentos "perdidos" e procurassem se reconectar com velhos amigos ou familiares.

Que novidades podemos esperar no futuro?
O futuro é sempre uma surpresa para mim também. Ideias são como anjos da guarda: surgem do nada quando mais precisamos. Eu raramente sei que caminho vou tomar. O que posso dizer é que sou sempre atraída por relações entre mulheres e o preço do amor. Estou constantemente explorando ideias de redenção, perda, mágoa e perdão.

CONHEÇA OUTRO LIVRO DA AUTORA

O Rouxinol

França, 1939. No pequeno vilarejo de Carriveau, Vianne Mauriac se despede do marido, que ruma para o front. Ela não acredita que os nazistas invadirão o país, mas logo chegam hordas de soldados em marcha, caravanas de caminhões e tanques, aviões que escurecem os céus e despejam bombas sobre inocentes.

Quando o país é tomado, um oficial das tropas de Hitler requisita a casa de Vianne, e ela e a filha são forçadas a conviver com o inimigo ou perder tudo. De repente, todos os seus movimentos passam a ser vigiados e Vianne é obrigada a fazer escolhas impossíveis, uma após a outra, e colaborar com os invasores para manter sua família viva.

Isabelle, irmã de Vianne, é uma garota contestadora que leva a vida com o furor e a paixão típicos da juventude. Enquanto milhares de parisienses fogem dos terrores da guerra, ela se apaixona por um guerrilheiro e decide se juntar à Resistência, arriscando a vida para salvar os outros e libertar seu país.

Seguindo a trajetória dessas duas grandes mulheres e revelando um lado esquecido da História, *O Rouxinol* é uma narrativa sensível que celebra o espírito humano e a força das mulheres que travaram batalhas diárias longe do front.

Separadas pelas circunstâncias, divergentes em seus ideais e distanciadas por suas experiências, as duas irmãs têm um tortuoso destino em comum: proteger aqueles que amam em meio à devastação da guerra – e talvez pagar um preço inimaginável por seus atos de heroísmo.

CONHEÇA OS LIVROS DE KRISTIN HANNAH

Tempo de regresso

A grande solidão

As coisas que fazemos por amor

O caminho para casa

As cores da vida

O Rouxinol

Amigas para sempre

Quando você voltar